Dr. Oetker
MAN NEHME...

Dr. Oetker
MAN NEHME...

TANDEM

MAN NEHME

... einen großen Korb, marschiere damit schnurstracks auf den nächsten Wochenmarkt, ins nahegelegene Geschäft oder in den gut sortierten Supermarkt und kaufe dort gezielt und preisbewußt ein. Was? Alles, was gerade Saison hat. Denn wer sich an Saisonangeboten orientiert, der lebt gesünder und schont das Portemonnaie.

Vollbepackt geht's dann zurück an den heimischen Herd, wo sich all die frischen Zutaten in delikate Meisterwerke verwandeln sollen – und werden! Dazu braucht man gar nicht viel. Etwas Spaß am Kochen und eine gehörige Portion an guten Rezepten, die garantiert gelingen. Also, man nehme... Ein ganzes Jahr lang wollen wir Sie in Ihrer Küche begleiten, Ihnen mit Rat und Tat zur Seite stehen

wenn es um leichte Frühlingsgerichte, schmackhafte Sommermenüs, deftige Herbstmahlzeiten und kulinarische Wintergenüsse geht. Ob heiß oder kalt, ob Vorspeise, Hauptgang oder Dessert, ob Fisch, Fleisch oder Geflügel, Gemüse oder Salate, Kuchen oder Gebäck, für jeden Geschmack ist etwas dabei. Und immer passend dazu: der richtige Aperitif oder Cocktail. Bringen Sie also im Frühjahr junge Kohlrabi und delikaten Spargel auf den Tisch, überraschen Sie im

Sommer mit immer neuen Gemüsevarianten und „beerigen" Ideen, verwöhnen Sie Familie, Freunde und auch sich selbst im Herbst mit Pilzen und erntefrischem Obst und kredenzen Sie im Winter deftigen Kohl und aromatische Zitrusfrüchte.

Mit einem Wort: Genießen Sie das Wechselspiel der vier Jahreszeiten – in der Natur und zu Hause!

IM FRÜHJAHR

Aperitif	10-13
Vorspeisen	14-37
Suppen und Saucen	38-51
Eintöpfe	52-57
Fisch und Meeresfrüchte	58-81
Fleisch und Geflügel	82-97
Beilagen, Gemüse, Salate	98-113
Nachspeisen	114-133
Gebäck, Kuchen, Torten	134-137
Kaffee und Tee	138-139

IM SOMMER

Aperitif	142-145
Vorspeisen	146-161
Suppen und Saucen	162-183
Eintöpfe	184-191
Fisch und Meeresfrüchte	192-209
Fleisch und Geflügel	210-227
Beilagen, Gemüse, Salate	228-241
Nachspeisen	242-263
Gebäck, Kuchen, Torten	264-269
Kaffee und Tee	270-271

IM HERBST

Aperitif	274-277
Vorspeisen	278-295
Suppen und Saucen	296-317
Eintöpfe	318-323
Fisch und Meeresfrüchte	324-339
Fleisch und Geflügel	340-357
Beilagen, Gemüse, Salate	358-375
Nachspeisen	376-395
Gebäck, Kuchen, Torten	396-401
Kaffee und Tee	402-403

IM WINTER

Aperitif	406-411
Vorspeisen	412-425
Suppen und Saucen	426-439
Eintöpfe	440-455
Fisch und Meeresfrüchte	456-473
Fleisch und Geflügel	474-491
Beilagen, Gemüse, Salate	492-507
Nachspeisen	508-527
Gebäck, Kuchen, Torten	528-533
Kaffee und Tee	534-535

„Vom Eise befreit sind Strom und Bäche…"
sinnierte einst Geheimrat Goethe auf seinem
legendären Osterspaziergang. Keine Frage,
frische Luft macht Appetit – nicht nur einem
Dichterfürsten und nicht nur auf die gespick-
te Lammkeule als Festtagsbraten auf der
Ostertafel oder die gebackene Maischolle als
fangfrische Frühjahrs-Delikatesse. Freuen wir
uns auf das junge Gemüse, das jetzt auf den
Markt kommt, auf den ersten Kohlrabi, auf
zarten Spinat und Kopfsalat, auf aromatische
Erdbeeren und den vielseitig verwendbaren
Rhabarber. Und was wäre der Wonnemonat
Mai ohne jene weiße (oder auch grüne)
Majestät, der man in deutschen Landen seit
Jahrzehnten schon die Stange hält: König
Spargel hält nun Hof und alle sind geladen…

MAN NEHME

KIRSCHEN

Die Kirschen aus Nachbars Garten... Es ist eine Binsenweisheit, daß nur sie allein so unvergleichlich schmecken. Süßkirschen gedeihen (fast) überall gut, zumindest in Mitteleuropa, wo sie als erstes Baumobst des Jahres geerntet und angeboten werden. Braucht der Süßkirschbaum auch verhältnismäßig lange, ehe er richtig trägt – sechs bis acht Jahre vergehen, bis der Baum seine stattliche Krone bekommt – so bringt ein Baum immerhin fünfzig bis hundert Kilogramm Frucht pro Saison. Vorausgesetzt, die Blüte, die meist in die zweite Aprilhälfte fällt, wird nicht von tückischen Spätfrösten vernichtet.

10

Beau Rivage

2 cl weißen Rum	
2 cl Wermut, rot	
2 cl Wermut, weiß	
2 cl Orangensaft	
1 Spritzer	
Grenadinesirup	mit
3 Eiswürfeln	in einen Shaker geben, gut schütteln, in ein Cocktailglas absieben.

Jade

2 cl weißen Rum	
1 cl Curaçao orange	
1 cl grünen	
Pfefferminzlikör	mit
3 - 4 Eiswürfeln	in einen Shaker geben, gut schütteln, in ein Cocktailglas oder eine Sektschale absieben, mit
etwa 125 ml (⅛ l) Sekt	auffüllen.

Blue Lagoon (Foto)

4 - 5 Eiswürfel	in einen Shaker geben
4 cl Wodka	
2 cl Curaçao blue	
1 Barlöffel Zitronensaft	hinzufügen, schütteln und mit dem Eis in ein Longdrinkglas geben, mit
Zitronenlimonade	auffüllen, mit
1 Zitronenscheibe	
1 Cocktailkirsche	garnieren.

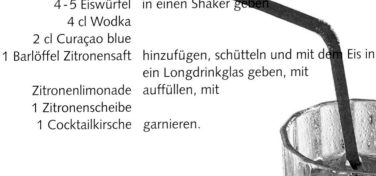

BLACK VELVET (Foto)

100 ml Stout (dunkles englisches Bier) 100 ml Champagner	in ein Longdrinkglas gießen, mit auffüllen.

CHARLY'S SPEZIAL (Foto)

1 Stück Würfelzucker Angostura	mit tränken, in eine Sektschale geben
1 Eiswürfel 2 cl Cognac 1 Cocktailkirsche	hinzufügen, mit
Champagner	auffüllen, mit
Zitronenschale (unbehandelt)	abspritzen, die Schale mit ins Glas geben.

OHIO (Foto)

4-5 Eiswürfel	in ein Rührglas geben
1 Spritzer Angostura 2 Spritzer Curaçao weiß 2 Spritzer Maraschino 3 cl Canadian Whisky	hinzufügen, rühren, in ein Cocktailglas absieben, mit
Sekt	auffüllen
1 Orangenscheibe	halbieren, zusammen mit
1 Cocktailkirsche	ins Glas geben.

MAN NEHME
KRESSE

Gegen akuten Vitamin-C-
Mangel ist schon so
manches Kraut gewachsen.
Aber keines erfreut sich
weltweit solcher Beliebtheit
wie die Kresse. Unter
diesem Sammelbegriff sind
– rein wissenschaftlich
gesehen – rund 130 ver-
schiedene Arten von
Kreuzblütern zusammen-
gefaßt. Im allgemeinen
Sprachgebrauch bezieht er
sich allerdings nur auf
die wichtigsten kultivierten
Ableger, auf das munter-
machende Trio von
Brunnen-, Garten- und
Gänsekresse. Alle drei bieten sich als grüne Krönung
von Salaten, Suppen,
Fischgerichten oder Quark-
speisen an. Außerdem ist
die Kresse ein recht
anspruchsloses Kraut, das
selbst auf dem kleinsten
Balkon noch gut gedeiht.
Hauptsache, es hat ge-
nügend Wasser und Licht.

Badische Salatröllchen

1 Eisbergsalat	Von die äußeren Blätter entfernen, 8 große Blätter abnehmen, waschen, trockentupfen 8-10 kleinere Blätter ebenfalls waschen, abtropfen lassen, in Streifen schneiden
80 g entrindeten Weichkäse	
80 g gekochten Schinken	in Streifen schneiden
125 ml (⅛ l) saure Sahne	mit
1 EL gehackter Petersilie	
1 EL Schnittlauchröllchen	
1 EL Kresse	
1 EL Tomatenmark	verrühren, mit
Knoblauchpfeffer	
Salz	würzen, mit den Salat-, Käse- und Schinkenstreifen vermengen, auf die 8 großen Salatblätter verteilen, die Blätter zusammenrollen, die beiden Seiten dabei nach innen umklappen mit einem Holzstäbchen feststecken.

Artischockenböden mit Eiercreme

(Etwa 8 Stück)

Für die Füllung

3 hartgekochte Eier	pellen, halbieren, die Eigelb mit
30 g Butter	
1 EL Crème fraîche	
2 Sardellenfilets	
2 TL Kapern	
2 TL Kapernsud	im Mixer pürieren, mit
frisch gemahlenem weißen Pfeffer	
geriebener Muskatnuß	
½ TL gerebeltem Thymian	würzen

etwa 8 sauer eingelegte
Artischockenböden
(aus der Dose) gut abtropfen lassen
die Eiermasse in einen Spritzbeutel mit
gezackter Tülle füllen, auf die
Artischockenböden spritzen, mit
halbierten
schwarzen Oliven garnieren.

ARTISCHOCKEN MIT SAUCE VINAIGRETTE (Foto)

8 vorbereitete
Artischocken kurze Zeit in
Salzwasser legen, abtropfen lassen, in
4 - 5 l kochendes
Salzwasser geben
6 EL Kräuter-Essig hinzufügen, zum Kochen bringen, gar kochen
lassen (die Artischocken sind gar, wenn sich
die Blätter leicht herauszupfen lassen)
die Artischocken mit den Blättern nach unten
abtropfen lassen
Kochzeit: 30 - 40 Minuten.

Für die Sauce vinaigrette

200 ml Speiseöl mit
5 - 6 EL Weißwein-Essig
2 TL mittelscharfem Senf verschlagen
2 EL gehackte Petersilie mit
2 EL feingeschnittenem
Schnittlauch
2 Messerspitzen
gerebeltem Kerbel
2 Messerspitzen
gerebeltem Basilikum verrühren, mit
Salz
frisch gemahlenem Pfeffer abschmecken

jede Artischocke auf einen Dessertteller
setzen, von unten beginnend die Blätter
abzupfen, jedes Blatt mit dem unteren Ende in
die Sauce tauchen, das Fleisch mit den Zähnen
vom Blatt streifen, die Blattreste weglegen
wenn alle Blätter entfernt sind, den
ungenießbaren Flaum (Heu) vom
Artischockenboden mit einem Messer abtrennen,
den Artischockenboden in Würfel schneiden,
mit der restlichen Sauce verzehren.

GEFÜLLTE CHAMPIGNONS

4 Riesenchampignons	entstielen, aus den Hüten die Lamellen vorsichtig ausschaben, Hüte und Stiele unter fließendem kaltem Wasser abspülen, trockentupfen.

Für die Füllung
die Stiele fein würfeln

2 Scheiben Schinkenspeck	in kleine Würfel schneiden
1 kleine Zwiebel	abziehen, fein würfeln
1 EL Butter	zerlassen, die Zwiebel- und Schinkenspeckwürfel darin andünsten, die Champignonwürfel hinzufügen, durchdünsten lassen
2 kleine Tomaten	waschen, abtrocknen, die Stengelansätze herausschneiden die Tomaten halbieren, fein würfeln, zu den Pilzen geben, mit
Salz, Pfeffer italienischer Kräutermischung	würzen, dünsten lassen die Füllung in die vier Champignonköpfe geben
750 ml Wasser	in einen ovalen Bratentopf mit Einsatz zum Kochen bringen die Champignonköpfe in den Einsatz geben, im geschlossenen Topf gar dämpfen lassen die gefüllten Champignonköpfe auf einer vorgewärmten Platte anrichten, mit
gebräunter Butter	beträufeln.
Dünstzeit:	6-8 Minuten
Dämpfzeit:	etwa 18 Minuten.

17

BUNTE PARTY-KUGELN

(Etwa 20 Stück)

250 g Frischkäse	mit
100 g Speisequark	verrühren, mit
Salz	
frisch gemahlenem weißen Pfeffer	
Zitronensaft	abschmecken, walnußgroße Kugeln aus der Masse formen, je ein Viertel der Kugeln in
Paprika edelsüß	
Currypulver	
zerriebenem Pumpernickel	
gehackten Kräutern	wälzen
	Kugeln auf
Cracker	setzen, auf einer Platte mit
gewaschenen Salatblättern	
Radieschen	
Petersilien-Sträußchen	anrichten.

CAMEMBERT MIT BANANEN

	(Wird am Tisch zubereitet)
1 Ei	verschlagen
2 Packungen Camembert (4 Hälften, nicht zu reif, gut gekühlt)	zuerst in den verschlagenen Eiern, dann in
40 g Semmelbröseln	wenden, die Semmelbrösel gut andrücken, die Camemberthälften nochmals in dem restlichen Ei und Semmelbröseln wenden
Butterschmalz	in einer Flambierpfanne auf dem Rechaud erhitzen, die Camemberthälften von beiden Seiten darin braten, auf einer vorgewärmten Platte warm stellen
2-3 Bananen	schälen, schräg in gut ½ cm dicke Scheiben schneiden
1 EL Butter	in der Flambierpfanne erhitzen, die Bananenscheiben darin anbraten, mit

18

4 EL Weinbrand	flambieren
	zu dem gebratenen Camembert reichen.
Bratzeit für den Camembert:	etwa 8 Minuten
Für die Bananen:	3 Minuten.

CRÊPES MIT GEFLÜGELFÜLLUNG

(12 Stück)

Für den Teig

125 g Weizenmehl	in eine Schüssel sieben, in der Mitte eine Vertiefung eindrücken
2 Eier	mit
Salz	
125 ml (⅛ l) Milch	
125 ml (⅛ l) Schlagsahne	verschlagen, etwas davon in die Vertiefung geben, von der Mitte aus Eier-Milch-Sahne und Mehl verrühren, nach und nach die übrige Eier-Milch-Sahne dazugeben, darauf achten, daß keine Klumpen entstehen, den Teig etwa 30 Minuten stehenlassen.

Für die Füllung

500 g Hähnchenbrustfilet	waschen, abtrocknen, in dünne Streifen schneiden, mit Salz,
Paprika edelsüß	
Currypulver	würzen
1 EL Weizenmehl	darüber stäuben
Butterschmalz	erhitzen, die Fleischstreifen unter Wenden etwa 3 Minuten darin braten
1 Becher (150 g) Crème fraîche	
6-8 EL Weißwein	unterrühren, 1-2 Minuten durchschmoren lassen, mit Salz, Currypulver abschmecken
2 Bananen	schälen, in Scheiben schneiden, zu dem Fleisch geben, kurz miterhitzen, die Füllung warm stellen

Butterschmalz in einer kleinen Stielpfanne erhitzen, eine
sehr dünne Teiglage hineingeben, von beiden
Seiten goldgelb backen
bevor der Crêpe gewendet wird, etwas Fett in
die Pfanne geben
die übrigen Crêpes auf die gleiche Weise
zubereiten, auf jedes Crêpe 1 - 2 Eßlöffel von der
Füllung geben, aufrollen, sofort servieren.
Bratzeit für die Füllung: etwa 6 Minuten
je Crêpe: 2 - 3 Minuten.

EIER-CURRY

8 hartgekochte Eier pellen
2 große Zwiebeln abziehen, in feine Scheiben schneiden
3 Knoblauchzehen abziehen
3 EL Butter zerlassen, die Zwiebelringe darin gar dünsten,
herausnehmen, warmstellen
den Knoblauch durchpressen, in dem Bratfett
andünsten, mit

1 EL Currypulver
½ TL Kreuzkümmel
1 Messerspitze Kardamom
Salz
frisch gemahlenem Pfeffer verrühren
3 EL Tomatenmark unterrühren, kurz mitdünsten
1 große Dose
(etwa 800 g) Tomaten mit der Flüssigkeit hinzugeben, etwa 30 Minuten
bei mäßiger Hitze kochen, bis eine
sämige Sauce entstanden ist
das Zwiebelgemüse auf Tellern anrichten, die
Sauce darauf verteilen
die Eier vierteln, auf der Sauce anrichten,
mit
gehackter Petersilie bestreut servieren.

WÜRZIGER DREI-SCHICHTEN-KÄSE

Für die weiße Schicht

50 g Speisequark	mit
70 g Doppelrahm-Frischkäse	cremig rühren, mit
1 TL Meerrettich	vermengen
1 kleine Zwiebel	abziehen, fein würfeln
1 Knoblauchzehe	abziehen, fein hacken
	beide Zutaten mit dem Quark verrühren, mit
Salz	
Pfeffer	abschmecken, in ein Glasschälchen geben, glatt streichen.

Für die gelbe Schicht

	die Rinde von
100 g reifem Camembert	abschneiden, Käse zerdrücken, mit
2 EL Schlagsahne	cremig rühren
1 kleine, gelbe Paprikaschote	halbieren, entstielen, entkernen, die weißen Scheidewände entfernen, die Schote waschen, in feine Würfel schneiden, mit der Käsecreme,
½ TL Currypulver	
½ TL Senf	
1 Prise Safran	vermengen, auf die weiße Creme geben, glatt streichen.

Für die orangefarbene Schicht

80 g Edamer	grob zerkleinern, mit
2 EL Crème fraîche	pürieren, mit Salz, Pfeffer,
½ TL Tomatenmark	
1 TL Paprika edelsüß	abschmecken
1 Tomate	kurze Zeit in kochendes Wasser geben (nicht kochen lassen), enthäuten, halbieren, entkernen, in Würfel schneiden, mit der Käsecreme vermengen, auf die gelbe Käseschicht geben, glattstreichen den Käse kalt stellen, mit
Tomatenachteln	garnieren.

21

GLASNUDELSALAT SHANGHAI

(Für 4 - 6 Personen)

Etwa 100 g Glasnudeln	in eine Schüssel geben, mit
kochendem Wasser	übergießen, 3 - 4 Minuten ziehen lassen, auf ein Sieb geben, mit kaltem Wasser übergießen, gut abtropfen lassen, mit einem Messer mehrmals durchschneiden
250 g Schweinefilet	waschen, abtrocknen, in Streifen schneiden, mit
Salz	
frisch gemahlenem Pfeffer	
Currypulver	würzen, mit
etwas Weizenmehl	bestäuben
3 EL Speiseöl	erhitzen, die Filetstreifen darin braun braten, aus dem Fett nehmen, erkalten lassen
etwa 300 g Mandarinenspalten (aus der Dose)	
etwa 170 g Sojabohnenkeimlinge (aus der Dose)	
etwa 225 g Bambussprossen (aus der Dose)	
etwa 225 g gedünstete Erbsen	

die vier Zutaten abtropfen lassen, den Mandarinensaft auffangen, die Bambussprossen in Streifen schneiden.

Für die Salatsauce

2 EL Salatöl	mit
2 EL Essig	
3 EL Wasser	
1 EL Ingwer	
3 - 4 EL Mandarinensaft	
2 EL Sojasauce	
1 - 2 EL Currypulver	
1 Messerspitze Sambal Oelek	verrühren, mit den Salatzutaten vermengen,

Salz, Zucker | gut durchziehen lassen, den Salat mit und evtl. mit Currypulver, Sambal Oelek abschmecken.

GEFÜLLTE SCHINKEN-RÖLLCHEN

12 Stangen gekochter grüner Spargel
4 große Scheiben gekochter Schinken | je drei Stangen Spargel in eine Schinkenscheibe wickeln, in eine gefettete Auflaufform legen

4 kleine Tomaten | waschen, abtrocknen, Stengelansätze herausschneiden, die Tomaten in Scheiben schneiden, auf die Schinkenröllchen legen

250 g Bonbel-Käse | in Würfel schneiden, über die Röllchen und die Tomatenscheiben geben, die Form auf dem Rost in den vorgeheizten Backofen schieben

Ober-/Unterhitze: etwa 225 °C (vorgeheizt)
Heißluft: etwa 200 °C (nicht vorgeheizt)
Gas: etwa 5 (vorgeheizt)
Backzeit: etwa 15 Minuten.

GEFÜLLTER STAUDENSELLERIE

(Etwa 12 Stück)

600 g Staudensellerie | putzen, das Grün nach Wunsch aufbewahren, harte Fäden von der Außenseite der Stengel abziehen, die Stengel waschen, abtrocknen, in etwa 7 cm lange Stücke schneiden, den Staudensellerie auf einer Platte anrichten

300 g Roquefort-Käse | durch ein Sieb streichen, mit
200 g Doppelrahm-Frischkäse

3 EL Weinbrand | verrühren, die Creme auf die Stengel spritzen, nach Wunsch mit dem zurückbehaltenen Selleriegrün garnieren.

23

GEFÜLLTE EIER

4 EL Senf	mit
Salz	
frisch gemahlenem Pfeffer	
Worcestersauce	kräftig würzen
6 hartgekochte Eier	pellen, längs halbieren, Eigelb herauslösen, die Senfmasse in die Eiweiß geben, Eigelb wieder daraufsetzen, die Eier auf einer Platte anrichten, mit
Kresseblättchen	garniert servieren.

HÜTTENKÄSE-SOUFFLÉ

(Für 6 Personen)

500 g Möhren	putzen, waschen, schälen, in Stücke schneiden
2 EL Butter	zerlassen, Möhren andünsten
½ TL Salz	hinzufügen, Möhren in etwa 20 Minuten gar dünsten, pürieren, in einem Tuch ausdrücken
4 Eigelb	mit
2 EL Weizenvollkornmehl	verschlagen, mit Möhrenmus,
½ TL Zimt	
½ TL Kardamom	
frisch gemahlenem Pfeffer	
geriebener Muskatnuß	würzen
200 g Hüttenkäse	abtropfen lassen, unter die Masse rühren
4 Eiweiß	steif schlagen, unter die Masse ziehen, in eine gefettete Auflaufform geben, in den vorgeheizten Backofen schieben
Ober-/Unterhitze:	etwa 200 °C (vorgeheizt)
Heißluft:	etwa 180 °C (nicht vorgeheizt)
Gas:	etwa Stufe 2 - 3 (vorgeheizt)
Backzeit:	etwa 40 Minuten.

KÄSERING

300 ml Milch	mit
60 g Butter	
1 TL Salz	
frisch gemahlenem Pfeffer	in einem Topf zum Kochen bringen
120 g gesiebtes Weizenmehl	auf einmal hinzugeben, die Zutaten vermengen, so lange rühren, bis der Teig zu einem dicken Kloß geworden ist, der sich leicht vom Topfboden löst, den Topf von der Herdstelle nehmen, Teig mit
4 Eiern	portionsweise verrühren, bis er glatt und glänzend ist
90 g Greyerzer Käse	in kleine Würfel schneiden, bis auf 1 Eßlöffel unter den Teig mengen
	ein Backblech mit Back-Trennpapier auslegen, einen Kreis mit einem Durchmesser von 12 cm markieren, den Teig mit 2 Eßlöffeln als Häufchen in Form eines Ringes darauf setzen, restliche Käsewürfel darüber streuen, das Blech in den vorgeheizten Backofen schieben, den Backofen nicht vor Ende der Backzeit öffnen
Ober-/Unterhitze:	etwa 200 °C (vorgeheizt)
Heißluft:	etwa 180 °C (nicht vorgeheizt)
Gas:	etwa Stufe 3 (vorgeheizt)
Backzeit:	etwa 45 Minuten.
	Den Käsering etwa 5 Minuten an einem warmen Ort ausdampfen lassen, mit einem Holzstäbchen einstechen, damit der Kranz nicht zusammenfällt nach Belieben heiß oder kalt servieren.

KÄSE-SOUFFLÉ

250 ml (¼ l) Altbier	mit
75 g Butter	zum Kochen bringen
100 g gesiebte Speisestärke	
75 g frisch geriebenen Parmesan-Käse	unter schnellem Rühren in die Flüssigkeit geben, abkühlen lassen

6 Eigelb	unter die Masse schlagen, mit
Paprika edelsüß	abschmecken
6 Eiweiß	steif schlagen, unterziehen
	die Masse in eine gefettete Auflaufform geben, auf dem Rost in den vorgeheizten Backofen schieben
Ober-/Unterhitze:	etwa 200 °C (vorgeheizt)
Heißluft:	etwa 180 °C (nicht vorgeheizt)
Gas:	etwa Stufe 4 (vorgeheizt)
Backzeit:	etwa 25 Minuten.

KALBSMEDAILLONS AUF TOAST MIT SAUCE HOLLANDAISE

Für die Sauce hollandaise

100 g Butter	zerlassen, etwas abkühlen lassen
2 Eigelb	mit
1 TL Essig	
2 EL Wasser	im Wasserbad oder auf der Automatikplatte so lange schlagen, bis die Masse dicklich ist, mit
Salz, Pfeffer	
Zucker	
Zitronensaft	abschmecken
	die zerlassene Butter nach und nach unterschlagen, die Sauce im Wasserbad warm halten, damit sie nicht gerinnt
4 Scheiben Toastbrot	rund ausstechen (Durchmesser etwa 8 cm), in einer Grillpfanne in
Butter	von beiden Seiten rösten
4 Kalbsmedaillons	etwas zusammendrücken in der Grillpfanne
Speiseöl	erhitzen, das Fleisch darin grillen, dabei ab und zu mit Bratenfett begießen, damit es saftig bleibt
	die Toastscheiben auf vorgewärmte Teller legen
	die Medaillons darauf anrichten
	die Sauce hollandaise dazureichen.
Grillzeit:	Jede Seite etwa 5 Minuten.
Beilage:	Grüner Salat.

KARTOFFELBLINIS MIT LACHS (Foto)

20 g Hefe	zerbröckeln, mit
1 TL Zucker	und 5 Eßlöffeln von
125 ml (1/8 l)	
lauwarmer Milch	anrühren
200 g Kartoffeln	schälen, waschen, fein reiben
250 g Weizenmehl	in eine Rührschüssel sieben, in die Mitte eine Vertiefung eindrücken, die aufgelöste Hefe hineingeben, sie etwa 1/2 cm dick mit Mehl bestreuen
50 g zerlassene lauwarme Butter oder Margarine	

Salz	an den Rand des Mehls geben sobald das auf die Hefe gestreute Mehl rissig wird, von der Mitte aus alle Zutaten mit einem elektrischen Handrührgerät mit Rührbesen gut verrühren die restliche Milch mit
1 Ei	verschlagen, mit den geriebenen Kartoffeln zu dem Hefeteig geben, so lange weiterrühren, bis der Teig Blasen wirft den Teig zugedeckt an einem warmen Ort so lange stehenlassen (etwa 20 Minuten), bis er etwa doppelt so hoch ist den Teig auf der höchsten Stufe nochmals gut durchkneten
75 g Speiseöl oder Schweineschmalz	in einer Pfanne erhitzen, den Teig eßlöffelweise hineingeben, flachdrücken, von beiden Seiten goldbraun backen, die Blinis auf einer vorgewärmten Platte warm stellen
1 Becher (150 g) Crème fraîche	mit
1 Becher (150 g) saurer Sahne	glattrühren, mit Salz, Zucker,
frisch gemahlenem Pfeffer Zitronensaft	abschmecken die Sauce mit
100 g Lachsscheiben	zu den Kartoffelblinis reichen.

KLEINE KÄSE-SOUFFLÉS

4 Eigelb	mit
200 g geriebenem alten Gouda	
100 g zerbröseltem Schafskäse	
1 TL scharfem Senf	
½ TL getrocknetem Majoran	cremig rühren, mit
geriebener Muskatnuß	
frisch gemahlenem Pfeffer	abschmecken
1 Tasse Kressekeime	unterrühren
4 Eiweiß	steifschlagen, unterziehen, in vier kleine gefettete Auflaufförmchen geben, auf dem Rost in den vorgeheizten Backofen schieben
Ober-/Unterhitze:	etwa 220 °C (vorgeheizt)
Heißluft:	etwa 200 °C (nicht vorgeheizt)
Gas:	etwa Stufe 3 (vorgeheizt)
Backzeit:	etwa 20 Minuten. Die Käse-Soufflés sofort servieren.

KARTOFFEL-KÜMMEL-WAFFELN

(4 - 6 Stück)

2 große, mehlig-festkochende Kartoffeln	in der Schale weich kochen, Schale abziehen und die Kartoffeln durch eine Kartoffelpresse drücken den Kartoffelbrei mit
4 Eiern	
50 g gesiebtem Weizenmehl (Type 1050)	
50 g geriebenem Parmesan-Käse	
1 TL gemahlenem Kümmel	vermengen, mit einem elektrischen Handrührgerät mit Rührbesen zu einem dickflüssigen Teig verarbeiten, wenn nötig etwas
Mineralwasser	hinzufügen

28

1 Speckschwarte	Waffeleisen vorheizen, mit einreiben, den Teig in Portionen hineingeben, goldbraune Waffeln daraus backen nach jedem Backen das Waffeleisen wieder einfetten die Kartoffel-Kümmel-Waffeln warm servieren.

KNOBLAUCH-PETERSILIEN-RÜHREI AUF KARTOFFELPUFFER

8 tiefgekühlte Kartoffelpuffer	nach Packungsanleitung zubereiten und warmstellen
8 Eier	mit
3 EL Schlagsahne	gut verschlagen, mit
Salz, Pfeffer geriebener Muskatuß	würzen
6 Knoblauchzehen	abziehen, fein hacken
3 EL Butter	zerlassen, den Knoblauch darin andünsten die Eiermasse hinzufügen, bei sehr schwacher Hitze langsam stocken lassen, dabei die Masse mit einem Pfannenwender immer wieder vom Boden der Pfanne lösen
1 Bund glatte Petersilie	waschen, trockentupfen, fein hacken, in das fast gestockte Rührei geben die Kartoffelpuffer auf vier vorgewärmte Teller geben, das Rührei gleichmäßig verteilen, sofort servieren.

KRABBEN-RÜHREI-BROT

8 Eier	mit
4 EL Schlagsahne	kurz verschlagen, mit
Salz schwarzem Pfeffer	würzen
4 EL Butter	in einer Pfanne bei schwacher Hitze zerlassen, die Eier-Sahne hineingeben sobald die Masse zu stocken beginnt,
300 g gepulte Krabben	hinzufügen und die Eiermasse mit einem

Pfannenwender immer wieder strichweise vom
Boden der Pfanne lösen
das Rührei nur so lange weiter erhitzen, bis es
cremig-weich und großflockig ist

4 Scheiben
Vollkornbrot mit
Butter bestreichen und das Krabben-Rührei darauf
verteilen
2 EL gehackten Dill darüber streuen und die Brote mit
Basilikumblättchen garniert servieren.

Kräuter-Plinsen

1 Packung (200 g)
Speisequark (40 %) auf ein Sieb geben, über Nacht gut abtropfen
lassen
4 EL Weizenmehl mit
2 Eigelb gut verrühren, den abgetropften Quark
unterrühren, mit

Salz
frisch gemahlenem Pfeffer würzen
2 EL gemischte,
gehackte Kräuter unterrühren
2 Eiweiß steif schlagen, unterheben
Speiseöl in einer Pfanne erhitzen, etwa 1 Eßlöffel
Quarkteig hineingeben, etwas flachdrücken, von
beiden Seiten goldgelb backen
bevor der Kräuter-Plinsen gewendet wird, etwas
Speiseöl in die Pfanne geben
die übrigen Kräuter-Plinsen auf die gleiche
Weise zubereiten.
Beilage: Crème fraîche, nach Belieben Kaviar, grüner
Salat.

LIPTAUER, HAUSGEMACHT (Foto)

1 Zwiebel	abziehen
50 g Weißlacker Käse	
50 g Limburger Käse	
	die drei Zutaten in feine Würfel schneiden, mit
1 Packung (200 g) Speisequark, Magerstufe	
2 EL Butter	
1 EL Paprika edelsüß	gut verrühren, kalt stellen.
Beilage:	Vollkornbrot oder Stangenweißbrot.

MATJES-COCKTAIL

(Für 3 Personen)

1 Packung (200 g) Meerrettich-Quark	mit
2 EL Preiselbeeren (aus dem Glas)	verrühren
1 roten Apfel	waschen, vierteln, entkernen
2 Gewürzgurken	
	beide Zutaten in Scheiben schneiden
4 Matjesfilets	in schmale Streifen schneiden
	die drei Zutaten vorsichtig unter den Quark heben, vier Portionsschälchen oder Cocktailgläser mit
gewaschenen Salatblättern	auslegen, den Matjes-Cocktail darin anrichten, mit
Kresseblättchen	garnieren.
Beilage:	Vollkornbrot, Butter.

OKRA MIT SCHINKENSAHNE

400 g Okraschoten	waschen, Stielansätze und Spitzen abschneiden, in
kochendes Salzwasser	geben, etwa 3 Minuten kochen lassen
1 Zwiebel	abziehen, würfeln
100 g Schinkenspeck	in Streifen schneiden
1 EL Butter	zerlassen, Zwiebelwürfel darin glasig dünsten, Schinkenstreifen,
8 Salbeiblätter	hinzufügen, mitdünsten, mit
Salz	
frisch gemahlenem Pfeffer	
Saft von ½ Zitrone	würzen
125 ml (⅛ l) Schlagsahne	dazugießen, die abgetropften Okra,
20 g frisch geriebenen Parmesan-Käse	hinzufügen, etwa 1 Minute erhitzen.

OMELETT FRANZÖSISCHE ART (Foto)

Für die Füllung

1 Stange Lauch (etwa 150 g)	putzen, längs halbieren, waschen, in dünne Scheiben schneiden
1 EL Pflanzenmargarine	erhitzen, die Lauchscheiben darin andünsten
etwa 500 g tiefgekühlte Erbsen	hinzufügen, mit
Salz	
frisch gemahlenem weißen Pfeffer	würzen
125 ml (⅛ l) Wasser	hinzugießen, das Gemüse etwa 10 Minuten dünsten lassen von
½ Kopf Salat	die welken Blätter entfernen, die anderen vom Strunk lösen, die großen Blätter teilen, die Herzblätter ganz lassen, den Salat gründlich waschen (nicht drücken), abtropfen lassen, in Streifen schneiden
4 Scheiben gekochten Schinken	in Streifen schneiden, mit den Salatzutaten zu dem Gemüse geben, etwa 2 Minuten mitdünsten lassen

1 EL saure Sahne	
1 EL gehackte Kräuter (Petersilie, Schnittlauch, Dill) oder 1 TL Kräuter der Provence	unterrühren
1 TL weiche Butter	mit
1 TL Weizenmehl	verrühren, das Gemüse damit binden, evtl. nochmals mit Salz, Pfeffer abschmecken, warm stellen.

Für die Omeletts

8 Eigelb	mit
16 EL Milch	
Salz	verschlagen
80 g Weizenmehl	sieben (Foto 1), eine Vertiefung ins Mehl eindrücken (Foto 2), die Ei-Milch-Masse einrühren (Foto 3),
8 Eiweiß	steif schlagen, auf die Eigelbmasse geben, unterheben
	¼ von
40-60 g Butterschmalz	in einer Stielpfanne erhitzen, ¼ des Teiges hineingeben (Foto 4) (Pfanne mit Deckel verschließen), die Masse langsam gerinnen lassen, die untere Seite des Omeletts muß bräunlich gebacken sein, die obere Seite muß weich bleiben das Omelette auf eine vorgewärmte Platte gleiten lassen, warm stellen, die übrigen 3 Omeletts auf die gleiche Weise zubereiten, die Füllung auf die fertigen Omeletts geben, zusammenklappen die Omeletts sofort servieren.
Backzeit je Omelett:	etwa 8 Minuten.

OMELETTS
MIT CHINESISCHEM GEMÜSE (Foto)

Für die Füllung

1 Stange Lauch	putzen, längs halbieren, gründlich waschen, in Scheiben schneiden
etwa 250 g Möhren	putzen, schälen, waschen
	von
etwa 300 g Weißkohl	die äußeren Blätter entfernen, den Strunk herausschneiden, den Kohl waschen
1 kleines Stück Sellerie	schälen, waschen
	die vier Zutaten in sehr feine Streifen schneiden
1 Zwiebel	abziehen, halbieren, in dünne Scheiben schneiden, in Ringe teilen
75 g Butter	zerlassen, die Zwiebelringe darin glasig dünsten
	das Gemüse hinzufügen, gut durchdünsten lassen
2 - 3 EL Sojasauce	unterrühren, mit
Salz	
frisch gemahlenem Pfeffer	würzen, das Gemüse 2 - 3 Minuten dünsten lassen
100 g frische gepulte Krabben	hinzufügen, mit Salz, Pfeffer,
Sojasauce	abschmecken.

Für die Omeletts

8 Eigelb	mit etwas von
16 EL Milch	
Salz	verschlagen
80 g Weizenmehl	darauf sieben, unterrühren, die restliche Milch hinzufügen
8 Eiweiß	steif schlagen, auf die Eigelbmasse geben, unterheben
	¼ von
40 - 60 g Butterschmalz	in einer Pfanne mit Deckel zerlassen, ¼ des Teiges hineingeben, die Pfanne mit dem Deckel verschließen

die Masse langsam gerinnen lassen
die untere Seite des Omeletts muß bräunlich gebacken sein, die obere Seite muß weich bleiben
das Omelett auf eine vorgewärmte Platte gleiten lassen, warm stellen

die übrigen drei Omeletts auf die gleiche Weise zubereiten
die Füllung auf die vier Omeletts verteilen, zusammenklappen, sofort servieren.

Dünstzeit für die Füllung: etwa 10 Minuten
Backzeit je Omelett: etwa 8 Minuten.

PAPAYA MIT SCHINKEN

1 reife Papaya (etwa 500 g)	schälen, halbieren, die Kerne herauskratzen und entfernen, die Frucht in schmale Scheiben schneiden und auf Portionstellern anrichten, mit dem
Saft von ½ Zitrone	beträufeln, mit
frisch gemahlenem Pfeffer	bestreuen
100 g Parmaschinken	auf den Papayascheiben anrichten.
Hinweis:	Frisch gehobelten Parmesan-Käse oder Gorgonzola mit Walnußkernen dazu reichen.

FILETBOHNEN MIT SCAMPI

Von

375 g Filetbohnen	die Enden abschneiden, die Bohnen waschen
1 Knoblauchzehe	abziehen, fein würfeln oder durchpressen
1 EL Olivenöl	erhitzen, den Knoblauch darin andünsten, die Bohnen mit der Hälfte von
125 ml (⅛ l) Zitronensaft	hinzufügen, zugedeckt darin etwa 10 Minuten dünsten lassen, mit
Salz	
frisch gemahlenem Pfeffer	abschmecken
200 g Scampi	unter fließendem, kaltem Wasser abspülen, trockentupfen
1 EL Olivenöl	erhitzen, die Scampi darin von jeder Seite etwa 3 Minuten braten, den restlichen Zitronensaft hinzufügen, die Scampi mit Pfeffer würzen, etwas abkühlen lassen, mit den Bohnen servieren.
Beilage:	Zitronen-Mayonnaise, Stangenweißbrot.

35

POCHIERTE EIER
MIT SAUERAMPFERCREME

Für die Sauerampfercreme

70 g Sauerampfer	verlesen, die Stiele entfernen, die Sauerampferblätter vorsichtig abspülen, abtropfen lassen, in Streifen schneiden
3 Schalotten	abziehen, fein würfeln
1 EL Butter oder Margarine	zerlassen, die Schalottenwürfel darin etwa 5 Minuten dünsten lassen, die Sauerampferstreifen hinzugeben (einige in Streifen geschnittene Blätter zurücklassen), etwa 5 Minuten mitdünsten, erkalten lassen
1 Eigelb	mit
1 TL Zitronensaft Salz weißem frisch gemahlenem Pfeffer	zu einer dicklichen Masse schlagen, darunter nach und nach
125 ml (⅛ l) Salatöl	schlagen, den gedünsteten Sauerampfer und die zurückgelassenen Sauerampferstreifen hinzufügen, pürieren
1 EL Schlagsahne	unterrühren.

Für die pochierten Eier

1 l Wasser	mit
4 - 6 EL Essig	zum Kochen bringen
4 Eier	einzeln in einer Suppenkelle aufschlagen, vorsichtig in das kochende Wasser geben (bei Strom die Kochplatte auf 0, bei Gas die Flamme klein stellen) die Eier nach 3 - 4 Minuten mit einem Schaumlöffel herausnehmen, kurz in kaltes Wasser halten, mit der Sauerampfercreme auf einer Platte anrichten
grob geschroteten Pfeffer Sauerampferblättchen	darüber streuen, nach Belieben mit garnieren.

PETERSILIEN-SOUFFLÉ (Foto)

2 Bund glatte Petersilie	abspülen, trockentupfen, die Blättchen fein hacken
200 ml Schlagsahne	mit
200 ml Milch	erhitzen, von der Kochplatte nehmen
80 g Kartoffel-Püree-Pulver	
100 g Doppelrahm-Frischkäse	
	beide Zutaten in die Flüssigkeit rühren und etwa 2 Minuten mit dem elektrischen Handrührgerät durchschlagen, die Masse mit
Salz	
frisch gemahlenem Pfeffer	würzen
4 Eigelb	unterrühren
4 Eiweiß	steif schlagen, unterheben die Masse in gefettete Auflaufförmchen füllen und in den vorgeheizten Backofen schieben
Ober-/Unterhitze:	etwa 225 °C (vorgeheizt)
Heißluft:	etwa 200 °C (nicht vorgeheizt)
Gas:	etwa Stufe 4 (vorgeheizt)
Backzeit:	etwa 20 Minuten.

PFÄLZER EIER

4 hartgekochte Eier	pellen, längs halbieren, die Eigelb mit
100 g Pfälzer Leberwurst	
etwas weicher Butter	verrühren
20 g Kartoffelchips	zerbröseln, in die Eihälften füllen, Wurstmasse in einen Spritzbeutel füllen, darüberspritzen, mit
Petersilie	garnieren.

MAN NEHME

SPINAT

Mit den Arabern kam der Spinat nach Europa. Von Spanien aus begann er seinen Siegeszug durch die mediterranen und mittel-europäischen Gärten. Und obwohl Spinat heut-zutage ausgesprochen preisgünstig als Tiefkühl-kost im Angebot ist, zählt er nach wie vor zu den be-liebtesten und gesündesten Frühjahr- und Herbstge-müsen, die auf dem Markt zu kaufen sind. Denn Spinat ist ein Vitamin-C-Lieferant und Mineralstoff-bringer erster Güte. Ob gekocht, bißfest gedünstet oder als frischer Salat, Spinat ist immer ein Genuß. Wichtig: Gekochten Spinat nicht wieder erwärmen, denn dadurch verwandelt sich das im Gemüse ent-haltene Nitrat in gesund-heitsschädliches Nitrit!

SPINAT-CREME-SUPPE

1 Packung (300 g) Rahmspinat	mit
250 ml (¼) Hühnerbrühe	zum Kochen bringen, zugedeckt bei schwacher Hitze auftauen lassen, von der Kochstelle nehmen
1 Packung (200 g) Frühlings-Quark	unterrühren

	die Suppe in vier Suppentassen füllen
4 TL Crème fraîche	
4 TL Lachskaviar	darauf verteilen.
Beilage:	Toast.

HELLER FISCHFOND

30 g Pflanzenfett	zerlassen
etwa 500 g bis 1 kg Fischhaut, -gräten und Fischköpfe	waschen, abtropfen lassen
1 Bund Suppengrün	putzen, waschen, kleinschneiden
1 Lorbeerblatt	
1 TL schwarze Pfefferkörner	
gerebelten Thymian	
	alle Zutaten in dem Fett andünsten
250 ml (¼ l) Weißwein	hinzugießen, so lange kochen lassen, bis die Flüssigkeit verdampft ist
2 l Wasser	hinzugießen, zum Kochen bringen, zwischendurch immer wieder abschäumen, bis auf 1 l Flüssigkeit einkochen lassen, durch ein Sieb gießen.
Kochzeit:	etwa 1 Stunde. Einmal zubereitet, läßt er sich zur späteren Verwendung portionsweise am besten tiefgekühlt aufbewahren.

BRAUNER RINDERFOND

75 g durchwachsenen Speck	in kleine Würfel schneiden, in
30 g Pflanzenfett	auslassen
1 kg Fleisch- oder Suppen- knochen vom Rind	waschen, abtrocknen, in dem Fett anbraten
2 Zwiebeln	abziehen, fein würfeln
1 Bund Suppengrün	putzen, waschen, kleinschneiden die beiden Zutaten hinzufügen, mitbräunen lassen
30 g Tomatenmark	hinzufügen, miterhitzen
2 l Wasser	hinzugießen, zum Kochen bringen, bis auf

39

1 l Flüssigkeit einkochen lassen, durch ein Sieb gießen.

Kochzeit: etwa 2 ½ Stunden.

Hinweis: Einmal zubereitet, läßt er sich zur späteren Verwendung portionsweise am besten tiefgekühlt aufbewahren.

BRAUNER SCHWEINEFOND

75 g durchwachsenen Speck	in kleine Würfel schneiden, in
30 g Pflanzenfett	auslassen
1 kg Schweinefleischknochen	waschen, abtrocknen, in dem Fett anbraten
2 Zwiebeln	abziehen, fein würfeln
1 Bund Suppengrün	putzen, waschen, kleinschneiden die beiden Zutaten hinzufügen, mitbräunen lassen
30 g Tomatenmark	hinzufügen, miterhitzen
2 l Wasser	hinzufügen, zum Kochen bringen, bis auf 1 l Flüssigkeit einkochen lassen, durch ein Sieb gießen.
Kochzeit:	etwa 2 ½ Stunden.
Hinweis:	Einmal zubereitet, läßt er sich zur späteren Verwendung portionsweise am besten tiefgekühlt aufbewahren.

BRAUNER GEFLÜGELFOND

30 g Pflanzenfett	zerlassen
1 kg Geflügelklein (Flügel, Mägen, Rücken)	waschen, abtrocknen, in dem Fett anbraten
2 Zwiebeln	abziehen, fein würfeln
1 Bund Suppengrün	putzen, waschen, kleinschneiden die beiden Zutaten hinzufügen, mitbräunen lassen
30 g Tomatenmark	hinzufügen, miterhitzen
2 l Wasser	hinzugießen, zum Kochen bringen, bis auf 1 l Flüssigkeit einkochen lassen, durch ein Sieb gießen.

Kochzeit: etwa 2 ½ Stunden.
Hinweis: Einmal zubereitet, läßt er sich zur späteren
Verwendung portionsweise am besten tiefgekühlt
aufbewahren.

Brauner Kalbsfond

30 g Pflanzenfett	zerlassen
1 kg Fleisch- oder Suppenknochen vom Kalb	waschen, abtrocknen, in dem Fett anbraten
2 Zwiebeln	abziehen, fein würfeln
1 Bund Suppengrün	putzen, waschen, kleinschneiden die beiden Zutaten hinzufügen, mitbräunen lassen
30 g Tomatenmark	hinzufügen, miterhitzen
2 l Wasser	hinzugießen, zum Kochen bringen, bis auf 1 l Flüssigkeit einkochen lassen, durch ein Sieb gießen.
Kochzeit:	etwa 2 ½ Stunden.
Hinweis:	Einmal zubereitet, läßt er sich zur späteren Verwendung portionsweise am besten tiefgekühlt aufbewahren.

Heller Geflügelfond

1 kg Geflügelklein (Flügel, Hals, Herz, Magen)	waschen, abtropfen lassen,
1 Bund Suppengrün	putzen, waschen, kleinschneiden
1 Zwiebel	mit
1 Nelke	
1 Lorbeerblatt	spicken alle Zutaten in
125 ml (⅛ l) Weißwein	
2 l kaltem Wasser	langsam zum Kochen bringen, während des Kochens immer wieder abschäumen, bis auf 1 l Flüssigkeit einkochen lassen, durch ein Sieb gießen.
Kochzeit:	etwa 2 ½ Stunden.
Hinweis:	Einmal zubereitet, läßt er sich zur späteren Verwendung portionsweise am besten tiefgekühlt aufbewahren.

HELLER KALBSFOND

1 kg Kalbfleisch oder Kalbsknochen	waschen, abtrocknen
¼ Sellerieknolle 1 Stange Lauch 1 Petersilienwurzel	
	die Zutaten putzen, waschen, kleinschneiden
2 Lorbeerblätter 10 weiße Pfefferkörner	
2 l Wasser	alle Zutaten in zum Kochen bringen, zwischendurch immer wieder abschäumen, bis auf etwa 1 l Flüssigkeit einkochen lassen, durch ein Sieb gießen.
Kochzeit:	etwa 2 ½ Stunden.
Hinweis:	Einmal zubereitet, läßt er sich zur späteren Verwendung portionsweise am besten tiefgekühlt aufbewahren.

MÖHREN-CREME-SUPPE

400 g Möhren	putzen, schälen, waschen
2 große Kartoffeln (etwa 175 g)	schälen, waschen
1 Stück Sellerieknolle	schälen, waschen
2 - 3 Zwiebeln	abziehen
	die vier Zutaten in Würfel schneiden
1 - 2 EL Butter	zerlassen, die Zwiebelwürfel darin andünsten, das Gemüse hinzufügen, durchdünsten lassen
1 l Salzwasser	hinzugießen, mit
frisch gemahlenem Pfeffer	würzen, zum Kochen bringen, etwa 12 Minuten kochen lassen, die Suppe pürieren
½ Becher (75 g) Crème fraîche	unterrühren, die Möhren-Creme-Suppe mit
Pfeffer, Salz	abschmecken
1 EL gehackten Dill	unterrühren
	kurz vor dem Servieren
Butter	in Flöckchen auf die Suppe geben.
Garzeit:	etwa 15 Minuten.

Pikante Käsesuppe

40 g Butter	zerlassen
40 g Weizenmehl	unter Rühren so lange darin erhitzen, bis es hellgelb ist
1 l Fleischbrühe	hinzugießen, mit einem Schneebesen durchschlagen, darauf achten, daß keine Klumpen entstehen, Flüssigkeit zum Kochen bringen, etwa 5 Minuten kochen
200 g Gouda	in Würfel schneiden, mit
2 EL Crème fraîche	hinzufügen, unter Rühren zum Kochen bringen, so lange rühren, bis sich der Käse gelöst hat, die Suppe mit
Salz	
frisch gemahlenem Pfeffer	
geriebener Muskatnuß	abschmecken
1 Bund Frühlingszwiebeln	putzen, das Grün bis auf etwa 15 cm abschneiden, Zwiebeln waschen, in Ringe schneiden
1 EL Butter	zerlassen, die Frühlingszwiebelringe darin 3-5 Minuten durchdünsten lassen, kurz vor dem Servieren auf die Käse-Suppe geben.
Garzeit:	etwa 10 Minuten.

Kressesuppe mit Forellenklösschen

1 küchenfertiges Suppenhuhn (etwa 1 kg)	unter fließendem kaltem Wasser abspülen, in
2 - 2 ½ l Salzwasser	geben, zum Kochen bringen, abschäumen
1 Bund Suppengrün	putzen, waschen, kleinschneiden, mit
2 Lorbeerblättern	
1 TL weißen Pfefferkörnern	hinzufügen, zum Kochen bringen, in 1 ½ - 2 Stunden gar kochen lassen die Brühe durch ein Sieb gießen, 1 l davon abmessen, das Hühnerfleisch von den Knochen lösen, die Haut entfernen, das Fleisch kleinschneiden
2 Bund Brunnenkresse (etwa 300 g)	verlesen, abspülen, pürieren

43

125 ml (⅛ l) Schlagsahne mit
3 Eigelb
3 EL Crème fraîche verschlagen, unter die erhitzte Brühe rühren, so lange unter Rühren erhitzen, bis die Suppe dickflüssig wird, Brunnenkresse und Hühnerfleisch hinzufügen, miterhitzen.

Für die Forellenklößchen

1 küchenfertige
Forelle (etwa 250 g) unter fließendem kalten Wasser abspülen, trockentupfen, filetieren, die Filets grob zerkleinern, mit
1 Ei
3 EL Crème fraîche pürieren, mit
Salz
frisch gemahlenem Pfeffer
geriebener Muskatnuß würzen, von der Masse mit einem Teelöffel Klößchen abstechen, in
kochendes Salzwasser geben, zum Kochen bringen, in 5-10 Minuten gar ziehen lassen
die Kressesuppe in vorgewärmte Teller geben, die Forellenklößchen darauf verteilen
die Suppe mit
Kresseblättchen bestreut servieren.

LIMBURGER KÄSESUPPE

60 g durchwachsenen
Speck in feine Würfel schneiden, auslassen
3 mittelgroße Zwiebeln abziehen, fein würfeln, in dem Speckfett andünsten, mit
250 ml (¼ l) Apfelwein ablöschen
250 ml (¼ l) Fleischbrühe hinzugießen, zum Kochen bringen
200 g Limburger Käse in Würfel schneiden, hinzufügen, unter Rühren auflösen, die Suppe mit
Salz
frisch gemahlenem Pfeffer
geriebener Muskatnuß
gehacktem Kümmel würzen
1 Bund Petersilie abspülen, trockentupfen, fein hacken, mit
125 ml (⅛ l) Schlagsahne unter die Suppe rühren.

OSTINDISCHE HÜHNERSUPPE

2 Zwiebeln	abziehen, fein würfeln
3 EL Speiseöl	erhitzen, die Zwiebelwürfel darin andünsten
1 kleine Stange Lauch	putzen, waschen, in Scheiben schneiden, zu den Zwiebeln geben, mitdünsten lassen
2 EL Weizenmehl	darüber stäuben, gut durchdünsten lassen
1 l Hühnerbrühe	hinzugießen, gut verrühren
1 kleinen Apfel	schälen, halbieren, entkernen, reiben, mit
50 g Langkornreis	in die Brühe geben, mit
Currypulver	würzen, die Suppe zum Kochen bringen, in etwa 20 Minuten gar kochen lassen
etwa 300 g gekochtes Hühnerfleisch	enthäuten, in Würfel schneiden, in die Suppe geben, miterhitzen
2 - 3 EL Schlagsahne	unterrühren.

KARTOFFELSUPPE

500 g Kartoffeln	schälen, waschen, in Würfel schneiden
1 Stange Lauch	putzen, das dunkle Grün bis auf etwa 10 cm entfernen, den Lauch in Ringe schneiden, gründlich waschen
	die beiden Zutaten in
1 l Fleischbrühe	geben, zum Kochen bringen, etwa 25 Minuten kochen lassen, pürieren, durch ein Sieb streichen, mit
Salz, Pfeffer geriebener Muskatnuß	abschmecken, zum Kochen bringen
250 ml (¼ l) Schlagsahne	unterrühren, zum Kochen bringen, etwa 3 Minuten schwach kochen lassen, die Suppe mit
Schnittlauch	bestreut servieren.

ROSA RADIESCHEN-KALTSCHALE

500 g Radieschen	putzen, waschen, grob zerkleinern, im Mixer pürieren, mit
250 ml (¼ l) saurer Sahne 200 g Crème fraîche 3 EL Joghurt	verrühren

1 Knoblauchzehe	abziehen, fein hacken, hinzufügen die Radieschen-Kaltschale mit
Kräutersalz, Pfeffer Meerrettich (aus dem Glas)	scharf abschmecken, kalt stellen in Suppentassen füllen, mit
Radieschenscheiben	garnieren.

SPARGEL-KERBEL-SUPPE (Foto)

200 g Tatar	mit
2 EL Butter	
1 Eigelb	
Semmelbröseln	
1 EL feingehackter Petersilie	zu einer geschmeidigen Masse verkneten, mit
Salz, Pfeffer	
geriebener Muskatnuß	würzen, aus der Masse Klößchen formen.

Für die Suppe

750 g Spargel	schälen, die Enden abschneiden, den Spargel waschen, abtropfen lassen, in etwa 3 cm lange Stücke schneiden
250 g Champignons	putzen, waschen, in Scheiben schneiden
1 Bund Suppengrün 3 Frühlingszwiebeln	beide Zutaten putzen, waschen, in feine Streifen schneiden
3 EL Butter	zerlassen, Suppengrün- und Zwiebelstreifen darin leicht andünsten
1 l Fleischbrühe	hinzugießen, zum Kochen bringen, die Spargelstückchen darin zum Kochen bringen, nach etwa 10 Minuten die Champignons und die Klößchen dazugeben, etwa 5 Minuten bei schwacher Hitze mitkochen lassen
3 EL Crème fraîche	unterrühren
4 EL gehackte Kerbelblättchen	über die Suppe geben.
Beilage:	Toast, Butter.

TOMATENSUPPE MIT LAUCH

(Für 6 Personen)

125 g Langkornreis 1 l kochendes Salzwasser	in geben, zum Kochen bringen, 12-15 Minuten kochen lassen den garen Reis auf ein Sieb geben, mit kaltem Wasser übergießen, abtropfen lassen
2 - 3 Stangen Lauch (etwa 375 g)	putzen, längs halbieren, in feine Streifen schneiden, waschen
2 mittelgroße Zwiebeln	abziehen
100 g durchwachsenen Speck	beide Zutaten in Würfel schneiden
750 g Tomaten	kurze Zeit in kochendes Wasser legen (nicht kochen lassen), in kaltem Wasser abschrecken, enthäuten, die Stengelansätze herausschneiden, die Tomaten in Scheiben schneiden
50 g Butter oder Margarine	zerlassen, Speck- und Zwiebelwürfel darin glasig dünsten lassen, Lauchstreifen und Tomatenscheiben hinzufügen, etwa 10 Minuten darin dünsten lassen
1 ½ l heiße Fleischbrühe	hinzugießen, zum Kochen bringen, etwa 55 Minuten kochen lassen
3 schwach gehäufte EL Speisestärke 4 EL kalter Milch Salz	mit anrühren, die Suppe damit binden, mit abschmecken
1 EL Tomatenmark 2 EL Portwein	unterrühren
2 Eigelb 5 EL Schlagsahne	mit verschlagen, unter die Suppe rühren, den Reis hineingeben, miterhitzen.
Garzeit für die Suppe:	etwa 20 Minuten
Kochzeit für den Reis:	12-15 Minuten.

GRÜNE SAUCE

4 hartgekochte Eier	pellen, halbieren, das Eiweiß hacken, beiseite stellen, das Eigelb zerdrücken, mit
1 Becher (150 g) Crème fraîche	verrühren
1 Schalotte	abziehen, fein würfeln, mit
3 EL feingeschnittenem Schnittlauch	
6-7 EL gehackten Kräutern (Dill, Pimpinelle, Kerbel, Basilikum, Estragon, Sauerampfer)	hinzufügen, das gehackte Eiweiß,
1 TL Senf	
2 EL Olivenöl	
6 EL Schlagsahne	
1 EL Essig	in die Sauce rühren, mit
Salz	
frisch gemahlenem Pfeffer	würzen.
Hinweis:	Grüne Sauce zu Rindfleisch oder pochierten Eiern reichen.

FRISCHE KRÄUTERSAUCE

150 g Speisequark	mit
3 EL Crème fraîche	
5 EL Schlagsahne	cremig rühren
2 Knoblauchzehen	abziehen, fein hacken
1 Bund Schnittlauch	waschen, in Röllchen schneiden
je 1 Bund Dill, Petersilie, Estragon	waschen, trockentupfen (Foto 1) und die Blättchen abzupfen (Foto 2), fein hacken
1 saure Gurke (50 g)	waschen, in feine Würfel schneiden (Foto 3) Kräuter, Knoblauch- und Gurkenwürfel mit der Quarkcreme verrühren (Foto 4), mit frisch gemahlenem Pfeffer, Salz kräftig würzen, kalt stellen.

HAGEBUTTENSAUCE

200 g Hagebutten-Konfitüre (aus dem Reformhaus)	mit
3 EL Rotwein 50 g geriebenen Haselnußkernen	cremig rühren.

HELLE GRUNDSAUCE

20 g Butter oder Margarine	zerlassen
25 g Weizenmehl	unter Rühren so lange darin erhitzen, bis es hellgelb ist
375 ml (³/₈ l) Kochflüssigkeit oder hellen Grundfond	hinzugießen, mit einem Schneebesen durchschlagen, darauf achten, daß keine Klumpen entstehen die Sauce zum Kochen bringen, etwa 5 Minuten kochen lassen, mit
Salz frisch gemahlenem Pfeffer	würzen.
Kochzeit:	etwa 5 Minuten.

LEICHTE QUARK-MAYONNAISE

1 Eigelb	mit
1 TL Dijon-Senf 1 TL Weinessig	gut verrühren
1 Packung (200 g) Speisequark, Magerstufe 2 EL Leinöl	unterrühren, mit
Salz frisch gemahlenem Pfeffer	würzen.
Hinweis:	Zu Rohkost und Gemüsesalaten reichen.

49

TOMATENSAUCE MARSEILLE

1 kg Tomaten	kurze Zeit in kochendes Wasser legen (nicht kochen lassen), in kaltem Wasser abschrecken, enthäuten, die Stengelansätze herausschneiden, die Tomaten halbieren, entkernen, in Würfel schneiden
1 Knoblauchzehe	abziehen, zerdrücken
125 ml (⅛ l) Olivenöl	erhitzen, Tomatenwürfel und Knoblauch hinzufügen, mit
Salz	
frisch gemahlenem Pfeffer	
Zucker	würzen, zugedeckt so lange dünsten lassen, bis eine dickliche Sauce entstanden ist, mit Salz, Pfeffer, Zucker,
Zitronensaft	
Kräutern der Provence	abschmecken
Kochzeit:	25 - 30 Minuten.

VANILLESAUCE

Für Sauce I

1 Päckchen Saucen-Pulver Vanille-Geschmack	mit
30 g Zucker	
500 ml (½ l) kalter Milch	nach der Vorschrift auf dem Päckchen zubereiten.

Für Sauce II

1 Päckchen Saucen-Pulver Vanille-Geschmack	mit
50 g Zucker	
1 Päckchen Vanillin-Zucker	mischen, mit 5 Eßlöffeln von
750 ml (¾ l) kalter Milch	anrühren
1 Ei	unterrühren, die übrige Milch zum Kochen bringen das angerührte Saucen-Pulver unter Rühren in die von der Kochstelle genommene Milch geben, kurz aufkochen lassen, kalt stellen, ab und zu durchrühren.
Hinweis:	Vanillesauce ist eine ausgezeichnete Beilage auch zu frischem Obst.

VINAIGRETTE

1 kleine Zwiebel	abziehen, fein würfeln
2 hartgekochte Eier	pellen, klein hacken
2 Cornichons	in feine Würfel schneiden
einige Kapern	hacken
3 EL Salatöl	mit
2 EL Essig	
1 TL mittelscharfem Senf	verrühren, die zerkleinerten Zutaten hinzufügen, mit
Salz	
frisch gemahlenem Pfeffer	würzen, nach Belieben
gehackte Kräuter	unterrühren.
Hinweis:	Vinaigrette eignet sich für Blatt-, Gemüse-, Fleisch- und Fischsalate.

SAUCE HOLLANDAISE

200 g Butter	zerlassen, etwas abkühlen lassen
4 Eigelb	mit
6 EL Weißwein	im Wasserbad dicklich schlagen, die Butter nach und nach unterschlagen, die Sauce mit
Salz	
frisch gemahlenem Pfeffer	
Zucker	würzen, bis zum Verzehr im Wasserbad warm halten.
Hinweis:	Zu Spargel, Kalbsteak und pochiertem Fisch reichen.

51

MAN NEHME

ZWIEBEL

Feuchte Augen bekommt jeder, der versucht sie zu enthüllen. Zwiebeln sind eben zum Heulen da – und zum Genießen. Immer mehr Menschen entdecken die seit Jahrtausenden genutzte Würzpflanze neuerdings als eigenständige Speise. Dabei geht es nicht allein um die ausgereifte, lagerfähige Zwiebel, sondern auch um ihr aromatisches Laub. Egal für welche Sorten man sich entscheidet, ob für die milde Frühlings- oder die schärfere Sommerzwiebel, ob für weiße oder rote, für die großen Gemüse-, die kleinen Perlzwiebeln, oder gar die vornehme Variante, die Schalotte. Alle Zwiebelsorten sind gleichermaßen kalorienarm und reich an Vitamin A und C.

GEMÜSE-HÄHNCHEN-EINTOPF

1 Hähnchen (etwa 1 kg)	in etwa 8 Portionen zerteilen, nach Belieben die Haut entfernen, das Fleisch abspülen die Hühnerteile mit
2 l Hühnerbrühe	in einem großen Schmortopf zum Kochen bringen, abschäumen, bei niedriger Hitze (den Topf bis auf einen kleinen Spalt zudecken) etwa 45 Minuten schwach kochen lassen
500 g Yamknollen	schälen, in Würfel schneiden
1 Chayote-Kürbis (etwa 300 g)	schälen, halbieren, entkernen, in nicht zu kleine Würfel schneiden
2 kleine scharfe Chilischoten	aufschneiden, entkernen, waschen, in dünne Scheiben schneiden (die Chilis nicht mit bloßen Händen berühren, da der Saft auf der Haut brennt)
500 g Tomaten	kurze Zeit in kochendes Wasser legen (nicht kochen lassen), mit kaltem Wasser abschrecken, enthäuten, halbieren, entkernen, die Stengelansätze herausschneiden, die Tomaten grob zerkleinern
1 Zwiebel	abziehen, in kleine Würfel schneiden von der Hühnerbrühe sorgfältig das Fett abschöpfen, dann das vorbereitete Gemüse hinzufügen
2 Maiskolben (frisch oder tiefgekühlt)	von den Blättern und den Fäden befreien, die Stiele abschneiden, die Maiskolben waschen und in etwa 4 cm lange Stücke schneiden (tiefgekühlte Maiskolben etwas auftauen lassen und dann in Stücke schneiden)
100 g ausgepalte Erbsen	verlesen, waschen Mais und Erbsen in die Suppe geben, mit
Salz, Pfeffer	abschmecken die Suppe in etwa 20 Minuten im fast zugedeckten Topf bei schwacher Hitze gar kochen lassen, in eine vorgewärmte Schüssel füllen und mit
geschnittenem Schnittlauch	bestreut servieren.

Kohlrabieintopf

	Von
6 - 7 Kohlrabi (etwa 1 ½ kg)	die Blätter entfernen
500 g Kartoffeln	beide Zutaten schälen, waschen, in etwa 1 cm breite Streifen schneiden
4 geräucherte Koch- oder Mettwürstchen 750 ml (¾ l) Wasser	in geben, zum Kochen bringen, etwa 5 Minuten kochen lassen, die Kartoffelstreifen hinzufügen, zum Kochen bringen, weitere 5 Minuten kochen lassen, die Kohlrabistreifen dazugeben, mit
Salz frisch gemahlenem Pfeffer	würzen, den Eintopf zum Kochen bringen, etwa 10 Minuten kochen lassen
1 EL Weizenmehl	mit
125 ml (⅛ l) Schlagsahne	anrühren, in den Eintopf rühren, zum Kochen bringen, noch 2 - 3 Minuten kochen lassen den Kohlrabieintopf mit Salz, Pfeffer,
geriebener Muskatnuß	abschmecken
1 - 2 EL gehackten Dill	darüber streuen.

Mairübeneintopf

Etwa 1 ½ kg Mairüben	putzen, schälen, waschen, in grobe Würfel schneiden
350 g Zwiebeln	abziehen, würfeln
	von
1 kg geräucherter Schweinebacke	ein Viertel (ohne Schwarte) in kleine Würfel schneiden, den Rest in Scheiben schneiden
1 EL Margarine	erhitzen, die Fleischwürfel darin anbraten, die Mairüben- und Zwiebelwürfel hinzugeben, unter Rühren durchdünsten lassen, mit
Salz frisch gemahlenem Pfeffer	würzen

500 ml (½ l) Wasser	hinzugießen, die Schweinebackenscheiben auf das Gemüse geben, zum Kochen bringen, zugedeckt etwa 25 Minuten schmoren lassen, die Fleischscheiben herausnehmen
750 g mehlig-kochende Kartoffeln	schälen, waschen, in Würfel schneiden, in den Eintopf geben, die Fleischscheiben wieder darauf legen, zugedeckt weitere 15 Minuten schmoren lassen, evtl. mit Salz, Pfeffer abschmecken.

MÖHRENEINTOPF

75 g Weiße Bohnen	waschen, in
500 ml (½ l) Wasser	12 - 24 Stunden einweichen, in dem Einweichwasser zum Kochen bringen, in etwa 1 Stunde gar kochen lassen
500 g Schweinebauch (ohne Knochen)	unter fließendem kaltem Wasser abspülen, trockentupfen, in Würfel schneiden
750 g Möhren	putzen, schälen
375 g Kartoffeln	schälen
	beide Zutaten waschen, in kleine Würfel schneiden
40 g Margarine	erhitzen, das Fleisch unter Wenden schwach darin bräunen lassen
2 mittelgroße Zwiebeln	abziehen, würfeln
	kurz bevor das Fleisch genügend gebräunt ist, die Zwiebelwürfel hinzufügen, kurz miterhitzen das Fleisch mit
Salz	
frisch gemahlenem Pfeffer	würzen, Möhren-, Kartoffelwürfel,
375 ml (³/₈ l) Wasser	hinzufügen, in etwa 1 Stunde gar schmoren lassen die Bohnen (ohne Flüssigkeit) in den Möhreneintopf geben, mit Salz, Pfeffer,
Essig	abschmecken, den Eintopf mit
2 EL gehackter Petersilie	bestreuen
Garzeit:	etwa 2 Stunden.
Veränderung:	1 Stange Lauch putzen, in Ringe schneiden gründlich waschen, in den Eintopf geben 1 geräucherte Mettwurst mitkochen.

Möhren-Lamm-Eintopf

500 g Lammfleisch (ohne Knochen)	unter fließendem kaltem Wasser abspülen, abtrocknen, in kleine Würfel schneiden
2 EL Speiseöl	erhitzen, das Fleisch von allen Seiten gut darin anbraten
250 g Möhren	putzen, schälen, waschen, kleinschneiden
2 Knoblauchzehen	abziehen, zerdrücken
	beide Zutaten zu dem Fleisch geben, kurz andünsten
500 ml (½ l) Fleischbrühe	hinzugießen, zum Kochen bringen, mit
gehackten Oreganoblättchen gehackten Basilikumblättchen gehackten Salbeiblättchen gehackten Rosmarinblättchen	würzen, den Eintopf in etwa 50 Minuten gar kochen lassen
150 g gekochten Langkornreis	unterrühren, miterhitzen, mit
feingehackter Petersilie	bestreut servieren.

Streifrübeneintopf

500 g Schweinebauch (ohne Knochen)	unter fließendem kaltem Wasser abspülen, trockentupfen, in Würfel schneiden
750 g Streifrüben (Stielmus) (vorbereitet gewogen)	putzen, waschen, kleinschneiden
500 g Kartoffeln	schälen, waschen, in Würfel schneiden
40 g Margarine	erhitzen, das Fleisch unter Wenden schwach darin bräunen lassen, mit
Salz frisch gemahlenem Pfeffer	würzen, Streifrüben, Kartoffeln,
250 ml (¼ l) Wasser	hinzufügen, gar schmoren lassen
	den Eintopf mit Salz, Pfeffer abschmecken
Garzeit:	etwa 1 Stunde.

MUSCHELEINTOPF

Etwa 20 Miesmuscheln — in reichlich kaltes Wasser geben, einige Stunden darin liegen lassen, das Wasser ab und zu erneuern, die Muscheln anschließend gründlich bürsten, Bartbüschel entfernen, so lange spülen, bis das Wasser klar bleibt Muscheln, die sich beim Wässern und anschließendem Bürsten öffnen, sind ungenießbar, nur geschlossene Muscheln verwenden

500 ml (½ l) Wasser Zitronensaft — mit zum Kochen bringen, die Muscheln hineingeben, etwa 5 Minuten kochen lassen, bis sich die Schalen öffnen, ein Sieb mit einem Küchentuch auslegen, den Muschelsud hindurchgießen, mit Wasser auf 1 l Flüssigkeit auffüllen die Muscheln aus der Schale lösen

3 - 4 Stengel Staudensellerie mit Grün — waschen, evtl. Fäden abziehen

1 Paprikaschote — halbieren, entstielen, entkernen, die weißen Scheidewände entfernen, die Schote waschen

250 g Kartoffeln — schälen, waschen

2 enthäutete Fleischtomaten — halbieren, entkernen die vier Zutaten kleinschneiden

1 Zwiebel — abziehen, würfeln

100 g durchwachsenen Speck — in Würfel schneiden

4 EL Olivenöl — erhitzen, Speck- und Zwiebelwürfel darin andünsten, die Muschelbrühe hinzugießen

3 gestrichene EL Fleischbrühe-Konzentrat — unterrühren, Sellerie, Paprika, Kartoffeln,

1 Lorbeerblatt — hinzufügen, die Suppe zum Kochen bringen, mit

Thymianblättchen Cayennepfeffer — würzen, etwa 20 Minuten kochen lassen, die Tomaten hinzufügen, etwa 5 Minuten mitkochen lassen, das Muschelfleisch hinzufügen, erhitzen, den Muscheleintopf mit

Weißwein — abschmecken, mit

feingeschnittenem Staudenselleriegrün — bestreut servieren.

MAN NEHME

SALBEI

Kräuter und Gewürze haben eines gemeinsam, sie sollen das Gericht, dem sie hinzugefügt werden, bereichern, im Geschmack unterstreichen, nicht übertünchen. Dies gilt vor allem für jene Würzzutaten, die von Natur aus Gerb- und Bitterstoffe enthalten. Dazu zählt auch der Salbei mit seinem ausgesprochen pikanten, leicht bitteren Geschmack. Die römischen Köche, die auf Salbei schwören und viele ihrer Spezialitäten damit verfeinern, wissen um diese Eigenart und gehen entsprechend vorsichtig damit um.

Salbei wird äußerst sparsam für das berühmte Kalbsschnitzel alla Romana, für Fisch, Nudeln, Leber und Hackfleischspeisen oder diverse Geflügelfüllungen verwendet.

BARSCHE IN KRÄUTERSAUCE

2 Barsche (etwa 1 ½ kg)	schuppen, ausnehmen, Kopf und Flossen entfernen die Fische unter fließendem kaltem Wasser abspülen, trockentupfen, nach Belieben mit dem
Saft von 2 Zitronen	beträufeln, etwa 15 Minuten stehenlassen
1 Möhre	putzen, schälen, waschen, in Würfel schneiden
2 Zwiebeln	abziehen, halbieren
1 ½ l Wasser	mit Möhre, Zwiebeln,
1 Lorbeerblatt	
10 Pfefferkörnern	
1 EL Essig-Essenz (25%)	
3 EL Wasser	
1 EL Salz	zum Kochen bringen, etwa 10 Minuten kochen lassen die Fische in das schwach kochende Wasser geben, 15-20 Minuten darin ziehen lassen, herausnehmen, auf einer vorgewärmten Platte anrichten, warm stellen.

Für die Kräutersauce
die Fischbrühe durch ein Sieb gießen, ¼ l
davon abmessen

40 g Butter oder Margarine	zerlassen
40 g Weizenmehl	unter Rühren so lange darin erhitzen, bis es hellgelb ist, die abgemessene Fischbrühe hinzugießen, mit einem Schneebesen durchschlagen, darauf achten, daß keine Klumpen entstehen, zum Kochen bringen, etwa 5 Minuten kochen lassen
250 ml (¼ l) Schlagsahne 2-3 Bund feingehackte Petersilie	unterrühren, weitere 2-3 Minuten kochen lassen
1 Eigelb	mit
2 EL kaltem Wasser Salz	verschlagen, die Sauce damit abziehen, mit
frisch gemahlenem Pfeffer	abschmecken die Sauce über die Barsche gießen oder getrennt dazureichen.
Garzeit für den Fisch:	20-25 Minuten
Kochzeit für die Sauce:	etwa 10 Minuten
Beilage:	Salzkartoffeln, Tomatensalat.

HEILBUTT, PIKANT

(wird am Tisch zubereitet)

4 Scheiben Heilbutt (je etwa 200 g)	unter fließendem kaltem Wasser abspülen, trockentupfen, mit
Zitronensaft	beträufeln, etwa 10 Minuten ziehenlassen
5 Tomaten	kurze Zeit in kochendes Wasser legen (nicht kochen lassen), in kaltem Wasser abschrecken, enthäuten, die Stengelansätze herausschneiden, die Tomaten halbieren, entkernen, das Tomatenfleisch in kleine Würfel schneiden
40 g Butter	in der Flambierpfanne auf dem Rechaud erhitzen die Heilbuttscheiben von jeder Seite 2-3 Minuten darin braten lassen, mit

Salz	
frisch gemahlenem Pfeffer	bestreuen, herausnehmen
2 Schalotten	abziehen, würfeln, in dem Bratfett andünsten
2 Basilikumblättchen	
1 Salbeiblättchen	
	die Kräuter vorsichtig abspülen, trockentupfen, fein hacken, mit den Tomatenwürfeln zu den Schalottenwürfeln geben, mit
Kardamom	
Safranpulver	
Currypulver	würzen
125 ml (⅛ l) Gemüsebrühe	mit
1 EL Tomatenketchup	hinzufügen, gut durchdünsten lassen mit Salz, Pfeffer würzen, die Heilbuttscheiben in die Flambierpfanne geben, miterhitzen.
Garzeit:	15 - 20 Minuten.

GARNIERTE LACHSMAYONNAISE

300 g Lachs (Salm)	unter fließendem kaltem Wasser abspülen
250 ml (¼ l) Wasser	mit
1 gestrichenen TL Salz	
1 Messerspitze	
frisch gemahlenem Pfeffer	
1 Scheibe Zitrone	
(etwa ½ cm dick,	
ungespritzt)	
6 Pfefferkörnern	
einigen Senfkörnern	zum Kochen bringen, den Fisch hineingeben, zum Kochen bringen, gar ziehen lassen den Fisch enthäuten, entgräten, in kleine Stücke schneiden.

Für die Mayonnaise

1 Eigelb	mit
1 EL Zitronensaft	
oder Kräuteressig	
1 gehäuften TL Senf	
1 gestrichenen TL Salz	
1 TL Zucker	
frisch gemahlenem Pfeffer	
125 ml (⅛ l) Salatöl	verrühren

1 EL Speisestärke mit
125 ml (⅛ l)
kaltem Wasser anrühren, unter ständigem Rühren zum Kochen bringen, mit
2 gehäuften EL Joghurt unter die Mayonniase rühren, mit
Cayennepfeffer abschmecken, die Fischstückchen vorsichtig unterheben
einen tiefen Teller oder eine flache Schale mit
gewaschenen, gut abgetropften Salatblättern auslegen, die Lachsmayonnaise darauf geben
60 g Champignons (aus der Dose) abtropfen lassen
1 - 2 hartgekochte
Eier pellen
einige Radieschen putzen, waschen
1 - 2 Gewürzgurken
die Zutaten in Scheiben schneiden
Tomatenachtel
Petersilie
die Lachsmayonnaise mit den Zutaten garnieren.
Garzeit: etwa 12 Minuten.
Beilage: Toast.

DORSCH, GEBRATEN

1 Dorsch (etwa 1 kg) schuppen, ausnehmen, unter fließendem kaltem Wasser abspülen, trockentupfen, mit
Zitronensaft beträufeln, etwa 15 Minuten stehenlassen, trockentupfen, innen und außen mit
Salz
frisch gemahlenem Pfeffer würzen
1 große Kartoffel schälen, waschen, in die Bauchhöhle des Fisches stecken, den Fisch aufrecht auf eine feuerfeste Platte setzen, mit
Speiseöl oder
zerlassener Butter bestreichen

61

Ananasscheiben (aus der Dose)	abtropfen lassen, in Abständen von etwa 3 cm auf dem Rücken des Fisches anordnen
4 Tomaten	waschen, abtrocknen, kreuzweise einschneiden, mit Speiseöl bestreichen, neben den Fisch auf die Platte setzen
	die Platte in den Backofen stellen
	den Dorsch während des Bratens ab und zu mit Speiseöl oder zerlassener Butter bestreichen
Ober-/Unterhitze:	etwa 200 °C (10 Minuten vorheizen)
Heißluft:	etwa 180 °C (nicht vorheizen)
Gas:	Stufe 3 - 4 (5 Minuten vorheizen)
Bratzeit:	etwa 35 Minuten.
Beilage:	Folienkartoffeln, Grüner Salat in Sahnesauce.

FILET VOM LACHS JUSTINE (Foto)

4 Lachsfilets (je etwa 180 g) 150 g Rotbarschfilet	unter fließendem kaltem Wasser abspülen, trockentupfen, den Lachs beiseite stellen, den Rotbarsch in feine Stücke schneiden, mit
1 Ei 60 ml Schlagsahne Salz frisch gemahlenem Pfeffer	zu einer einheitlichen Masse verkneten, mit würzen, die Farce auf die Lachsfilets streichen
2 Tomaten	kurze Zeit in kochendes Wasser legen (nicht kochen lassen), in kaltem Wasser abschrecken, enthäuten
100 g Gurke 4 große Champignons	unter fließendem kaltem Wasser abspülen putzen, unter fließendem kaltem Wasser abspülen, das Gemüse in Scheiben schneiden, auf den Lachsfilets anrichten
2 Schalotten	abziehen, fein würfeln eine Kasserolle mit
Butter 200 ml trockenen Weißwein 1 Lorbeerblatt	ausfetten, Schalotten und Fisch hineingeben hinzufügen, den Fisch in etwa 20 Minuten gar dünsten, herausnehmen, warm stellen.

Für die Sauce

300 ml Schlagsahne	in den Fischfond gießen, zu einer cremigen Sauce einkochen lassen, mit
Salz	
frisch gemahlenem Pfeffer	abschmecken, mit den Lachsfilets servieren.

FISCHROLLEN AUF LAUCHGEMÜSE

(Im Schnellkochtopf)

4 Rotbarschfilets (etwa 750 g)	unter fließendem kaltem Wasser abspülen, trockentupfen, mit
Zitronensaft	beträufeln, etwa 15 Minuten stehenlassen je 1 Fischfilet zwischen 2 von
8 Scheiben durchwachsenen Speck	legen, die oberen Speckscheiben mit
Senf	bestreichen, mit
frisch gemahlenem Pfeffer	bestreuen, aufrollen
etwa 1 kg Lauch	putzen, längs halbieren, waschen, in etwa 2 cm große Scheiben schneiden
2 EL Butter	im offenen Schnellkochtopf zerlassen, den Lauch darin andünsten
125 ml ($\frac{1}{8}$ l) Wasser	hinzugießen, mit Pfeffer würzen, die Fischrollen darauf geben, den Schnellkochtopf schließen, erst dann den Kochregler auf Stufe I schieben, wenn reichlich Dampf entwichen ist (nach etwa 1 Minute) nach Erscheinen des 1. Ringes das Gericht etwa 8 Minuten garen lassen, den Topf von der Kochstelle nehmen, den Kochregler langsam stufenweise zurückziehen und den Topf öffnen, die Fischrollen herausnehmen
1 EL Weizenmehl	mit
125 ml ($\frac{1}{8}$ l) Schlagsahne	anrühren, das Lauchgemüse damit binden, mit
Salz	
frisch gemahlenem Pfeffer	abschmecken, mit den Fischrollen auf einer vorgewärmten Platte anrichten.
Garzeit:	etwa 10 Minuten.
Hinweis:	Das Gericht können Sie auch mit Seelachs- oder Merlanfilet zubereiten.

HEILBUTT AUF GEMÜSE

4 Heilbuttschnitten (je etwa 200 g)	unter fließendem kaltem Wasser abspülen, trockentupfen, mit dem
Saft von 1 Zitrone	beträufeln, etwa 15 Minuten stehenlassen, trockentupfen
1 Möhre	putzen, schälen, waschen, in Streifen schneiden
1 Bund Frühlingszwiebeln	putzen, das dunkle Grün bis auf etwa 15 cm abschneiden, die Knollen evtl. abziehen, die Frühlingszwiebeln waschen, in Streifen schneiden, evtl. nochmals halbieren von
2 Zucchini	die Enden abschneiden, die Zucchini waschen, abtrocknen, in dünne Scheiben schneiden das Gemüse mit
75 ml trockenem Weißwein 1 EL Butter 75 ml Instant-Krebssuppe	in einen breiten, flachen Kochtopf geben, zum Kochen bringen, zugedeckt etwa 5 Minuten dünsten lassen die Heilbuttschnitten auf das Gemüse legen, mit
Salz frisch gemahlenem Pfeffer	bestreuen, zugedeckt in etwa 10 Minuten gar dünsten lassen Gemüse und Fleisch auf einer vorgewärmten tiefen Platte anrichten
1 Packung (200 g) Frühlings-Quark	mit
1 Packung (200 g) Meerrettich-Quark	verrühren, im Wasserbad erwärmen, etwas davon auf den garen Fisch geben, den restlichen Quark dazureichen, den Fisch mit
Zitronenscheiben (unbehandelt) Dillzweigen	garnieren, sofort servieren.
Beilage:	Petersilien-Kartoffeln, Eisbergsalat mit Zitronen-Schlagsahne-Sauce.

GESCHMORTER DORSCH

4 Kotelettstücke vom Dorsch	unter fließendem kaltem Wasser abspülen, trockentupfen
3 Knoblauchzehen	abziehen
1 Bund Petersilie	vorsichtig abspülen, trockentupfen beide Zutaten fein hacken, mit
½ TL Salz	
frisch gemahlenem Pfeffer	vermengen
1 EL Butter	zerlassen, die Fischkoteletts hineingeben, die Petersilien-Knoblauch-Masse darüber verteilen, mit dem
Saft von ½ Zitrone (unbehandelt)	beträufeln den Fisch zugedeckt bei schwacher Hitze etwa 25 Minuten schmoren lassen.

LACHS MIT TATARENSAUCE

4 Scheiben Lachs (je etwa 200 g)	unter fließendem kaltem Wasser abspülen, trockentupfen, mit
1 - 2 EL Zitronensaft	beträufeln, 15 - 20 Minuten stehenlassen, trockentupfen.

Für die Tatarensauce

1 Becher (150 g) Crème fraîche	fast steif schlagen
2 - 3 EL Mayonnaise	unterrühren
2 hartgekochte Eier	pellen, hacken, mit
1 EL gehackter Petersilie	
1 EL gehacktem Dill	unterrühren
½ Päckchen Kresse	unter fließendem kaltem Wasser abspülen, die Blättchen abschneiden, in die Sauce geben die Sauce mit
Salz	
frisch gemahlenem Pfeffer	abschmecken eine Grillpfanne mit

65

Speiseöl	ausstreichen, erhitzen, die Lachsscheiben darin von beiden Seiten grillen, auf vorgewärmten Tellern anrichten, mit
Tomatenachteln	
Zitronenachteln	
Kressesträußchen	garnieren, die Tatarensauce dazureichen.
Grillzeit:	etwa 10 Minuten.
Beigabe:	Toast, Stangenweißbrot oder Röstkartoffeln, Salat.

MARINIERTER KOCHFISCH VENEZIANISCH

1 Kabeljau (etwa 1 ½ kg)	schuppen, ausnehmen, Kopf und Flossen entfernen den Fisch unter fließendem kaltem Wasser abspülen.

Für den Sud

1 l Wasser	mit
4 EL Essig-Essenz (25 %)	
1 EL Salz	erhitzen, etwas abkühlen lassen, den Fisch in die Marinade (er muß vollkommen bedeckt sein) legen, etwa 1 Stunde darin ziehen lassen die Marinade abgießen, den Fisch trockentupfen, in 4 gleichgroße Stücke schneiden
2 - 3 Zwiebeln	
2 - 3 Knoblauchzehen	beide Zutaten abziehen, fein würfeln
4 Petersilienwurzeln	putzen, waschen, mit Zwiebel- und Knoblauchwürfeln,
½ TL getrockneten oder frischen feingehackten Chilischoten	
½ TL Thymian	in einen großen Topf geben
250 ml (¼ l) Fischfond	hinzugießen, zum Kochen bringen, zugedeckt etwa 5 Minuten kochen lassen, den Fisch hineingeben, zum Kochen bringen, zugedeckt etwa 10 Minuten ziehen lassen

die Fischstücke mit einem Schaumlöffel aus der Fischbrühe nehmen, in eine vorgewärmte Schüssel geben

½ TL Salz
5 EL Weißwein   in die Fischbrühe rühren, die Brühe über die Kabeljaustücke gießen, sofort servieren.

Kochzeit: etwa 20 Minuten

Beilage: Stangenweißbrot, gemischter Salat.

MATJES-PALETTE (Foto)

Für das Matjes-Tatar

4 Matjesfilets
10 Kapern
1 Gewürzgurke   die Zutaten fein hacken

1 Schalotte   abziehen, fein würfeln, unter das Matjes-Tatar mengen, mit

frisch gemahlenem Pfeffer   abschmecken.

Für Matjes in Chili

4 Matjesfilets   fein würfeln
2 milde Peperoni   entstielen, fein würfeln
beide Zutaten mit

4 EL Chilisauce (süß)   vermengen.

Für Matjes mit Pfeffercreme

4 Matjesfilets   fein würfeln, mit
4 EL Crème fraîche
1 TL eingelegten
grünen Pfefferkörnern   vermengen.

Für Matjes mit Pfifferlingen

4 Matjesfilets   fein würfeln
150 g Pfifferlinge
(aus dem Glas)   gut abtropfen lassen, mit den Matjeswürfeln vermengen

2 EL kleine Perlzwiebeln
(aus dem Glas)   hinzufügen, mit
2 EL Sherryessig
frisch gemahlenem Pfeffer   abschmecken.

Für Matjes mit Dill

4 Matjesfilets	fein würfeln
½ Bund Dill	abspülen, trockentupfen, fein hacken
100 g Champignons	putzen, waschen, in Scheiben schneiden
	die drei Zutaten vermengen, mit
frisch gemahlenem Pfeffer	
1 EL Weinessig	pikant abschmecken
	die Matjesgerichte etwa 1 Stunde im Kühlschrank durchziehen lassen, auf
Salatblättern	
Radicchioblättern	
Gewürzgurkenscheiben	anrichten.
Beilage:	Frisches Bauernbrot und Butter.

MATROSENOMELETTS

Für die Füllung

250 g Spargelstücke (aus der Dose)	
250 g Erbsen (aus der Dose)	
	beide Zutaten abtropfen lassen, 8 Eßlöffel von der Spargelflüssigkeit abmessen
50 g durchwachsenen Speck	in Würfel schneiden
125 g Krabbenfleisch (frisch oder aus der Dose)	
	die Zutaten vermengen, mit
Salz	würzen.

Für die Omeletts

8 Eier	mit der Spargelflüssigkeit,
1 schwach gehäuften TL Salz	
frisch gemahlenem Pfeffer	
geriebener Muskatnuß	
1 TL gehackter Petersilie	verschlagen
40 g Butter oder Margarine	in einer Stielpfanne (Durchmesser etwa 18 cm) zerlassen, ¼ der Eimasse hineingeben, am Boden etwas stocken lassen, ¼ der Füllung darauf verteilen, zugedeckt 4 - 5 Minuten

stocken lassen, das Omelett auf eine
vorgewärmte Platte gleiten lassen, halb
überklappen, warm stellen
die übrigen 3 Omeletts auf die gleiche Art
zubereiten
die Omeletts mit

Tomatenachteln
Petersilie   garnieren.
Beilage: Reis oder Toast.

OFENHERINGE

4 - 6 grüne Heringe   entgräten, unter fließendem kaltem
Wasser abspülen, trockentupfen, innen und außen
mit

Salz
frisch gemahlenem Pfeffer   bestreuen
4 - 6 EL Weißwein   in eine gut gefettete Pfanne geben, die Heringe
nebeneinander hineinlegen
etwa 3 EL Crème fraîche   darüber verteilen
3 EL Semmelbrösel   mit
2 EL gehackter Petersilie
Paprika edelsüß   verrühren, über die Heringe geben
Butter   in Flöckchen darauf setzen
die Pfanne auf dem Rost in den vorgeheizten
Backofen
schieben
Ober-/Unterhitze: 200 - 225 °C
(vorgeheizt)
Heißluft: 180 - 200 °C
(nicht vorge-
heizt)
Gas: Stufe 4 - 5
(vorgeheizt)
Backzeit: 20 - 25 Minu-
ten.
Beilage: Kräuter-
kartoffeln
und
Tomatensalat.

Forelle blau mit Gemüse

Für das Gemüse

500 g Champignons	putzen, waschen, mit
Zitronensaft	beträufeln
1 Zwiebel	abziehen, fein würfeln
1 EL Butter	zerlassen, die Zwiebelwürfel darin glasig dünsten lassen
	die Champignons hinzufügen, mit
Salz	
frisch gemahlenem Pfeffer	
Thymian	würzen, gar dünsten lassen
2 EL Butter	zerlassen
etwa 280 g Erbsen	
(aus der Dose)	abtropfen lassen, mit
125 g Krabbenfleisch	
(frisch oder tiefgekühlt)	in der Butter erhitzen, mit Salz, Pfeffer würzen
4 küchenfertige Forellen	
(je etwa 250 g)	unter fließendem kaltem Wasser abspülen, trockentupfen, rund binden.

Für den Sud

250 ml (¼ l) Wasser	mit
250 ml (¼ l) Weißwein	
3 EL Essig-Essenz	vermengen
1 Bund Suppengrün	putzen, waschen, grob zerkleinern
1 Zwiebel	abziehen, mit
2 Nelken	spicken, Suppengrün, Zwiebel
1 Lorbeerblatt	
5 weiße Pfefferkörner	
½ TL Salz	in die Flüssigkeit geben, zum Kochen bringen, die Fische hineingeben, gar ziehen lassen.

Für die Sherrysauce

200 g Mayonnaise	mit
3 EL Sherry	
1 Messerspitze	
Ingwerpulver	verrühren, mit Zitronensaft,
Zucker	abschmecken

die garen Forellen vorsichtig aus dem Sud nehmen, abtropfen lassen, mit dem Gemüse auf einer vorgewärmten Platte anrichten, mit

Zitronenachteln
Dill garnieren
die Sherrysauce dazureichen.

Dünstzeit für die
Champignons: 10-15 Minuten
Garzeit für die Fische: 15-20 Minuten.
Beilage: Petersilienkartoffeln, Salat.

FORELLE MIT MANDELSAUCE

4 küchenfertige Forellen
(je 150-200 g) unter fließendem kaltem Wasser abspülen, trockentupfen, innen und außen mit
Zitronensaft beträufeln, etwa 15 Minuten stehenlassen, trockentupfen, mit
Salz würzen, in
Weizenmehl wenden
50 g Butter zerlassen, die Fische von beiden Seiten darin braten, auf einer vorgewärmten Platte anrichten, warm stellen.

Für die Mandelsauce

50 g Spaltmandeln in dem Bratfett bräunen
125 ml (⅛ l) Wasser
125 ml (⅛ l) Schlagsahne hinzugießen, mit dem Bratfett verrühren
1 EL Weizenmehl mit
2 EL kaltem Wasser anrühren, unter Rühren in die Flüssigkeit geben, zum Kochen bringen, etwa 5 Minuten kochen lassen, die Sauce mit Salz,

frisch gemahlenem Pfeffer
Paprika edelsüß
1-2 EL Sherry, medium abschmecken, zu den Fischen reichen
die Forellen mit

Zitronenscheiben
Petersilie garnieren.
Bratzeit für den Fisch: etwa 6 Minuten
Kochzeit für die Sauce: etwa 5 Minuten
Beilage: Dillkartoffeln, Chicoréesalat.

SEEZUNGENRÖLLCHEN MIT LIMONENSAUCE (Foto)

12 Seezungenfilets à 70 g)	unter fließendem kaltem Wasser abspülen, trockentupfen, mit
Salz, Pfeffer	würzen, mit der Hautseite nach oben auf eine Arbeitsplatte legen
240 g Rotbarschfilet	unter fließendem kaltem Wasser abspülen, trockentupfen, durch den Fleischwolf drehen, durch ein Sieb streichen, die Masse mit
100 ml Schlagsahne	
2 Eiern	vermengen
30 g Spinat	verlesen, putzen, waschen, 1 Minute in kochendem Wasser blanchieren, fein hacken die Fischmasse in drei Portionen teilen, eine Portion mit Spinat, eine Portion mit
20 g Hummer- oder Krebspaste	vermengen, die dritte Portion mit
0,2 g Safranpulver (2 Tütchen)	vermengen, jeweils 4 Filets mit der gleichen Masse bestreichen und zusammenrollen, die Röllchen dicht nebeneinander in eine mit
20 g Butter	ausgefette Auflaufform setzen
250 ml (¼ l) Weißwein	von der Seite angießen, die Form mit Alufolie verschließen, auf dem Rost in den vorgeheizten Backofen schieben, etwa 20 Minuten garen
Ober-/Unterhitze:	etwa 175 °C (vorgeheizt)
Heißluft:	etwa 150 °C (nicht vorgeheizt)
Gas:	etwa Stufe 2 (vorgeheizt).

Für die Sauce

2 Schalotten	abziehen, fein hacken
20 g Butter	zerlassen, die Schalotten darin andünsten
125 ml (⅛ l) Weißwein	
Saft von 1 Limone	

280 g kalte Butter	beide Zutaten hinzugießen, stark einkochen lassen in Flöckchen unterschlagen, bis eine cremige Sauce entstanden ist, mit
Salz frisch gemahlenem Pfeffer	würzen.
Hinweis:	Kräuterreis dazureichen.

SEEZUNGENRÖLLCHEN AUF TOAST

8 Seezungenfilets (etwa 600 g)	unter fließendem kaltem Wasser abspülen, trockentupfen, längs halbieren, von beiden Seiten mit
Salz frisch gemahlenem Pfeffer	würzen, aufrollen, mit Holzstäbchen feststecken
1 EL Butter	zerlassen, die Fischröllchen darin anbraten
125 ml (⅛ l) Weißwein	hinzugießen, den Fisch gar dünsten lassen, aus der Brühe nehmen, warm stellen, die Fischbrühe zum Kochen bringen
2 gestrichene TL Speisestärke	mit
4 EL Schlagsahne	anrühren, die Brühe damit binden, die Sauce mit Salz, Pfeffer
Zucker	abschmecken
50 g Butter	zerlassen
4 Scheiben Weißbrot (am besten Toastbrot)	darin rösten, auf einer vorgewärmten Platte anrichten die Sauce über die Toastscheiben geben, auf jede Toastscheibe 4 Seezungenröllchen setzen, mit
Tomatenachteln Zitronenscheiben Petersilie	garnieren.
Dünstzeit:	etwa 3 Minuten.

Pikant gefüllter Barsch

1 Barsch (1 - 1 ½ kg)	schuppen, ausnehmen, unter fließendem kaltem Wasser abspülen, trockentupfen, nach Belieben mit
Zitronensaft	beträufeln, etwa 15 Minuten stehenlassen, trockentupfen
1 Fenchelknolle (etwa 250 g)	putzen, waschen, vierteln, fein würfeln, 4 EL davon mit
½ TL Salbei Salz	vermengen, in den Fisch füllen, zunähen oder mit Holzstäbchen zustecken den Fisch von außen mit Salz,
frisch gemahlenem Pfeffer	würzen, in
Weizenmehl	wenden
etwa 60 g Butter	zerlassen, den Fisch von beiden Seiten darin braten, den restlichen Fenchel hinzufügen, mitbraten lassen, mit Salz, Pfeffer würzen den Fisch mit dem Gemüse auf einer vorgewärmten Platte anrichten, mit dem Bratfett begießen, mit
Zitronenscheiben Petersilie	garnieren, nach Belieben mit
1 - 2 cl Weinbrand	beträufeln
Bratzeit:	Jede Seite 13 - 15 Minuten.
Beilage:	Kerbelkartoffeln.

Rotfeder mit Senfrahm

4 Rotfedern	schuppen, ausnehmen, Flossen und Schwanz entfernen, die Fische unter fließendem kaltem Wasser abspülen, trockentupfen
4 EL Speiseöl	mit
Salz frisch gemahlenem Pfeffer Zitronensaft Knoblauchsalz Paprika edelsüß	verrühren, die Fische damit bestreichen, die restliche Marinade darüber geben, die Fische etwa 20 Minuten darin ziehen lassen, ab und zu wenden

1 - 2 Bund Dill	unter fließendem kaltem Wasser abspülen, trockentupfen, grob hacken, die Fische damit füllen
1 EL Butter	zerlassen, die Fische von beiden Seiten darin in 5 - 10 Minuten braun braten, auf einer vorgewärmten Platte anrichten, warm stellen.

Für den Senfrahm

1 Becher (150 g) Crème fraîche	mit
1 - 2 EL scharfem Senf	
1 TL Zucker	
4 EL feingehacktem Dill	verrühren, mit Salz, Pfeffer,
1 EL Gin	abschmecken, die Sauce mit den Rotfedern servieren.
Beilage:	Dill-Kartoffeln oder Folienkartoffeln mit Gurkensalat.

SCHELLFISCH, GEKOCHT

Etwa 1 kg Schellfisch (Kopfstück)	unter fließendem kalten Wasser abspülen, trockentupfen
1 mittelgroße Zwiebel	abziehen, vierteln, mit
6 weißen Pfefferkörnern	
1 Lorbeerblatt	
1 TL Senfkörnern	
1 gehäuften TL Salz	
1 Messerspitze frisch gemahlenem Pfeffer	
Scheiben von ½ Zitrone	in
1 l Wasser	zum Kochen bringen, etwa 2 - 3 Minuten kochen lassen
	den Fisch hinzufügen, zum Kochen bringen, im geschlossenen Topf gar ziehen lassen
	den Schellfisch aus der Flüssigkeit nehmen, enthäuten, entgräten, auf einer vorgewärmten Platte anrichten, mit
Zitronenscheiben Petersiliensträußchen	garnieren
Garzeit:	etwa 10 Minuten.

75

HERINGS-QUARK-TOPF

6 Matjesfilets	evtl. einige Zeit wässern, trockentupfen, in mundgerechte Stücke schneiden
1 rote Zwiebel	abziehen, in Scheiben schneiden, in Ringe teilen
2 Äpfel	schälen, vierteln, entkernen, in kleine Scheiben schneiden
125 ml (⅛ l) Schlagsahne	steif schlagen
1 Packung (200 g) Speisequark (40 %)	gut verrühren, die steifgeschlagene Schlagsahne unterheben, mit Matjesstückchen, Zwiebelringen und Apfelscheiben vorsichtig vermengen, mit
Salz frisch gemahlenem Pfeffer Zitronensaft	würzen, einige Zeit kühl stellen, mit
Dill	garniert servieren.
Beilage:	Pellkartoffeln, Vollkornbrot und Butter

SPECKSCHOLLEN (Foto)

4 küchenfertige Schollen (je etwa 300 g)	unter fließendem kaltem Wasser abspülen, trockentupfen, mit
Zitronensaft	beträufeln, etwa 30 Minuten stehenlassen, trockentupfen, mit
Salz frisch gemahlenem Pfeffer	bestreuen, in
Weizenmehl	wenden
2 EL Speiseöl	in einer großen Pfanne erhitzen
etwa 20 g mageren, durchwachsenen Speck	in Würfel schneiden, darin ausbraten, die Speckwürfel herausnehmen, warm stellen, die Schollen in dem Speckfett von beiden Seiten braun braten, auf einer vorgewärmten Platte anrichten, die Speckwürfel darüber geben die Schollen evtl. mit Zitronenachteln, Dillzweigen garnieren

Bratzeit: etwa 15 Minuten.
Beilage: Salzkartoffeln, Feldsalat.
Hinweis: Um zu verhindern, daß Küchengeräte und Hände starken Fischgeruch annehmen, sollten diese vor der Fischzubereitung mit kaltem Wasser abgespült werden.

STEINBEISSERKOTELETT IN ALUFOLIE

4 Steinbeißerkoteletts (je etwa 200 g)	unter fließendem kaltem Wasser abspülen, trockentupfen, mit dem
Saft von 1 Zitrone	beträufeln, mit
Salz	bestreuen, etwa 30 Minuten stehenlassen
6 Tomaten	waschen, vierteln, die Stengelansätze herausschneiden
200 g Zuckerschoten	putzen, waschen
1 Bund Basilikum	unter fließendem kaltem Wasser abspülen, trockentupfen, fein schneiden je 1 Steinbeißerkotelett mit dem Gemüse und etwas von
20 g Butter	in Alufolie einschlagen und im vorgeheizten Backofen garen
Ober-/Unterhitze:	etwa 200 °C (vorgeheizt)
Heißluft:	etwa 180 °C (nicht vorgeheizt)
Gas:	etwa Stufe 3 (vorgeheizt)
Garzeit:	etwa 25 Minuten.

STEINBUTT MIT ABGESCHLAGENER SAUCE

4 Scheiben Steinbutt (je etwa 200 g)	unter fließendem kaltem Wasser abspülen, trockentupfen, mit
Zitronensaft	beträufeln, etwa 15 Minuten stehenlassen, trockentupfen, mit
Salz	würzen
1 Zwiebel	abziehen, mit
2 Nelken	spicken, mit

1 l Wasser
1 EL Essig-Essenz (die Kochwassermenge richtet sich nach der Größe des Topfes, auf jeden Fall muß der Fisch bedeckt sein) zum Kochen bringen, den Fisch hineingeben, zum Kochen bringen, den Topf von der Kochstelle nehmen, den Fisch gar ziehen lassen, auf einer vorgewärmten Platte anrichten, warm stellen.

Für die abgeschlagene Sauce

2 gestrichene EL
Weizenmehl in einem kleinen Kochtopf mit
2 EL kaltem Wasser anrühren
2 Eier
1 EL Zitronensaft
250 ml ($\frac{1}{4}$ l)
heißen Fischfond hinzufügen, so lange mit einem Schneebesen durchschlagen, bis eine Kochblase aufsteigt (nicht kochen lassen)
während des Schlagens
50 g Butter in kleinen Stücken dazugeben, die Sauce mit Salz,
geriebener Muskatnuß abschmecken
den Steinbutt mit

Zitronenscheiben
Petersilie
125 ml ($\frac{1}{8}$ l)
steifgeschlagener Sahne
(nach Belieben) garnieren, die Sauce getrennt dazureichen oder mit auf die Platte geben.
Garzeit für den Fisch: etwa 15 Minuten
Zubereitungszeit
für die Sauce: etwa 6 Minuten.
Beilage: Butterkartoffeln, Salate.

ZANDER NACH BÄCKERMEISTER-ART

1 küchenfertigen Zander (etwa 1 kg)	unter fließendem kaltem Wasser abspülen, trockentupfen, nach Belieben innen und außen mit
1 EL Zitronensaft	beträufeln, etwa 15 Minuten stehenlassen, trockentupfen, mit
Salz frisch gemahlenem Pfeffer	würzen
2 Brötchen	einweichen, gut ausdrücken
1 kleine Zwiebel	abziehen, würfeln
60 g Champignons (aus der Dose)	abtropfen lassen, in Stücke schneiden
100 g durchwachsenen Speck	in Würfel schneiden, auslassen
1 EL Speiseöl	dazugeben, die Zwiebelwürfel darin glasig dünsten die Champignons hinzufügen, durchdünsten lassen, mit den Brötchen
1 Ei 1 EL gehackter Petersilie	vermengen, die Masse mit Salz, Pfeffer abschmecken ein Stücke Alufolie extra-stark in der Mitte mit
Speiseöl	bestreichen, die Füllung darauf geben, den Fisch mit der Bauchseite nach unten darauf setzen, die Folie locker, aber dicht verschließen, auf einem Backblech in den Backofen schieben den garen Zander mit
Tomatenachteln Petersilie Zitronenscheiben	garnieren
Ober-/Unterhitze:	225 - 250 °C (vorgeheizt)
Heißluft:	200 - 220 °C (nicht vorgeheizt)
Gas:	Stufe 6 - 7 (5 Minuten vorheizen)
Dünstzeit:	etwa 45 Minuten.
Beilage:	Butterkartoffeln, gemischter Salat.

HECHTSCHNITTE IN KÄSEHÜLLE

600 g Hechtfilets	abspülen, trockentupfen, mit
Zitronensaft	
Worcestersauce	beträufeln, mit
Salz	
frisch gemahlenem weißem Pfeffer	bestreuen, etwas ziehen lassen
150 g Allgäuer Emmentaler	fein reiben
3 Eier	verrühren, den Käse darunterschlagen die Hechtfilets trockentupfen, zuerst in
Weizenmehl	dann in dem Eier-Käse-Gemisch wenden, in
100 g zerlassener Butter	von beiden Seiten in etwa 5 Minuten goldbraun braten, sofort servieren.
Hinweis:	Gemüse-Reis und Tomaten-Sauce dazureichen.

SCHOLLE IN ROTWEIN (Foto)

4 küchenfertige Schollen	unter fließendem kaltem Wasser abspülen, trockentupfen, mit
Zitronensaft	
Worcestersauce	beträufeln, mit
Salz, Pfeffer	würzen, mit
4 EL Weizenmehl	bestäuben
125 ml (⅛ l) Speiseöl	in einer Pfanne erhitzen, die Schollen von beiden Seiten darin etwa 15 Minuten braten, herausnehmen, warm stellen, das Öl abgießen
200 g kleine Champignons	putzen, waschen, abtropfen lassen
100 g Butter	zerlassen, die Champignons,
1 Glas (200 g) Perlzwiebeln	darin anbraten
200 ml trockenen Rotwein	angießen, leicht einkochen lassen, mit Salz, Pfeffer würzen.
Beilage:	Kleine gebratene Kartoffeln.

GEBRATENES ROTBARSCHFILET

4 Rotbarschfilets (je etwa 200 g)	unter fließendem, kaltem Wasser abspülen, trockentupfen, mit
Zitronensaft	beträufeln, etwa 15 Minuten stehenlassen, trockentupfen, mit
Salz, Pfeffer Paprika edelsüß	würzen.

Für den Sahnereis

200 g Brühreis	waschen, abtropfen lassen
250 ml (¼ l) Schlagsahne 250 ml (¼ l) Wasser 1 TL Salz	verschlagen, mit Paprika, Pfeffer abschmecken, zum Kochen bringen, den Reis hineingeben, zum Kochen bringen, ausquellen lassen, evtl. mit Salz, Pfeffer, Paprika abschmecken, warm stellen
Rotbarschfilets	zuerst in
Weizenmehl	wenden (Foto 1)
1 Ei	verschlagen, die Filets darin wenden und zuletzt in
Semmelbröseln	geben, die Panade gut andrücken
50 g Butter	zerlassen (Foto 2), die Filets von beiden Seiten darin braten (Foto 3), warm stellen (Foto 4)
500 g Erbsen (Dose)	abtropfen lassen, in
6 EL Tomatenketchup	unter vorsichtigem Rühren erhitzen, mit Salz, Pfeffer würzen die Rotbarschfilets mit dem Reis und den Erbsen auf einer vorgewärmten Platte anrichten, mit
1 EL feingeschnittenem Schnittlauch	bestreuen.
Kochzeit für den Reis:	etwa 20 Minuten.
Bratzeit für den Fisch:	etwa 10 Minuten.
Dünstzeit für die Erbsen:	etwa 5 Minuten.

MAN NEHME

OSTERN

Nach langer Fastenzeit ist
es endlich wieder soweit.
Ostern darf geschlemmt
werden. Das war schon
früher so, als die Kirche
nach unerbittlicher Enthalt-
samkeit zum hohen Fest-
tag erstmals wieder den
Genuß von Eiern erlaubte.
Heute zeigt man sich längst
nicht mehr so spartanisch.
Denn während die lieben
Kleinen nach bunten Oster-
eiern und süßen Schokola-
denhasen Ausschau halten,
überlegen die Großen, was
sie zum Fest in den Koch-
topf oder Bräter bekommen
können. Ideal sind natürlich
die saftigen Stücke junger
Frühlingslämmer. Filet,
Rücken und Keule sind
zarte Delikatessen, denen
man kaum wiederstehen
kann, weder als Gastgeber
noch als Gast.

PANIERTE SCHWEINEKOTELETTS

4 Schweinekoteletts (je etwa 200 g)	unter fließendem kaltem Wasser abspülen, trockentupfen, leicht klopfen, mit
Salz frisch gemahlenem weißem Pfeffer	bestreuen die Koteletts zunächst in
2 EL Weizenmehl	dann in
1 verschlagenen Ei	zuletzt in
40 g Semmelbröseln	wenden
50 g Pflanzenfett	erhitzen, die Koteletts darin braten, auf einer vorgewärmten Platte anrichten.
Bratzeit:	Von jeder Seite etwa 8 Minuten.
Beilage:	Gemüseplatte, Petersilienkartoffeln.
Veränderung:	Anstelle von Schweinekoteletts Kalbskoteletts verwenden. Die Bratzeit dafür: 5-6 Minuten je Seite.
Hinweis:	Damit sich die Schweinekoteletts beim Braten nicht nach oben wölben, sollte vor dem Panieren der Fettrand ringsherum leicht eingeschnitten werden.

FILETSPIESSE

400 g Schweinefilet	evtl. noch von Haut und Fett befreien, unter fließendem kaltem Wasser abspülen, trockentupfen, in etwa 2 cm dicke Scheiben schneiden
1 Ingwerwurzel	schälen, in kleine Scheiben schneiden beide Zutaten abwechselnd auf Spieße stecken
2 Knoblauchzehen	abziehen, zerdrücken, mit
4 EL Speiseöl 1 TL Currypulver 1 Spritzer Tabasco 1 EL Zitronensaft	verrühren, das Fleisch damit bestreichen den Grillrost mit Alufolie auslegen, die Filetspieße daraufgeben, unter den Grill schieben, unter Wenden gar grillen.

Frühlings-Platte
mit Avocado-Creme (Foto)

(In der Bratfolie - für 4 bis 6 Personen)

1 kg Schweinefleisch (Oberschale)	unter fließendem kaltem Wasser abspülen, trockentupfen, evtl. Haut und Fett entfernen, mit
Salz, Pfeffer	würzen, auf ein genügend großes Stück Bratfolie legen, die Folie verschließen, auf dem Rost in den vorgeheizten Backofen schieben
Ober-/Unterhitze:	200 °C (vorgeheizt)
Heißluft:	180 °C (nicht vorgeheizt)
Gas:	etwa Stufe 3 ½ (vorgeheizt)
Bratzeit:	etwa 1 ½ Stunden
4 Stangen Staudensellerie (etwa 300 g)	putzen, harte Fäden an der Außenseite der Stengel abziehen, die Stengel waschen, in etwa 5 cm lange Stücke schneiden
2 mittelgroße Stangen Lauch	putzen, das dunkle Grün bis auf etwa 10 cm entfernen, den Lauch längs halbieren, in etwa 5 cm lange Stücke schneiden, gründlich waschen von
2 Fenchelknollen (etwa 500 g)	das Grün abschneiden, die Knollen putzen, waschen, vierteln oder achteln
2 große Möhren	putzen, schälen, waschen, in etwa 5 cm lange (½ cm dicke) Stifte schneiden das Gemüse nacheinander in
kochendes Salzwasser	geben, zum Kochen bringen Staudensellerie 1 - 2 Minuten kochen lassen, Lauch 2 - 3 Minuten, Fenchel etwa 8 Minuten, Möhren etwa 5 Minuten, zuletzt
4 - 6 kleine Tomaten	kurze Zeit hineingeben (nicht kochen lassen), in kaltem Wasser abschrecken, enthäuten, die Stengelansätze herausschneiden das Gemüse gut abtropfen lassen, in eine große flache Schüssel legen.

Für die Marinade

3 EL Salatöl	mit
3 EL Kräuter-Essig	verrühren, mit
Salz	
frisch gemahlenem Pfeffer	
Zucker	würzen, über das Gemüse verteilen
	von Zeit zu Zeit die Marinade in einer Ecke der Schüssel zusammenfließen lassen, erneut über das Gemüse geben, 2 - 3 Stunden durchziehen, abtropfen lassen
	das gare Fleisch erkalten lassen, in dünne Scheiben schneiden, mit dem Gemüse auf einer großen Platte anrichten, mit
Petersilie	garnieren.

Für die Avocado-Creme

1 reife Avocado	halbieren, entsteinen, dünn schälen, das Fruchtfleisch pürieren oder mit einer Gabel zerdrücken
1 EL Zitronensaft	unterrühren
1 Knoblauchzehe	abziehen, durchpressen, hinzufügen
125 ml (⅛ l) Speiseöl	eßlöffelweise unterrühren, mit Pfeffer,
Zwiebelsalz	
Zitronensaft	würzen, in die ausgehöhlten Avocadohälften spritzen, mit
Petersilie	garnieren, mit auf der Platte anrichten.
Beilage:	Bauernbrot.
Hinweis:	Avocado-Creme möglichst erst kurz vor dem Servieren zubereiten, da sich bei längerem Stehen das Öl evtl. von der Avocadomasse trennt.

GESCHMORTE LAMMKEULE

1 kg Lammkeule (ohne Knochen)	unter fließendem kaltem Wasser abspülen, trockentupfen
2 - 3 Zwiebeln	
2 - 3 Knoblauchzehen	beide Zutaten abziehen, vierteln, mit
1 kleinen Lorbeerblatt	
8 Wachholderbeeren	

5 Pimentkörnern	
gerebeltem Thymian	
2 EL Essig	in
250 ml (¼ l) Wasser	zum Kochen bringen, etwa 5 Minuten kochen, abkühlen lassen
375 ml (⅜ l) Weißwein	hinzugießen, das Fleisch hineinlegen, 24 Stunden darin ziehen lassen, ab und zu wenden, das Fleisch aus der Marinade nehmen, trockentupfen
	die Marinade durch ein Sieb gießen, Gewürze mit Zwiebel- und Knoblauchvierteln beiseite stellen
	das Fleisch mit
Salz	
frisch gemahlenem Pfeffer	bestreuen, evtl. etwas zusammenbinden
2 - 3 EL Speiseöl	erhitzen, das Fleisch von allen Seiten darin anbraten
2 - 3 Tomaten	waschen, vierteln, die Stengelansätze herausschneiden, die Tomaten mit den zurückbehaltenen Gewürzen, Zwiebel- und Knoblauchvierteln zu dem Fleisch geben, durchdünsten lassen, etwas von der Marinade hinzugießen, das Fleisch zugedeckt schmoren lassen, verdampfte Flüssigkeit nach und nach durch Marinade ersetzen (insgesamt etwa 125 ml -⅛ l -), die gare Lammkeule aus der Schmorflüssigkeit nehmen, warm stellen.

Für die Sauce

	die Schmorflüssigkeit mit dem Gemüse durch ein Sieb streichen
1 EL Schlagsahne	unterrühren, die Sauce nach Belieben etwas einkochen lassen, mit Salz, Pfeffer,
Zucker	abschmecken
	die Lammkeule in Scheiben schneiden, auf einer vorgewärmten Platte anrichten, die Sauce dazu reichen
Schmorzeit:	etwa 1 ½ Stunden.

LAMMFILET AUF KÄSE-KARTOFFELN

Für die Käse-Kartoffeln

1 Gemüsezwiebel	abziehen, würfeln
500 ml (½ l) Schlagsahne	zum Kochen bringen, die Zwiebelwürfel darin gar dünsten, mit
Salz, Pfeffer	würzen
1 ½ kg Pellkartoffeln	pellen, in Scheiben schneiden, in eine gefettete Auflaufform schichten, mit den Sahne-Zwiebeln übergießen
150 g Gruyère-Käse	reiben, darüber streuen, die Form auf dem Rost in den vorgeheizten Backofen schieben, die Käse-Kartoffeln goldbraun überbacken
Ober-/Unterhitze:	etwa 225 °C (vorgeheizt)
Heißluft:	etwa 200 °C (nicht vorgeheizt)
Gas:	etwa Stufe 4 (vorgeheizt)
Überbackzeit:	30-35 Minuten.

Für das Filet

600 g Lammfilet	evtl. von Haut und Sehnen befreien, abspülen, trockentupfen, mit Salz, Pfeffer,
gehackten Majoran und Thymianblättchen	bestreuen
Butterschmalz	zerlassen, die Filets darin von allen Seiten in 5-8 Minuten braun braten, auf den Käse-Kartoffeln anrichten.

LAMMKOTELETTS MIT MINZE (Foto)

Für die Minzebutter

10 Minzeblättchen	abspülen, trockentupfen, fein hacken, mit
80 g weicher Butter	
1 EL Zitronensaft	
½ TL Salz	verkneten die Minzebutter kalt stellen.

Für die Marinade

2 - 3 Knoblauchzehen	abziehen, zerdrücken, mit
2 EL kaltgepreßtem Olivenöl	
2 - 3 EL Zitronensaft	verrühren
4 doppelte Lammkoteletts (etwa 4 cm dick)	mit
Salz	
frisch gemahlenem Pfeffer	einreiben, in die Marinade geben, etwa 2 Stunden darin ziehen lassen die Koteletts herausnehmen, trockentupfen, auf dem Holzkohlengrill von jeder Seite in etwa 5 Minuten braun grillen, je 1 TL der Minzebutter auf den Lammkoteletts anrichten.

LAMMKOTELETTS MIT ZIEGENKÄSE

4 Lammkoteletts (je etwa 150 g)	abspülen, trockentupfen, die Fettränder etwas einschneiden, die Koteletts mit
frisch gemahlenem Pfeffer	einreiben
4 Schalotten	abziehen, würfeln
100 g Butter	zerlassen, Koteletts darin anbraten, Schalottenwürfel hinzufügen, das Fleisch in etwa 5 Minuten gar braten, warm stellen
150 g Ziegenkäse	würfeln, im Bratfond etwas auflösen, mit
3 EL Weißwein	ablöschen
125 ml (1/8 l) Schlagsahne	hinzugießen, cremig einkochen lassen die Sauce mit Pfeffer,
Salz	abschmecken
3 - 4 EL gehackten Estragon	unterrühren, zu den Lammkoteletts reichen.
Hinweis:	Blattspinat und Röstkartoffeln oder Artischockenherzen, schwarze Oliven und Fladenbrot dazureichen.

LAUCH-HACK-AUFLAUF

(Für 4 - 6 Personen)

750 g Kartoffeln	schälen, waschen, in Scheiben schneiden, in
750 ml (³/₄ l) kochendes Salzwasser	geben, zum Kochen bringen, etwa 5 Minuten kochen lassen, mit einem Schaumlöffel herausnehmen
5 Stangen Lauch	putzen, längs halbieren, waschen, in etwa 5 cm lange Stücke schneiden, in das Kartoffel-Kochwasser geben, zum Kochen bringen, etwa 5 Minuten kochen, abtropfen lassen, die Kochflüssigkeit auffangen, 250 ml (¹/₄ l) davon abmessen
500 g Zwiebeln	abziehen, würfeln
1 EL Speiseöl	erhitzen
500 g Rindergehacktes	darin anbraten, dabei die Fleischklümpchen mit einer Gabel zerdrücken die Zwiebelwürfel,
1 EL gerebelten Oregano 3 EL Tomatenmark gemahlenen Zimt Salz	unterrühren, mit
frisch gemahlenem Pfeffer	würzen, 8-10 Minuten durchdünsten lassen eine Schlemmer-Kasserolle ausfetten abwechselnd Kartoffelscheiben, Lauchstücke und Hack-Zwiebel-Masse einschichten, Kartoffelscheiben mit Salz, Pfeffer bestreuen.

Für die Sauce

30 g Butter	zerlassen
30 g Weizenmehl	unter Rühren so lange darin erhitzen, bis es hellgelb ist
250 ml (¹/₄ l) Kochflüssigkeit 125 ml (¹/₈ l) Milch	hinzugießen, mit einem Schneebesen durchschlagen, die Sauce zum Kochen bringen, etwa 5 Minuten kochen lassen, mit
Salz frisch gemahlenem Pfeffer	

geriebener Muskatnuß	würzen
1 Eigelb	verschlagen, die Sauce damit abziehen die Hälfte von
75-100 g geriebenem Gouda-Käse	unterrühren, die Sauce von der Kochstelle nehmen
1 Eiweiß	steif schlagen, unterheben, die Sauce über den Auflauf gießen die Kasserolle auf dem Rost in den vorgeheizten Backofen schieben etwa 15 Minuten vor Beendigung der Backzeit den Auflauf mit dem restlichen Käse bestreuen
Ober-/Unterhitze:	etwa 200 °C (vorgeheizt)
Heißluft:	etwa 180 °C (nicht vorgeheizt)
Gas:	Stufe 3-4 (vorgeheizt)
Backzeit:	40-45 Minuten.

MANDELMEDAILLONS (Foto)

(Für 4-5 Personen)

800 g Schweinefilet	unter fließendem kaltem Wasser abspülen, trockentupfen, Haut und Sehnen entfernen, das Filet in 1 ½-2 cm dicke Scheiben schneiden, mit
Salz frisch gemahlenem Pfeffer	würzen die Filetscheiben zunächst in
1 verschlagenen Ei	dann in
75-100 g abgezogenen, gehobelten Mandeln	wenden, die Mandeln gut andrücken
40 g Butterschmalz	erhitzen, die Filetscheiben darin von beiden Seiten braten die Medaillons erkalten lassen, auf einer Platte anrichten, mit
Brunnenkresse	garnieren.

Für die Sauce

3 EL Salatmayonnaise	mit
2 EL Crème fraîche	verrühren
2 enthäutete Tomaten	
1 Gewürzgurke	

beide Zutaten unterrühren, die Sauce mit Pfeffer abschmecken, zu den Medaillons reichen.

Bratzeit: Von beiden Seiten 5-7 Minuten.
Beilage: Toast.

MARINIERTES KRÄUTERFLEISCH

375 g Schweinefilet	waschen, abtrocknen, evtl. enthäuten, in etwa 3 mm dicke Scheiben schneiden
375 g Roastbeef	waschen, abtrocknen, evtl. entfetten, längs zur Faser in 3 Stücke schneiden, diese quer zur Faser in 3 mm dicke Scheiben schneiden
5 EL Speiseöl	erhitzen, die Fleischscheiben portionsweise von beiden Seiten etwa 3 Minuten darin braten, mit dem Bratensatz in eine Schüssel geben, mit
Salz	
frisch gemahlenem Pfeffer	bestreuen.

Für die Marinade

4 EL Salatöl	mit
3-4 EL Rotweinessig	
1 TL Dijon-Senf	
2 TL rosa Pfeffer	verrühren, mit Salz, Pfeffer würzen
2 EL gehackte Petersilie	
1-2 EL gehackten Dill	
1-2 EL gehackten Kerbel	
2 EL feingeschnittenen Schnittlauch	hinzufügen, die Marinade mit dem Fleisch vermengen, gut durchziehen lassen, ab und zu wenden, das Kräuterfleisch evtl. nochmals mit
Salz	
Pfeffer	
Rotweinessig	abschmecken, mit der Marinade auf einer Platte anrichten, mit
Kräutersträußchen	garnieren.
Beilage:	Stangenweißbrot oder Röstkartoffeln, Salat.

GESCHNETZELTES HÄHNCHEN (Foto)

4 Hähnchenbrustfilets	enthäuten, unter fließendem kaltem Wasser abspülen, trockentupfen, in feine Streifen schneiden, mit
Salz	
frisch gemahlenem Pfeffer	würzen
400 g Champignons	putzen, waschen, abtropfen lassen, in Scheiben schneiden
1 Schalotte	abziehen, fein würfeln
	die Hälfte von
100 g Butter	zerlassen, das Hähnchenfleisch darin unter Rühren 5 Minuten braten, herausnehmen, warm stellen
	die restliche Butter im Bratensatz zerlassen, Schalottenwürfel und Champignonscheiben darin andünsten, mit
125 ml (⅛ l) trockenem Weißwein	
4 cl trockenem Wermut	ablöschen
250 ml (¼ l) Schlagsahne	unterrühren, sämig einkochen lassen
20 Zitronenmelisseblätter	abspülen, trockentupfen, fein hacken und in die Sauce geben
	das Geschnetzelte in die Sauce geben, kurz miterhitzen, nicht mehr kochen lassen, mit Salz, Pfeffer abschmecken.
Hinweis:	Nudeln mit Tomatenwürfeln dazu reichen.

HÄHNCHENSCHENKEL, GEBRATEN

4 Hähnchenschenkel	unter fließendem kaltem Wasser abspülen, trockentupfen, mit
Salz, Pfeffer	
Paprika edelsüß	
Currypulver	bestreuen
2 - 3 EL Speiseöl	erhitzen, die Hähnchenschenkel unter öfterem Wenden darin goldbraun braten.
Bratzeit:	etwa 30 Minuten.
Beigabe:	Curry-Reis, Tomatensalat.

KNUSPRIGES HÄHNCHEN

1 Hähnchen	Innereienbeutel entfernen, Hähnchen unter fließendem kaltem Wasser waschen, trockentupfen, tranchieren die Hähnchenteile mit
Salz	
frisch gemahlenem Pfeffer	einreiben, zunächst in
2 - 3 EL Weizenmehl	wenden, danach in
2 verschlagenen Eiern	wenden
1 Bund Petersilie	waschen, gut abtropfen lassen, fein hacken
1 Tüte Paprikachips (100 g)	in der Tüte zerdrücken, mit der Petersilie vermengen, die Hähnchenteile darin panieren, in eine mit
etwa 40 g Butter	ausgestrichene Fettpfanne legen, im Backofen goldbraun braten
Ober-/Unterhitze:	etwa 200 °C (vorgeheizt)
Heißluft:	etwa 180 °C (nicht vorgeheizt)
Gas:	etwa Stufe 3 (vorgeheizt)
Bratzeit:	etwa 45 Minuten.

KALBSHAXE IM TONTOPF

1 Kalbshaxe (1 ½ - 2 kg)	unter fließendem kaltem Wasser abspülen, trockentupfen, mit
Salz	
frisch gemahlenem Pfeffer	einreiben, mit
gerebeltem Rosmarin	bestreuen, mit
weicher Butter oder Margarine	bestreichen
4 Tomaten	waschen
2 Zwiebeln	abziehen beide Zutaten achteln, mit
gehackter Petersilie	in den gewässerten Tontopf geben, die Kalbshaxe darauf legen, den Tontopf mit dem Deckel verschließen, in den Backofen stellen ½ Stunde vor Beendigung der Garzeit den Deckel abnehmen, damit das Fleisch noch mehr bräunt

Ober-/Unterhitze:	200 - 225 °C (vorgeheizt)
Heißluft:	180 - 200 °C (nicht vorgeheizt)
Gas:	Stufe 3 - 4 (vorgeheizt)
Garzeit:	2 - 2 ¼ Stunden
	das gare Fleisch von dem Knochen lösen, in Scheiben schneiden, auf einer vorgewärmten Platte anrichten, warm stellen
	den Bratensatz mit dem Gemüse durch ein Sieb streichen, zum Kochen bringen, nach Belieben
3 TL Weizenmehl	mit
2 EL kaltem Wasser	anrühren, den Bratensatz damit binden, die Sauce mit Salz, Pfeffer abschmecken.
Beilage:	Lauch-Gemüse oder Zucker-Erbsen in Mandel-Butter.

KALBSMEDAILLONS KAREN

4 Kalbsmedaillons (je etwa 150 g)	mit
Salz	
frisch gemahlenem Pfeffer	
gerebeltem Thymian	bestreuen
1 - 2 EL Butterschmalz	in der Flambierpfanne erhitzen, die Medaillons von jeder Seite etwa 4 Minuten darin braten
1 Zwiebel	abziehen, fein würfeln, zu den Steaks geben, durchdünsten lassen
	die Steaks an den Grillpfannenrand schieben
250 g Champignons	putzen, waschen, in dünne Scheiben schneiden, in die Grillpfanne geben, durchdünsten lassen, mit
Salz	
frisch gemahlenem Pfeffer	würzen, etwa 4 Minuten dünsten lassen
2 dünne Scheiben gekochten Schinken	halbieren, hinzufügen, miterhitzen auf jedes Medaillon eine halbe Scheibe Schinken legen, die Medaillons mit
4 - 5 EL Cognac	
1 EL Pfefferminzlikör	flambieren
2 EL Rotwein	
2 EL Madeira	hinzufügen
2 EL Crème fraîche	unterrühren, mit Salz, Pfeffer,
Pilz-Sojasauce	abschmecken, sofort servieren.

Bratzeit für die
Medaillons: etwa 12 Minuten.
Dünstzeit für die
Champignons: 4-5 Minuten.
Beigabe: Bunter Salat.

KNOBLAUCH-KOTELETTS

4 Schweinekoteletts	unter fließendem kaltem Wasser abspülen, trockentupfen, die Koteletts mit einem spitzen Messer schräg einstechen
4 Knoblauchzehen	abziehen, in Stifte schneiden, in die Koteletts stecken
3 EL Speiseöl	erhitzen, die Koteletts von beiden Seiten darin anbraten
Salbeiblättchen	hinzufügen, kurz mitbraten lassen, die Koteletts herausnehmen, mit
Salz	
frisch gemahlenem Pfeffer	bestreuen, warm stellen
10 Perlzwiebeln	abziehen, in dem Bratfett andünsten, mit
125 ml (⅛ l) Weißwein	ablöschen, den Wein einkochen lassen
125 ml (⅛ l) Schlagsahne	hinzugießen, die Koteletts hineingeben
Thymianblättchen	darüberstreuen, die Koteletts zugedeckt in etwa 20 Minuten gar schmoren lassen.
Hinweis:	Knoblauch-Koteletts panieren und die Sauce mit rosa Pfeffer würzen.

KOTELETTS MIT CHAMPIGNON-ZWIEBELN

4 Lummerkoteletts	leicht klopfen, mit
Salz	
frisch gemahlenem Pfeffer	
Paprika edelsüß	bestreuen
2 EL Butterschmalz	erhitzen, die Koteletts von beiden Seiten darin etwa 10 Minuten braten, warm stellen.

Für die Champignon-Zwiebeln

200 g Schalotten	abziehen, in
wenig Salzwasser	zum Kochen bringen, 8-10 Minuten kochen, abtropfen lassen
200 g kleine Champignons	putzen, waschen, mit den Zwiebeln in das Bratfett geben, mit
Salz	
Pfeffer	würzen, zugedeckt 5-8 Minuten dünsten lassen
2 EL Weinbrand	
2-3 EL Crème fraîche	unterrühren, mit Salz, Pfeffer, Paprika abschmecken, die Flüssigkeit etwas einkochen lassen das Gemüse mit der Sauce über die Koteletts geben, mit
1 EL gehackter Petersilie	bestreuen
Garzeit:	25-30 Minuten.

LAMMSPIESSE

800 g Lammschulter (ohne Knochen)	waschen, abtrocknen, Fett und Sehnen entfernen, das Fleisch in etwa 4 cm große Scheiben schneiden
1 Zwiebel	abziehen, fein würfeln
1 Knoblauchzehe	abziehen, in Scheiben schneiden, mit
1 TL Salz	bestreuen, unter einer Messerschneide zerdrücken
3 EL Speiseöl	mit Zwiebel und Knoblauchzehe in eine Schüssel geben
1 EL Currypulver	
1 TL Ingwerpulver	
2 EL Zitronensaft	hinzufügen, verrühren, das Fleisch darin wenden, zugedeckt etwa 4 Stunden stehenlassen
2 rote Paprikaschoten	halbieren, entstielen, entkernen, die weißen Scheidewände entfernen, die Schoten waschen, in etwa 4 cm große Stücke schneiden
100 g Frühstücksspeck	in etwa 4 cm große Scheiben schneiden
4 Zwiebeln	abziehen, vierteln
4 Lorbeerblätter	
	alle Zutaten abwechselnd auf Spieße stecken
250 ml (¼ l) Speiseöl	in einer Pfanne erhitzen, die Lamm-Spieße darin bräunen lassen
Bratzeit:	etwa 10 Minuten.

96

HAMMEL-PILAW

500 g Hammelfleisch	unter fließendem kaltem Wasser abspülen, trockentupfen, in Würfel schneiden
2 mittelgroße Zwiebeln	abziehen, halbieren, in Scheiben schneiden
200 g Sellerie	putzen, waschen, kleinschneiden
200 g Tomaten	kurze Zeit in kochendes Wasser legen (nicht kochen lassen), in kaltem Wasser abschrecken, enthäuten, die Stengelansätze herausschneiden, die Tomaten in Stücke schneiden
1 grüne Paprikaschote (150 g)	halbieren, entstielen, entkernen, die weißen Scheidewände entfernen, die Schote waschen, in Streifen schneiden
30 g Margarine	erhitzen, das Fleisch unter Wenden schwach darin bräunen lassen
	kurz bevor das Fleisch genügend gebräunt ist, Zwiebeln, Sellerie, Tomaten und Paprikaschote hinzufügen, kurz miterhitzen, mit
Salz	
Paprika edelsüß	
1 abgezogenen, zerdrückten Knoblauchzehe	
gerebeltem Thymian	würzen
750 ml (³/₄ l) Wasser	hinzufügen, zum Kochen bringen
150 g Langkornreis (parboiled)	nach 20 Minuten Kochzeit zu dem Fleisch geben, gar kochen lassen
	das Gericht mit Salz abschmecken, mit
1 EL gehackter Petersilie	bestreuen
Garzeit:	etwa 1 Stunde.

MAN NEHME

SPARGEL

Delikateßgemüse – dies ist die Bezeichnung und Beschreibung zugleich für den Spargel. Er ist der ungekrönte König unter den Frühlingsgemüsen. Noch bevorzugen die meisten Verbraucher die saftigen, dicken weißen Stangen, deren Frische man an den geschlossenen Köpfen und unverholzten Enden erkennen kann. Aber immer mehr Meister- und Hobbyköche greifen zur herzhafteren Variante, dem grünen Spargel. Er ist der Urform, dem kleineren, dünneren, doch um vieles aromatischeren wilden Spargel ähnlich.

Beide werden oberirdisch abgeerntet, während der weiße Spargel gestochen wird, ehe er den Kopf aus seinem angehäuften Beet stecken kann. Eine Methode, die um 1800 die Holländer erfunden haben.

BRUNNENKRESSESALAT

150 g Brunnenkresse

Von
die gelben Blätter entfernen, die Brunnenkresse waschen, gut abtropfen lassen.

Für die Salatsauce

5 Schalotten oder 1 kleine Zwiebel	abziehen, halbieren, in Scheiben schneiden, mit
2 - 3 EL Walnußöl	
2 - 3 EL Kräuteressig Meersalz gemahlenem Pfeffer	verrühren, mit
Honig	abschmecken
2 EL gemischte, gehackte Kräuter	unterrühren, mit der Brunnenkresse vermengen
1 - 2 hartgekochte Eier	pellen, hacken, über den Salat streuen, sofort servieren.

SPARGELSALAT MIT KRÄUTERSAUCE

500 g gekochten grünen Spargel	auf einer Platte anrichten.

Für die Kräutersauce

2 kleine Zwiebeln	abziehen, fein würfeln, mit
6 EL Salatöl	
3 EL Essig	verrühren, mit
Salz frisch gemahlenem Pfeffer Zucker	würzen
3 - 4 EL gemischte, gehackte Kräuter	unterrühren einen Teil der Sauce über den Spargel geben, die restliche Sauce dazureichen
1 hartgekochtes Ei	pellen, halbieren, das Eigelb durch ein Sieb streichen, mit
geschnittenem Schnittlauch	über den Salat streuen, mit
Feldsalat	garnieren.

FRISÉE-SALAT MIT PUTE (Foto)

200 g Putenfleisch	unter fließendem kaltem Wasser abspülen, mit Haushaltspapier trockentupfen, das Putenfleisch in Streifen schneiden.

Für die Marinade

125 ml (⅛ l) Sherry (fino oder amontillado) 1 TL Honig 1 TL Johannisbeergelee 1 TL Curry 1 TL Paprika edelsüß 1 Messerspitze gemahlenem Ingwer frisch gemahlenem weißen Pfeffer	mit verrühren, das Putenfleisch hineingeben, etwa 30 Minuten darin ziehen lassen, herausnehmen, abtropfen lassen
1 EL Butter	in einer Pfanne zerlassen, das Putenfleisch darin goldgelb braten, herausnehmen, abtropfen lassen
	den Bratensatz mit der Marinade ablöschen
200 ml Schlagsahne	hinzugießen, zum Kochen bringen, etwa 3 Minuten unter ständigem Rühren bei starker Hitzezufuhr einkochen lassen, mit
Salz Sherryessig	abschmecken
1 Kopf Frisée-Salat 1 Kopf Radicchio	beide Zutaten verlesen, gründlich waschen, gut abtropfen lassen, die Blätter eventuell zerpflücken
1 Avocado	halbieren, den Kern mit einem Löffel entfernen, die Avocado schälen, das Fruchtfleisch in Spalten schneiden
100 g frische Champignons	putzen, waschen, abtropfen lassen, in dünne Scheiben schneiden
1 EL Butter	zerlassen, die Champignonscheiben kurz darin anbraten

50 salzige Mandeln	ohne Fett in einer Pfanne rösten
	die Salatzutaten in einer Schüssel anrichten,
	dabei das Putenfleisch nach oben legen
	die lauwarme Salatsauce getrennt dazu reichen.
Hinweis:	Statt des Putenfleisches können Sie auch
	Hähnchenbrüste verwenden: zwei Hähnchenbrüste
	enthäuten, mit einem scharfen Messer auslösen,
	im Ganzen marinieren, braten, erst vor dem
	Servieren in Scheiben schneiden.

FRÜHLINGS-FRIKASSEE

30 g Butter oder Margarine	zerlassen
30 g Weizenmehl	unter Rühren so lange darin erhitzen, bis es hellgelb ist
250 ml (¼ l) heiße Hühnerbrühe	hinzugießen, mit einem Schneebesen durchschlagen, darauf achten, daß keine Klumpen entstehen
	die Sauce zum Kochen bringen, etwa 10 Minuten kochen, etwas abkühlen lassen
2 Packungen (je 200 g) Frühlings-Quark	unterrühren
150 g gekochten Schinken	in Würfel schneiden
1 Bund glatte Petersilie	
1 Bund Dill oder Kerbel	
1 Bund Schnittlauch	
	die Kräuter vorsichtig abspülen, trockentupfen, fein hacken bzw. schneiden
	Schinkenwürfel und Kräuter unter die Quarksauce rühren
4 hartgekochte Eier	pellen, vierteln, vorsichtig unterheben, mit
Salz frisch gemahlenem Pfeffer	würzen.
Beilage:	Pellkartoffeln oder Reis.

Frühlingssalat (Foto)

500 g junge Möhren	putzen, schälen, waschen, in
wenig kochendes Salzwasser	geben, zum Kochen bringen, 5 - 8 Minuten dünsten, abtropfen, abkühlen lassen
1 Bund Radieschen 250 g Champignons	beide Zutaten putzen, waschen
1 kg Pellkartoffeln	pellen die vier Zutaten in dünne Scheiben schneiden
1 Bund Schnittlauch	abspülen, trockentupfen, fein schneiden
2 Kästchen Kresse	abspülen, trockentupfen, die Blättchen abschneiden
500 g Kümmelkäse	in feine Streifen schneiden.

Für die Salatsauce

6 EL Olivenöl 4 EL Estragon-Essig 1 TL mittelscharfem Senf	mit
Salz frisch gemahlenem weißen Pfeffer	verrühren, mit
	würzen, mit den Salatzutaten vermengen Salat etwas durchziehen lassen, auf
Salatblättern	anrichten, mit
Radieschen Kresseblättchen	garnieren.
Hinweis:	Knoblauch-Baguette dazureichen.

Grüner Kartoffelsalat

1 kg neue Kartoffeln	waschen, in
Salzwasser	zum Kochen bringen, in etwa 30 Minuten gar kochen lassen, abgießen, abdämpfen, heiß pellen, erkalten lassen, etwa 12 Stunden kalt stellen, in Scheiben schneiden
125 ml (⅛ l) Essig 125 ml (⅛ l) Wasser 2 TL Instant-Fleischbrühe 1 - 2 TL Zucker	mit

Salz	
frisch gemahlenem Pfeffer	zum Kochen bringen
1 Zwiebel	abziehen, fein würfeln, hinzufügen, kurz aufkochen lassen, über die Kartoffelscheiben gießen, vorsichtig durchheben, die Flüssigkeit muß von den Kartoffeln vollkommen aufgesaugt werden, ab und zu vorsichtig durchheben
1 Bund Dill	
1 Bund Petersilie	
5 Salbeiblätter	
1 Zweig Zitronenmelisse	die Kräuter vorsichtig abspülen, trockentupfen, die Blättchen von den Stengeln zupfen, die Blättchen fein hacken
1 kleine Salatgurke	schälen, in kleine Würfel schneiden, mit den Kräutern unter die Kartoffelscheiben mischen
150 g saure Sahne oder Crème fraîche	getrennt dazu reichen.

KARTOFFELGRATIN

2 Knoblauchzehen	abziehen, in Scheiben schneiden, mit
Salz	zerdrücken, das Knoblauchmus am Rand und am Boden einer gefetteten Auflaufform verteilen
1 kg Kartoffeln	schälen, waschen, in dünne Scheiben schneiden
250 g durchwachsenen Speck	in Würfel schneiden, auslassen
4 große Zwiebeln	abziehen, in sehr dünne Ringe schneiden, zu dem Speck geben, andünsten Kartoffeln, Speck und Zwiebeln abwechselnd in die Auflaufform einschichten, jede Lage mit
Salz	
frisch gemahlenem Pfeffer	bestreuen, die oberste Schicht soll aus Kartoffeln bestehen
500 ml (½ l) Schlagsahne	darüber gießen, mit
Semmelbröseln	bestreuen, die Form mit Alufolie verschließen, in den Backofen schieben, etwa 30 Minuten vor Beendigung der Backzeit die Folie entfernen
Ober-/Unterhitze:	200-225 °C (vorgeheizt)
Heißluft:	180-200 °C (nicht vorgeheizt)
Gas:	Stufe 3-4 (vorgeheizt)
Backzeit:	etwa 1 ½ Stunden.

KARTOFFELN MIT KNOBLAUCH UND PETERSILIE

1 kg Pellkartoffeln	pellen, vierteln
2 Bund glatte Petersilie	abspülen, trockentupfen, fein hacken
2 große Knoblauchzehen	abziehen, fein würfeln
8 EL Olivenöl	erhitzen, Petersilie, Knoblauch hinzufügen, einige Minuten erhitzen die Kartoffeln hinzufügen, vorsichtig durchschwenken vor dem Servieren
100 g Schafskäse	darüber reiben.
Hinweis:	Statt der Kartoffeln können auch sehr gut Nudeln genommen werden.

KOHLRABI IN KRESSE-CREME

(Foto)

Etwa 1 kg Kohlrabi (mit Herzblättchen)	schälen, waschen, in dünne Stifte schneiden (die Blättchen in feine Streifen schneiden, zurückbehalten), den Kohlrabi in
wenig kochendes Salzwasser	geben, zum Kochen bringen, in 8-10 Minuten gar dünsten, abtropfen lassen, warm stellen.

Für die Kresse-Creme

1 Becher (150 g) Crème fraîche	erhitzen
3 EL gehackte Kresseblättchen	unterrühren, mit
Salz, Pfeffer, Muskat Zitronensaft	würzen, Kohlrabistifte und -blättchen hinzufügen, kurz erhitzen, evtl. nochmals abschmecken.

KOHLRABIGEMÜSE MIT QUARK

1 kg Kohlrabi	putzen, schälen, waschen, in Würfel schneiden, in
250 ml (¼ l) kochendes Salzwasser	geben, zum Kochen bringen, 8-10 Minuten kochen, abtropfen lassen
1 Packung (200 g) Frühlings-Quark	mit
2 Eigelb	gut verrühren, die Kohlrabiwürfel,
3-4 EL gemischte, gehackte Kräuter	unterrühren, das Gemüse kurz erhitzen, sofort servieren.
Beilage:	Spiegeleier mit Schinken, Pellkartoffeln.

ALTDEUTSCHE KARTOFFELPFANNE

250 g Champignons	putzen, waschen, in Scheiben schneiden
500 g gekochte Kartoffeln 100 g fetter Speck	
	beide Zutaten in Würfel schneiden, den Speck auslassen
2 Zwiebeln	abziehen, in Scheiben schneiden, in dem Speckfett glasig dünsten lassen die Champignonscheiben, die Kartoffelwürfel hinzufügen, braun braten lassen
6 Eier	mit
250 ml (¼ l) Milch	verschlagen, mit
Salz	abschmecken
2 EL feingeschnittenen Schnittlauch	unterrühren, die Eiermilch über die Kartoffeln geben, stocken lassen, evtl.
Butter	in die Pfanne geben (die Eiermasse darf nicht trocken werden) wenn die untere Schicht leicht gebräunt ist, das Gericht auf einen vorgewärmten Teller gleiten lassen.

KRÄUTERQUARK

1 - 2 Zwiebeln	abziehen, fein reiben, mit
1 Packung (200 g) Speisequark, 40 %	
1 - 2 EL Milch	
2 - 3 schwach gehäuften EL Crème fraîche	verrühren, mit
Salz	
frisch gemahlenem weißem Pfeffer	würzen
3 - 4 EL gehackte Kräuter (Schnittlauch, glatte Petersilie, Dill, Kerbel)	unterrühren
	den Kräuterquark nach Belieben auf gewaschenen
Salatblättern	anrichten.
Beilage:	Radieschen, rohen Staudensellerie oder rohe Paprikaschoten, Pellkartoffeln oder gebackene Folien-Kartoffeln.

LACHS-CROISSANTS

1 Chicorée	putzen, den Strunk herausschneiden, Chicorée waschen, in feine Streifen schneiden
4 Croissants	längs aufschneiden
120 g Pfefferkäse	zerdrücken, mit
4 EL Crème fraîche oder Schmand	verrühren, die unteren Croissant-hälften damit bestreichen, die Chicoréestreifen darauf verteilen
12 Scheiben Räucherlachs	zu Röllchen formen, jeweils drei Röllchen auf eine Croissanthälfte geben

2 EL Crème fraîche oder Schmand	mit
Salz	
frisch gemahlenem weißem Pfeffer	
Paprika edelsüß	würzen
½ Bund Dill	vorsichtig unter fließendem, kaltem Wasser abspülen, mit Haushaltspapier trockentupfen
	die Dillblättchen abzupfen, fein hacken, unter die Crème fraîche rühren
	die Creme als Tupfen auf den Lachs geben
	die obere Croissanthälfte darauf geben.

LANDFRAUEN-AUFLAUF MIT FRÜHLINGSQUARK (Foto)

200 g gelbe und grüne Bandnudeln	in
1 ½ l kochendes Salzwasser	geben, zum Kochen bringen, ab und zu umrühren, etwa 8 Minuten kochen lassen, mit kaltem Wasser übergießen, abtropfen lassen
750 g Fleischtomaten	kurze Zeit in kochendes Wasser legen (nicht kochen lassen), in kaltem Wasser abschrecken, enthäuten, die Stengelansätze herausschneiden, die Tomaten in Scheiben schneiden
250 g gekochten Schinken (im Stück)	in Würfel schneiden
3 Eier	mit
200 ml Schlagsahne	verschlagen, mit
Salz	
frisch gemahlenem Pfeffer	würzen
1 Bund Schnittlauch	
½ Bund glatte Petersilie	die Kräuter abspülen, trockentupfen, fein schneiden bzw. hacken
	eine flache feuerfeste Form ausfetten, eine Schicht Tomatenscheiben heineingeben, mit Salz,

107

Pfeffer, Schnittlauch und Petersilie bestreuen, die Hälfte der Schinkenwürfel darüber geben
die Nudeln, die restlichen Tomatenscheiben mit den Schinkenwürfeln einschichten, die Kräuter darüber streuen, die Eier-Schlagsahne-Masse darüber verteilen
die Form auf dem Rost in den vorgeheizten Backofen schieben

2 Packungen (je 200 g)
Frühlingsquark verrühren, etwa 10 Minuten vor Beendigung der Backzeit über den Auflauf geben

Ober-/Unterhitze: etwa 200 °C (vorgeheizt)
Heißluft: etwa 180 °C (nicht vorgeheizt)
Gas: etwa Stufe 3 (vorgeheizt).
Backzeit: etwa 40 Minuten.
Beilage: Gemischter Salat.

MACAIRE-KARTOFFELN

1 kg Kartoffeln schälen, waschen, in Stücke schneiden, in
Salzwasser zum Kochen bringen, in etwa 15 Minuten gar kochen lassen, abgießen, abdämpfen, sofort durch die Kartoffelpresse geben
1 - 2 EL Butter unterrühren, mit
Salz
frisch gemahlenem Pfeffer
geriebener Muskatnuß würzen
150 g Butter in einer Pfanne zerlassen, den Kartoffelteig portionsweise hineingeben, etwas flach drücken, von beiden Seiten goldbraun backen.

MAIRÜBEN-MÖHREN-ROHKOST

400 g Mairüben
300 g Möhren
beide Zutaten putzen, schälen, waschen, grob raspeln, mit

1 EL gehacktem Dill
1 EL feingeschnittenem
Schnittlauch vermengen.

Für die Sauce

2 EL Salatöl	mit
2 EL Kräuteressig	
Salz	
frisch gemahlenem Pfeffer	verrühren
	die Sauce mit den geraspelten Wurzeln vermengen, kurz durchziehen lassen, mit Salz, Pfeffer abschmecken
	eine Schüssel mit
gewaschenen Salatblättern	auslegen, die Rohkost darauf geben, mit
Dillzweigen	garnieren.

MAKKARONI MIT PIKANTEM QUARK

(Für 2 - 3 Personen)

250 g Makkaroni	in
2 - 3 l kochendes Salzwasser	geben
1 EL Speiseöl	hinzufügen, zum Kochen bringen, ab und zu umrühren, etwa 10 Minuten kochen lassen, die Nudeln auf ein Sieb geben, mit kaltem Wasser übergießen, abtropfen lassen
1 - 2 EL weiche Butter	geschmeidig rühren
250 g Speisequark	
125 ml (⅛ l) Schlagsahne	hinzufügen, verrühren
40 g geriebenen Parmesan-Käse	unterrühren, mit
Salz	
frisch gemahlenem Pfeffer	
Paprika edelsüß	abschmecken, vorsichtig unter die Nudeln rühren die Nudelmasse in eine gefettete, feuerfeste Form füllen, auf dem Rost in den vorgeheizten Backofen schieben
Ober-/Unterhitze:	etwa 225 °C (vorgeheizt)
Heißluft:	etwa 200 °C (nicht vorgeheizt)
Gas:	etwa Stufe 5 (vorgeheizt).
Backzeit:	etwa 5 Minuten.

PASTETCHEN MIT DREIERLEI FÜLLUNG

8 rechteckige Blätter tiefgekühlten Blätterteig	10 Minuten antauen lassen, auf ein mit Back-Trennpapier ausgelegtes Blech legen, in den vorgeheizten Backofen schieben
Ober-/Unterhitze:	etwa 240 °C (vorgeheizt)
Heißluft:	etwa 220 °C (nicht vorgeheizt)
Gas:	etwa Stufe 5 (vorgeheizt)
Backzeit:	etwa 15 Minuten.

Für die Fleischfüllung

1 Zwiebel	abziehen, würfeln
1 EL Butter	zerlassen, die Zwiebelwürfel darin anbraten
300 g Rinderhackfleisch	hinzufügen, unter Rühren braun braten
100 g gemischte, gesalzene Röstnüsse	grob hacken, zu dem Fleisch geben, mit
3 EL Crème fraîche	
2 EL Weinbrand	verrühren, mit
frisch gemahlenem Pfeffer	würzen
1 Ei	verschlagen, unterziehen.

Für die Tomaten-Paprika-Füllung

2 rote Paprikaschoten	mit
1 TL Speiseöl	einreiben, auf Alufolie legen, auf dem Rost in den vorgeheizten Backofen schieben
Ober-/Unterhitze:	etwa 250 °C (vorgeheizt)
Heißluft:	etwa 220 °C (nicht vorgeheizt)
Gas:	Stufe 5 - 6 (vorgeheizt)
Bratzeit:	etwa 20 Minuten die Paprikaschoten ab und zu wenden, bis die Schale Blasen zeigt und sich bräunlich verfärbt, Paprika herausnehmen, mit einem feuchten Tuch bedecken, abkühlen lassen, die Schalen von den Schoten ziehen, die Schoten halbieren, entstielen, entkernen, die weißen Scheidewände entfernen, die Paprikaschoten in große Würfel schneiden

500 g Tomaten	kurze Zeit in kochendes Wasser geben (nicht kochen lassen), in kaltem Wasser abschrecken, enthäuten, die Stengelansätze herausschneiden, die Tomaten in Achtel schneiden, mit den Paprikawürfeln,
50 g zerbröckeltem Schafskäse	in einer Pfanne dick einkochen lassen
100 g geriebenen Edamer Käse	
2 EL Crème fraîche	unterziehen, bei kleiner Hitze schmelzen lassen, mit
frisch gemahlenem Pfeffer geriebener Muskatnuß	abschmecken
1 Ei	unterrühren.

Für die Zucchini-Salat-Füllung

500 g Zucchini	waschen, Enden abschneiden, die Zucchini raspeln
2 EL Butter	zerlassen, Zucchini darin etwa 15 Minuten dünsten lassen von
1 Kopfsalat	die äußeren Blätter entfernen, die übrigen in Streifen schneiden, waschen, abtropfen lassen, zu den Zucchini geben, weitere 15 Minuten dünsten lassen, bis das Gemüse gar und die Flüssigkeit verkocht ist
2 EL Crème fraîche	
100 g entrindeten Camembert in Würfel	
	unterrühren, den Käse schmelzen lassen, mit
Salz frisch gemahlenem Pfeffer geriebener Muskatnuß	würzen
1 EL gehackte Petersilie	
1 Ei	unterziehen
	vor dem Servieren den Blätterteig in 5 Minuten aufbacken, Blätter innen eindrücken, so daß außen ein Teigrand stehen bleibt, die Füllungen nochmals kurz erhitzen, in die Mitte jeder Pastete die Fleischfüllung, auf eine Seite die grüne, auf die andere Seite die rote Füllung geben.

111

SPARGEL MIT SPINATSAUCE

1 kg Spargel	von oben nach unten schälen
250 ml (¼ l) Wasser	mit
Salz, Zucker	zum Kochen bringen, den Spargel hineingeben, zum Kochen bringen, in etwa 20 Minuten gar kochen lassen
	den garen Spargel mit einem Schaumlöffel herausnehmen, auf eine vorgewärmte Platte legen

Für die Spinatsauce

1 kg Spinat	verlesen, waschen, in
kochendes Salzwasser	geben, zum Kochen bringen, einige Minuten kochen lassen, bis die Blätter zusammenfallen, gut abtropfen lassen, fein hacken
1 Zwiebel	abziehen, fein würfeln
1 EL Speiseöl	erhitzen, die Zwiebelwürfel darin andünsten, den Spinat hinzufügen, mitdünsten lassen
1 Becher (150 g) Crème fraîche	unterrühren
1 - 2 EL Weizenmehl	mit
etwas kaltem Wasser	anrühren, die Sauce damit binden, mit
Salz frisch gemahlenem Pfeffer geriebener Muskatnuß	abschmecken.

SPARGEL MIT WEIN-CHAUDEAU (Foto)

1 kg Spargel 1 l kochendes Salzwasser	von oben nach unten schälen, waschen, in geben, zum Kochen bringen, in etwa 20 Minuten gar kochen, abtropfen lassen, auf einer vorgewärmten Platte anrichten, warm stellen.

Für den Wein-Chaudeau

4 Eigelb	mit
150 ml Weißwein	
150 ml Fleischbrühe	verrühren, im Wasserbad so lange schaumig schlagen, bis der Kochpunkt fast erreicht und die Sauce cremig ist, dann unter Rühren mit

Salz,
frisch gemahlenem Pfeffer
geriebener Muskatnuß
Paprika edelsüß
½ TL Worcestersauce würzen, zu dem Spargel reichen.
Hinweis: Rohen Schinken dazu reichen.

KÄSE-WÄHE

Für den Teig

225 g Weizenmehl	mit
½ TL Backpulver Backin	mischen, auf die Tischplatte sieben, in die Mitte eine Vertiefung eindrücken
1 Ei, Salz etwas abgeriebene Zitronenschale (unbehandelt)	hineingeben, mit einem Teil des Mehls zu einem dicken Brei verarbeiten
100 g kalte Butter	in Stücke schneiden, auf den Brei geben, mit Mehl bedecken, von der Mitte aus alle Zutaten schnell zu einem glatten Teig verkneten, etwa 30 Minuten kalt stellen
	den Teig etwa 3 mm dick ausrollen, eine gefettete Pie-Form (ø 28 cm) damit auslegen.

Für die Füllung

2 Packungen (je 200 g) Speisequark, 20 %	mit
2 Eiern 150 g geriebenem Käse Salz	gut verrühren, mit
frisch gemahlenem Pfeffer	würzen
	die Masse auf dem Boden verteilen, glattstreichen
	die Form auf dem Rost in den vorgeheizten Backofen schieben
Ober-/Unterhitze:	etwa 225 °C (vorgeheizt)
Heißluft:	etwa 200 °C (nicht vorgeheizt)
Gas:	etwa Stufe 4 (vorgeheizt)
Backzeit:	etwa 25 Minuten.

MAN NEHME

HOLUNDER

Als wunderbar duftender Jungbrunnen wird der Holunderstrauch gepriesen. Seine violetten, fast schwarzen Beeren sind mit ihrem hohen Vitamin-C-Anteil, den vielen Mineralstoffen (Kalium, Phosphat, Magnesium) sowie reichlich enthaltenem Eiweiß und Zucker für jung und alt unersetzlich. So unterstützt Holunderbeersaft das Wachstum und hilft gegen Streß und Erschöpfung. Darüber hinaus lassen sich die schirmförmigen, weißen oder gelblichen Blütendolden im Frühling in eine aromatische Delikatesse verwandeln: In Eierkuchenteig getunkt und anschließend fritiert ergeben sie die schmackhaften „Hollerküchle".

GEFÜLLTE APRIKOSEN

(12-15 Stück)

450 g Aprikosen (aus der Dose)	abtropfen lassen
200 g Doppelrahm-Frischkäse	mit
1 EL süßer Schlagsahne	
2 TL Aprikosenlikör oder Weinbrand	
25 g fein gehackten Erdnußkernen	verrühren die Masse in die Aprikosenhälften spritzen
3 Pumpernickeltaler	herzförmig ausstechen, die Aprikosen damit garnieren.

AUSGEBACKENE HOLLERBLÜTEN

(Für 6 Personen)

6-12 Dolden Holunderblüten (je nach Größe)	bei trockenem Wetter pflücken
200 g gesiebtes Weizenmehl	mit
½ TL Salz	
250 ml (¼ l) Bier	
2 Eiern	
2 Eigelb	zu einem glatten Teig verrühren, 1 Stunde quellen lassen
2 Eiweiß	steif schlagen, unterziehen in einer tiefen Pfanne
150 g Butterschmalz	erhitzen, nacheinander jede Dolde am Stiel in den Ausbackteig tauchen, im heißen Fett goldgelb ausbacken, mit
75 g Puderzucker	bestreuen, heiß servieren.

115

ORANGENBLÜTEN-BAVAROISE

(Für 6 Personen)

3 Eigelb	mit
3 EL Honig	schaumig schlagen, mit
250 ml (¼ l) heißer Milch	verrühren, im heißen Wasserbad dicklich schlagen
4 Blatt weiße Gelatine	10 Minuten in kaltem Wasser einweichen, ausdrücken, in der heißen Creme auflösen, mit
100 ml Orangenblütenwasser	verrühren, kalt stellen, bis die Creme zu gelieren beginnt
3 Eiweiß	mit
40 g Zucker	
1 Päckchen Vanillin-Zucker	steif schlagen, unter die Creme ziehen
250 ml (¼ l) Schlagsahne	steif schlagen, unter die Creme ziehen, in eine Schüssel füllen, kalt stellen vor dem Servieren, mit
Obst- oder Kräuterblüten	dekorieren.
Hinweis:	Orangenblütenwasser gibt es in der Apotheke. Eine besonders hübsche, eßbare Dekoration sind Blüten von Borretsch oder Kapuzinerkresse.

BANANA-SPLIT

4 Bananen	schälen, mit
1 EL Zitronensaft	bepinseln, auf vier Teller legen
150 g Schokoladen-Aufstrich (aus dem Glas)	mit
4 EL Schlagsahne	in einem Topf erhitzen
350 ml Vanille-Eis	mit einem Eis-Portionierer in Kugeln teilen, neben den Bananen anrichten, mit der Schokoladen-Sauce begießen, mit
gestiftelten Mandeln	verzieren.

Aprikosen-Sekt-Püree mit Sahnehaube

(Für 6-8 Personen)

Etwa 820 g Aprikosen (aus der Dose)	abtropfen lassen, pürieren, mit
250 ml (¼ l) Sekt	aufgießen, in 6-8 Schälchen geben
200 ml Schlagsahne	mit
1 EL Zucker	steifschlagen
2 EL Marillengeist	unterziehen, auf das Püree geben.

Erdbeerkonfekt (Foto)

Etwa 500 g Erdbeeren mit Stiel	verlesen, vorsichtig unter fließendem kaltem Wasser waschen, mit Haushaltspapier vollständig trockentupfen
100 g Zartbitter-Schokolade	mit
etwas Kokosfett	in einem kleinen Topf im heißen Wasserbad geschmeidig rühren die Erdbeeren zur Hälfte hineintauchen, zum Trocknen so auf Pergamentpapier oder ein Kuchengitter setzen, daß sie sich nicht berühren, Erdbeerkonfekt kalt stellen.

ERDBEERGRÜTZE (Foto)

1 ¼ kg Erdbeeren	waschen, entstielen, ¼ der Früchte beiseite stellen, die übrigen mit
1 l Wasser	zum Kochen bringen, auf ein gespanntes Tuch geben, den Saft auffangen, den Fruchtbrei nach dem Erkalten kräftig auspressen, mit Wasser auf 1 ¼ l auffüllen, mit
3 - 4 Stück Zitronenschale (unbehandelt)	zum Kochen bringen
etwa 120 g Perl-Sago	unter Rühren einstreuen, zum Kochen bringen, in etwa 20 Minuten ausquellen lassen, die Zitronenschale entfernen, die zurückbehaltenen Erdbeeren,
125 - 150 g Himbeeren	hinzufügen, zum Kochen bringen, 1 - 2 Minuten kochen evtl. mit
Zucker	abschmecken, erkalten lassen.

HAGEBUTTEN-BUCHWEIZEN-GRÜTZE

100 g blättrig geschnittene Haselnußkerne	in
20 g zerlassener Butter	unter Rühren goldbraun rösten, abkühlen lassen
400 ml Milch	mit
300 g Hagebutten-Marmelade	
50 g Buchweizengrütze	verrühren, zum Kochen bringen, die Haselnüsse hinzugeben, nochmals aufkochen lassen, bei schwacher Hitze in etwa 30 Minuten ausquellen lassen, mit
200 ml Schlagsahne	begießen

die Hagebutten-Buchweizen-Grütze heiß servieren oder erst im Kühlschrank erkalten lassen.

JOGHURT-PREISELBEER-GRÜTZE

(Für 6 Personen)

500 g Vollmilch-Joghurt	mit
60 g Instant-Haferflocken	pürieren, mit
150 g Preiselbeer-Konfitüre (aus dem Glas)	verrühren
	von
1 Zitrone (unbehandelt)	die Schale abreiben

die Zitrone auspressen, den Saft mit der Schale unter die Grütze ziehen, kalt stellen.

Omelett Surprise

(Für 6 - 8 Personen)

250 g entsteinte Schattenmorellen (aus dem Glas)	abtropfen lassen, nebeneinander auf ein Tablett legen, im Gefrierfach hart frieren lassen
100 g Marzipan-Rohmasse	mit
50 g Pistazienkernen	pürieren, mit
2 - 3 Tropfen grüner Lebensmittelfarbe	grün färben, mehrere dünne Rollen (Durchmesser etwa 5 mm) formen, davon 5 mm lange Stückchen abschneiden, einfrieren
3 Eigelb	mit
50 g Zucker	schaumig schlagen, mit
3 EL Honig	verrühren
200 g Mangos (aus der Dose)	abtropfen lassen, pürieren, unter die Eicreme ziehen
750 ml (¾ l) Schlagsahne	mit
2 EL Zucker	steifschlagen, unter die Eicreme ziehen, rasch die gefrorenen Kirschen und Marzipanstückchen unterziehen, Masse in eine Kastenform (Inhalt 1,5 l) geben, einfrieren wenn das Eis ganz durchgefroren ist (nach etwa 2 Tagen)
3 Eiweiß	steifschlagen, nach und nach
100 g feinen Zucker	unterschlagen, Masse in einen Spritzbeutel mit gezackter Tülle geben Eisform in heißes Wasser tauchen, Eis aus der Form lösen, nochmals kurz ins Gefrierfach stellen, die Baisermasse auf das Eis spritzen, auf der mittleren Schiene in den vorgeheizten Backofen schieben
Ober-/Unterhitze:	etwa 240 °C (vorgeheizt)
Heißluft:	etwa 220 °C (nicht vorgeheizt)
Gas:	etwa Stufe 5 (vorgeheizt)
Backzeit:	etwa 5 Minuten sofort servieren.
Hinweis:	Noch besser geht es im Grill: die Baiserspitzen 3 - 4 Minuten bei höchster Stufe bräunen lassen.

CRÊPES SUZETTE (Foto)

2 Eier	mit
125 ml (⅛ l) Milch	
100 g gesiebtem Weizenmehl	
1 Prise Salz	zu einem Teig verrühren, etwa 4 Stunden ruhen lassen
	den Teig mit
etwas Mineralwasser	verdünnen, nach und nach in insgesamt
20 g zerlassener Butter	acht dünne Crêpes ausbacken, jeden zu einem Dreieck zusammenschlagen
40 g Butter	mit
2 EL Zucker	
1 EL Zitronensaft	
1 TL Zitronenschale (unbehandelt)	cremig rühren, in einer Pfanne zerlassen, zusammengelegte Crêpes darin wenden
40 ml Orangenlikör	erhitzen, über die heißen Crêpes in die Pfanne gießen, anzünden, sofort servieren.

SALZBURGER NOCKERLN (Foto)

4 Eigelb	mit
2 EL Weizenmehl	
1 Prise Salz	
3 Tropfen Vanille-Extrakt	verrühren
4 Eiweiß	steifschlagen, nach und nach
2 EL feinen Zucker	unterschlagen, 1 Eßlöffel Eischnee mit der Eigelbmasse verrühren, unter den Schnee ziehen eine flache, feuerfeste Form mit
20 g Butter	ausfetten, die Masse in vier Hügeln hineingeben, auf der mittleren Schiene in den vorgeheizten Backofen schieben
Ober-/Unterhitze:	etwa 200 °C (vorgeheizt)
Heißluft:	etwa 180 °C (nicht vorgeheizt)
Gas:	etwa Stufe 3 (vorgeheizt)
Backzeit:	etwa 10 Minuten
	die Nockerln mit
2 EL gesiebtem Puderzucker	bestreuen, sofort servieren.
Hinweis:	Die Nockerln fallen schnell zusammen, da sie nur außen gebräunt sind, innen aber noch feucht und weich sein sollen. Sie sollten daher rasch serviert werden.

HIMMELSSPECK

(Für 4 - 6 Personen)

100 g Zucker	mit
1 EL Wasser	
1 EL Zitronensaft	bei schwacher Hitze auflösen, unter Rühren weiterkochen lassen, bis er goldgelb karamelisiert ist, etwas abkühlen lassen, mit
6 Eigelb	
1 Messerspitze	
abgeriebener	
Zitronenschale (unbehandelt)	verrühren, so daß sich kein Schaum bildet, in eine gebutterte, feuerfeste Form geben, mit Alufolie - blanke Seite nach innen - verschließen, in eine mit kochendem Wasser gefüllte Pfanne stellen, auf der mittleren Schiene in den vorgeheizten Backofen schieben
Ober-/Unterhitze:	etwa 180 °C (vorgeheizt)
Heißluft:	etwa 160 °C (nicht vorgeheizt)
Gas:	etwa Stufe 2 (vorgeheizt)
Backzeit:	etwa 25 Minuten. Den Himmelsspeck stürzen, kaltstellen zum Servieren in hübsche Formen schneiden, mit
Schlagsahne	verzieren.
Hinweis:	Der Himmelsspeck ist gar, wenn er auf Fingerdruck elastisch nachgibt.

HONIGQUARK

2 Packungen (je 200 g)	
Speisequark, 40 %	mit
2 EL Honig	
Saft von 1 Orange	
2 EL Orangenlikör	verrühren
50 g Sesam	in
1 TL zerlassener	
Butter	goldbraun rösten, über den Honigquark streuen.
Hinweis:	Zu Schokoladenfondue, gegrillten Bananen, Obstsalat oder Waffeln reichen.

FÜRST-PÜCKLER-BOMBE

(Für 6 - 8 Personen)

100 g Mandelmakronen	grob zerstoßen, mit
4 - 6 EL Maraschino (italienischer Kirschlikör)	beträufeln, durchziehen lassen
500 ml (½ l) Schlagsahne	mit
3 EL Zucker	steifschlagen, in drei gleiche Teile teilen einen Teil mit
2 EL Maraschino	verrühren
100 g Erdbeeren	verlesen, waschen, entstielen, pürieren, mit dem zweiten Teil Sahne verrühren den dritten Teil mit
1 TL Kakaopulver 6 EL geriebener Vollmilchschokolade	verrühren, unter alle drei Teile die gleiche Menge Makronenstückchen ziehen in eine Eiskegelform oder hohe Schüssel zuerst die rote, dann die weiße und die braune Sahne geben, die Form aufstoßen, in das Gefrierfach stellen nach etwa 4 - 5 Stunden die Form in heißes Wasser tauchen, Bombe auf eine Platte stürzen, mit
Schlagsahne Erdbeeren Borkenschokolade	verzieren.

PASSCHA (Foto)

500 g Magerquark	mit
250 g Sahnequark	in ein Mulltuch geben, möglichst viel Flüssigkeit herausdrücken
	den trockenen Quark aus dem Tuch nehmen, mit
150 g weicher Butter	cremig rühren
100 g Vanillezucker	mit
2 EL Honig	
2 Eiern	schaumig schlagen, mit dem Quark verrühren
2 Kumquats in Sirup	
50 g kandierte Kirschen	die Zutaten grob hacken
50 g Zitronat	
100 g abgezogene Mandeln	im Mixer hacken

kandierte Früchte und Mandeln mit der Quarkmasse verrühren
einen Blumentopf (Inhalt etwa 1 l) mit einem Mulltuch ausschlagen, die Quarkmasse hineingeben, das Tuch oben übereinanderschlagen, einen kleinen Teller in die Öffnung setzen, mit einem Gewicht beschweren
den Topf an einem kühlen, luftigen Ort etwa 14 Stunden stehen lassen
das Tuch auseinanderschlagen, Topf auf einen Teller stürzen, das Tuch vorsichtig abziehen, die Oberfläche der Passcha mit einem Messer glattstreichen
Passcha mit

etwa 200 g kandierten Früchten (z.B. Birnen, Kirschen, Orangen Walnüssen, Mandeln) verzieren.

Syllabub

(Für 4 - 6 Personen)

125 ml (⅛ l) Sherry amontillado	mit
1 Handvoll unbehandelter Rosenblätter	vermengen, über Nacht ziehen lassen Flüssigkeit durch ein Mulltuch gießen, die Blätter gut ausdrücken
50 g Zucker	unterrühren, bis sich der Zucker gelöst hat, nach und nach
300 ml Double Cream	unterschlagen, so lange mit dem Schneebesen weiterschlagen, bis die Masse dicklich wird, mit
1 Prise geriebener Muskatnuß	würzen, in Gläser füllen, mit
kandierten Rosenblättern	verzieren, kaltstellen.
Hinweis:	Double Cream wird auch unter der französischen Bezeichnung Crème double gehandelt und ist in manchen Teilen Deutschlands kaum zu bekommen. Nehmen Sie statt dessen Crème fraîche oder Schlagsahne. Die Creme wird dann jedoch etwas dünnflüssiger.

Marquise Alice

80 g Zucker	mit
4 Eigelb	schaumig schlagen, mit
400 ml Milch	verrühren, im Wasserbad dicklich schlagen (sie darf nicht kochen)
3 Blatt weiße Gelatine	10 Minuten in kaltem Wasser einweichen, ausdrücken, in der heißen Creme auflösen
100 g Aprikosen-Konfitüre	durch ein Sieb streichen, 3 Eßlöffel davon in die Creme geben, in eine flache Schüssel gießen, kalt stellen nach etwa 6 Stunden stürzen

2 Eiweiß mit
2 EL Zucker steifschlagen, nach und nach
125 ml (⅛ l)
Schlagsahne unterschlagen, über die Creme geben
Marmelade spiralförmig auf die Sahne spritzen,
sofort servieren.

Hinweis: Der Überzug der Marquise ist sehr luftig und
fällt schnell zusammen.
Soll das Dessert im voraus zubereitet werden,
sollte man es nur mit Schlagsahne, geschlagen
mit einem Päckchen Sahnesteif, überziehen.

DIPLOMATENCREME

(Für etwa 6 Personen)

100 g Löffelbiskuits grob zerkleinern, mit 6 Eßlöffeln von
8 EL Kirschwasser beträufeln
4 Eigelb mit dem restlichen Kirschwasser,
100 g Zucker schaumig schlagen, mit
250 ml (¼ l) Milch verrühren, im Wasserbad bei schwacher Hitze
weiterschlagen, bis die Flüssigkeit dicklich
wird, im kalten Wasserbad etwas abkühlen
lassen
2 Blatt weiße Gelatine 10 Minuten in kaltem Wasser einweichen,
ausdrücken in der noch warmen Creme auflösen,
kalt stellen
sobald die Creme zu gelieren beginnt
250 ml (¼ l) Schlagsahne steif schlagen, unterziehen
100 g Aprikosen-Konfitüre mit
3 EL Zitronensaft verrühren, durch ein Sieb streichen
in eine Form etwas Creme geben, Biskuits
darauflegen, 2-3 Eßlöffel Konfitüre darübergeben,
wieder Creme einfül-
len und so fortfahren,
bis alle Zutaten ein-
geschichtet sind, kalt
stellen.

127

CREMIGE KIRSCHSAUCE

250 g Sauerkirschen (aus dem Glas)	abtropfen lassen, den Saft auffangen, 4 Eßlöffel Kirschsaft mit
350 g Sahne-Dickmilch 1 EL Cream Sherry	cremig rühren, mit
1 Prise gemahlenen Nelken	abschmecken, die Kirschen unterziehen, die Sauce kalt stellen.

CRÈME AU CARAMEL (Foto)

(Für 6 - 8 Personen)

100 g Zucker 1 EL Wasser ½ TL Zitronensaft	mit

verrühren, unter Rühren erhitzen, bis sich der Zucker gelöst hat und braun ist den noch heißen Karamel in eine warme, glattwandige Form geben, ausschwenken, bis die gesamte Form mit Karamel benetzt ist |
| 3 Eier 3 Eigelb 100 g Vanillezucker 250 ml (¼ l) warmer Milch 250 ml (¼ l) warmer Schlagsahne | mit

verrühren in einer Stielpfanne Wasser bis kurz vor den Kochpunkt erhitzen, Karamelform hineinstellen, 10 Minuten bei kleiner Hitze ziehen lassen die Form anschließend auf dem Rost in den vorgeheizten Backofen schieben |
Ober-/Unterhitze:	etwa 170 °C (vorgeheizt)
Heißluft:	etwa 150 °C (nicht vorgeheizt)
Gas:	etwa Stufe 1 - 2 (vorgeheizt)
Backzeit:	etwa 50 Minuten. Die Creme abkühlen lassen, bis sie lauwarm ist, vorsichtig auf einen Teller stürzen, kaltstellen.

SCHATTENMORELLEN IN MANDELMILCH

100 g süße Mandeln	in Wasser zum Kochen bringen, 3 Minuten kochen lassen, mit kaltem Wasser abschrecken, die Häute abziehen, die Mandelkerne über Nacht in
200 ml Milch	durchziehen lassen
	die Mandeln mit der Milch im Mixer mit
2 Eigelb einigen Tropfen Backöl Bittermandel	fein pürieren
2 Eiweiß	mit
50 g Puderzucker	sehr steif schlagen, unter die Mandelmilch ziehen
etwa 850 g Schattenmorellen (aus dem Glas)	abtropfen lassen, die Kirschen auf vier Teller verteilen, mit der Mandelmilch übergießen, sofort servieren.

TEE-TÖPFCHEN

300 ml Schlagsahne	mit
2 EL Mango-Tee	zum Kochen bringen, abkühlen lassen, durch ein Sieb gießen
	die erkaltete Sahne mit
50 g Rohrzucker 1 Prise Salz 2 Eigelb 1 Ei	verrühren, in vier kleine, feuerfeste Ragout-fin-Töpfchen geben, in ein Wasserbad stellen, 30 Minuten leicht kochen, abkühlen lassen, kühl servieren.
Hinweis:	Das Kondenswasser, das sich bei geschlossenem Topfdeckel auf der Creme sammelt, kann nach dem Garen abgegossen werden. Einfacher ist es, Egg-Coddler (Wasserbad-Förmchen für Eier) zu verwenden, die sich fest verschließen lassen.

129

MINZGELEE MIT MELONENBÄLLCHEN (Foto)

50 g Pfefferminzblätter	waschen, mit
500 ml (½ l) kochendem Wasser	überbrühen, 10 Minuten ziehen lassen, durch ein feines Sieb gießen, mit
3 EL Honig	
1 Prise Kardamom	verrühren
5 Blatt weiße Gelatine	10 Minuten in kaltem Wasser einweichen, ausdrücken, im heißen Sud auflösen aus
½ Honigmelone	mit einem Kartoffelstecher Bällchen ausstechen, mit
2 EL Zitronensaft	
etwa 30 Minzblättchen	in den Minztee geben, umrühren, in vier Puddingförmchen geben, kalt stellen Gelee nach 6 Stunden stürzen.
Hinweis:	Statt frischer Minze kann man auch 3 Eßlöffel getrockneten Pfefferminztee aufbrühen, filtern und mit 2 - 3 Tropfen Pfefferminzöl (Apotheke) versetzen.

ENGLISCHE LIMETTENCREME

3 Limetten	auspressen, den Saft mit
150 g Zucker	
3 Eigelb	schaumig schlagen, im heißen Wasserbad dicklich schlagen, unter Rühren abkühlen lassen
3 Eiweiß	steif schlagen, unter die Creme ziehen, 30 Minuten kalt stellen, nochmals durchschlagen.
Hinweis:	Statt der Limetten können auch 2 kleinere Zitronen mit 1 Teelöffel abgeriebener Zitronenschale verwendet werden.

MALAGA-PARFAIT

Über

100 g Sultaninen	
4 - 5 EL Malaga	geben, gut durchziehen lassen
3 Eigelb	mit
60 g Zucker	
1 Päckchen Vanillin-Zucker	
200 ml Malaga	
1 gestrichenen TL	
Speisestärke	verrühren, über Wasserdampf schlagen, bis die Masse dicklich ist, danach die Masse ins kalte Wasserbad stellen, kalt schlagen
500 ml (½ l)	
Schlagsahne	steif schlagen, mit den Malaga-Sultaninen unter die Masse heben die Creme in eine Schüssel geben, 3 - 4 Stunden im Gefrierfach des Kühlschranks gefrieren lassen, die Schüssel kurz in kaltes Wasser stellen, das Parfait auf einen Teller stürzen
125 ml - 250 ml (⅛ - ¼ l)	
Schlagsahne	steif schlagen, mit
Zucker	
Vanillin-Zucker	süßen, das Parfait damit verzieren, mit
Schoko-Blättchen	garnieren.

RHABARBERAUFLAUF
MIT ZWIEBACK UND NÜSSEN

500 g Rhabarber	putzen, waschen, in etwa 2 cm lange Stücke schneiden, dicke Stangen längs halbieren (nicht abziehen), mit
125 g Zucker	
2 EL Himbeersirup	vermengen, den Rhabarber einige Zeit zum Saftziehen stehenlassen, ihn zum Kochen bringen, weich dünsten lassen (Rhabarber darf jedoch nicht zerfallen) eine gefettete Kasserolle mit
125 g Zwieback (etwa 10 Stück)	auslegen
3 Eigelb	mit
125 ml (⅛ l) Schlagsahne	
1 Päckchen Vanillin-Zucker	verschlagen, über die Zwiebäcke gießen
50 g feingehackte Haselnußkerne	darüber streuen, den Rhabarber darauf geben
3 Eiweiß	mit
50 g Zucker	steifschlagen, der Eierschnee muß so fest sein, daß ein Messerschnitt sichtbar bleibt den Eierschnee auf dem Rhabarber verteilen (nicht glattstreichen), die Kasserolle auf dem Rost in den vorgeheizten Backofen schieben
Ober-/Unterhitze:	175 - 200 °C (vorgeheizt)
Heißluft:	150 - 170 °C (nicht vorgeheizt)
Gas:	Stufe 2 - 3 (vorgeheizt)
Backzeit:	etwa 25 Minuten.

KAISERIN-REIS

30 g Pistazienkerne	grob hacken, mit
3 EL gehackten, kandierten Früchten	
3 EL Mandellikör	vermengen, mit
3 Bechern (je 150 g) Milchreis	verrühren

3 EL Sahnejoghurt	unterziehen den Reis auf vier Teller geben
2 Kiwis	schälen, in Spalten schneiden, neben den Reis geben, mit
Pistazienkernen	verzieren.

Rhabarber-Quark-Speise

500 g Rhabarber	putzen, waschen, in etwa 2 cm lange Stücke schneiden, in einen Topf geben, mit
etwa 100 g Zucker	bestreuen, etwa ½ Stunde zum Saftziehen stehenlassen
1 Päckchen Vanillin-Zucker	hinzufügen, den Rhabarber im geschlossenen Topf zum Kochen bringen, gar dünsten, erkalten lassen
500 g Speisequark	mit
125 ml (⅛ l) Schlagsahne	verrrühren
40 - 60 g Zucker	
1 Päckchen Vanillin-Zucker	
1 - 2 EL Zitronensaft	unterrühren, abwechselnd Quark und Rhabarber in eine Glasschüssel schichten
Dünstzeit:	etwa 5 Minuten.

Rhabarbereis

300 g Rhabarber (ohne Blätter)	waschen, evtl. schälen, in Stücke schneiden, mit
50 g Zucker	in einen Topf geben, zum Kochen bringen, bei schwacher Hitze etwa 30 Minuten dünsten lassen Rhabarber pürieren, einfrieren
8 cl Crème de Menthe, grün	auf vier Gläser verteilen, mit einem Eis-Portionierer Kugeln vom Rhabarbereis abstechen, in die Gläser geben, mit
Johannisbeeren	garnieren.

MAN NEHME

RHABARBER

Schon im April findet man auf den Märkten und in den Geschäften den ersten frischen Rhabarber. Weil er ein ausgesprochen vielseitig verwendbares Gewächs ist, halten viele ihn für eine Obstsorte. Rhabarber ist jedoch ein Gemüse.

Er stammt ursprünglich aus Ostasien und kam über England und Frankreich nach Deutschland, wo er sich schon bald zu einer der beliebtesten Gartenpflanzen entwickelte. Durch seinen hohen Anteil an Apfel- und Oxalsäure

wirkt Rhabarber durstlöschend, erfrischend und verdauungsanregend, was ihn zu einem begehrten Diätbegleiter werden ließ.

RHABARBERKUCHEN MIT BAISER

Für den Teig

250 g Butter oder Margarine	geschmeidig rühren, nach und nach
100 g Zucker	
1 Päckchen Vanillin-Zucker	
1 Ei	unterrühren
250 g Weizenmehl	mit
2 ½ gestrichenen TL Backpulver	mischen, sieben, eßlöffelweise unterrühren den Teig auf ein gefettetes Backblech streichen, einen mehrfach gefalzten Streifen Alufolie vor den Teig legen.

Für den Belag

1 ½ kg Rhabarber	waschen, in 3 - 4 cm große Stücke schneiden (nicht abziehen), gleichmäßig auf den Teig legen, in den vorgeheizten Backofen schieben
Ober-/Unterhitze:	175 - 200 °C
Heißluft:	150 - 170 °C
Gas:	Stufe 3 - 4
Backzeit:	etwa 25 Minuten.

Für den Baiser

3 Eiweiß	sehr steif schlagen, darunter eßlöffelweise
150 g Zucker	schlagen nach etwa 20 Minuten Backzeit die Baisermasse auf den Rhabarber streichen oder in Form eines Gitters daraufspritzen, leicht bräunen lassen
Ober-/Unterhitze:	200 - 225 °C
Heißluft::	180 - 200 °C
Gas:	Stufe 4 - 5
Backzeit:	etwa 8 Minuten.

BRÜSSELER WAFFELN

(15 - 20 Stück)

250 g Butter	cremig rühren
6 Eier	im warmen Wasserbad schaumig schlagen, abwechselnd mit
250 g gesiebtem Weizenmehl	in die Butter rühren, mit
125 g lauwarmer Crème fraîche	
½ TL Salz	verrühren
	den Teig portionsweise im gefetteten Waffeleisen backen
100 g Puderzucker	mit
1 Päckchen Vanillin-Zucker	vermischen
	die frisch gebackenen Waffeln gut damit bestreuen.
	Dazu passen Erdbeer-, Orangen-, oder Kirschsauce und Schlagsahne.

QUARK-WAFFELN

125 g Butter	geschmeidig rühren, nach und nach
100 g Zucker	
1 Päckchen Vanillin-Zucker	
3 Eier	
abgeriebene Zitronenschale (unbehandelt)	
125 g Speisequark, Magerstufe	hinzugeben
200 g Weizenmehl	mit
1 ½ gestr. TL Backpulver	mischen, sieben, abwechselnd mit
6 EL Milch	unterrühren
50 g verlesene Rosinen	unterheben
	den Teig portionsweise in ein erhitztes, gefettetes Waffeleisen füllen, goldbraun backen, mit
	gesiebtem Puderzucker bestäubt servieren.

ECLAIRS MIT
MARONEN-CREME UND ANANAS

(10 Stück)

50 ml Wasser	mit
50 ml Milch	
1 Prise Salz	
40 g Butter	in einem Topf zum Kochen bringen,
50 g gesiebtes Weizenmehl	auf einmal hineingeben, bei schwacher Hitze rühren, bis sich ein glatter Kloß bildet und sich eine weiße Schicht am Topfboden zeigt, Teig in eine Rührschüssel umfüllen, etwas abkühlen lassen, mit
2 Eiern	verrühren, in einen Spritzbeutel mit gezackter Tülle geben, 10 etwa 10 cm lange Streifen auf ein mit Back-Trennpapier ausgelegtes Blech spritzen, auf der mittleren Schiene in den vorgeheizten Backofen schieben
Ober-/Unterhitze:	zunächst 225 °C , dann 200 °C (vorgeheizt)
Heißluft:	zunächst 200 °C, dann 180 °C (nicht vorgeheizt)
Gas:	zunächst Stufe 4 - 5, dann Stufe 3 (vorgeheizt)
Backzeit:	15 Minuten bei der höheren, dann 10 Minuten bei der niedrigen Temperatur backen die noch warmen Eclairs mit einer Schere aufschneiden.

Für die Füllung

150 g süße Maronencreme (aus der Dose)	mit
2 EL Whisky	cremig rühren
200 ml Schlagsahne	steif schlagen, unterziehen
100 g Ananasstückchen (aus der Dose)	abtropfen lassen die Hälfte der Creme mit einem Spritzbeutel auf die unteren Eclairhälften spritzen, Ananasstückchen darauf geben, die restliche Creme darüber spritzen, Deckel aufsetzen.

MAN NEHME

KAFFEE

Friedrich der Große ließ ihn aus Gründen der Staatsraison verbieten und versuchte seine Untertanen mit einem Aufguß aus Bohnen, Bucheckern und Zichorien als Ersatz abzuspeisen. Doch was ein echter Kaffee-Genießer ist, der läßt sich von seinem schwarzen Lebenselixier nicht abbringen, nicht mal unter Androhung von Strafe! Die weißgrauen Bohnen, die erst geröstet werden müssen, ehe sie ihr herrliches Aroma entfalten können, werden heute in allen subtropischen Ländern angebaut. Wir beziehen unseren Kaffee überwiegend aus Mittelamerika und Afrika, aber auch aus Indien und Abessinien, dessen Landschaft Kaffa dem meistgetrunkenen Tassengetränk der Welt seinen Namen gab.

ITALIAN COFFEE

(Für 1 Person)

4 cl Amaretto	mit
1 TL braunem Zucker	
heißem, starkem Kaffee	in einem vorgewärmten Punschglas gut verrühren
2 EL geschlagene Sahne	als Haube darauf setzen.

BACINO

(Für 1 Person)

4 - 5 cl heißer Espresso	
1 TL Zucker	
2 cl Amaretto	in einem vorgewärmten Punschglas gut verrühren.

SCHOKOLADENPUNSCH MEXIKO

125 ml (⅛ l) Schlagsahne	steif schlagen
75 g zartbitter Schokolade	reiben, mit
wenig gemahlenem Zimt	
wenig gemahlenen Nelken	
500 ml (½ l) Milch	vermischen, unter Rühren mit dem Schneebesen
langsam zum Kochen bringen	
4 - 5 Eier	mit
5 EL Wasser	verquirlen, in die heiße Milch einrühren, unter ständigem Schlagen nochmals aufkochen, sobald die Masse schaumig wird, sofort vom Herd nehmen
4 cl Bitterlikör	unterrühren in große vorgewärmte Trinkbecher füllen. Der Schokoladenpunsch kann mit einem Häubchen geschlagener Sahne und Zimt serviert werden.

SCOTTISH GROG

(Für 1 Person)

4 - 5 cl Drambuie	mit
2 Barlöffel Zucker	
Saft von ½ Zitrone	in einem vorgewärmten Grogglas gut verrühren, mit
kochendem Wasser	auffüllen.

IRISH COFFEE

4 cl Irish Whiskey	mit
1 - 2 TL Zucker	
heißem starkem Kaffee	in einem vorgewärmten Irish-Coffee-Glas gut verrühren
2 EL geschlagene Sahne	als Haube darauf setzen.

139

Tischlein deck dich! Die märchenhafte
Aufforderung ist von Juni bis August
Programm! Jetzt ist (fast) alles an Obst
und Gemüse zu haben. Da gedeiht selbst
der unscheinbarste Wochenmarkt zum
weltumfassenden Schlaraffenland. Von A
bis Z, von Aubergine bis Zucchini, von
Aprikose bis Zwetsche stapeln sich die
angebotenen Waren zu buntschillernden
Gourmet-Türmen. Da hat der Verbraucher die Qual der Wahl, seine liebe
Last mit der Lust am Genuß. Dabei fällt
der meist recht kalorienarm aus. Denn
ob Gemüse pur, als Suppe oder Beilage
zum schmackhaften Fisch, Fleisch und
Geflügel – in heißen Monaten gibt's
leichte Kost. Die blanke Verführung –
nicht auf – aber immerhin nach Rezept.

MAN NEHME
EXOTISCHE
FRÜCHTE

Seit der Mensch Handel
treibt, gelangen Nahrungs-
mittel auf seinen Tisch, die
aus aller Herren Ländern
stammen. Neben den Ge-
würzen sind es vor allem
Früchte, die einen Hauch
weitumspannender Exotik
in die eigenen vier Wände
zaubern. Längst haben sich
Mango, Papaya und Stern-
frucht etabliert, gehören
Lychees aus China und
Kiwis aus Neuseeland zum
ganz selbstverständlichen
Angebot eines Wochen-
marktes.
Allesamt nette Früchtchen,
die geschmacklich und
optisch für Abwechslung
sorgen. Und als alternative
Vitaminspender immer
unentbehrlicher werden.

Soft Lady (Foto)

4-5 Eiswürfel	in ein Rührglas geben
4 cl Gin	
2 cl Aprikosenlikör	
2 cl Zitronensaft	hinzufügen und rühren
2-3 Eiswürfel	in ein Whiskyglas geben und den Cocktail in das Glas absieben, mit
1 Orangenscheibe	garnieren.

Sunny (Foto)

4-5 Eiswürfel	in einen Shaker geben
2 cl Gin	
3 cl weißer Rum	
1 cl Aprikosenlikör	
2 cl Maracujasaft	
2 cl frisch gepreßter Orangensaft	
1 cl Grenadinesirup	hinzufügen und schütteln, mit dem Eis in ein Longdrinkglas füllen, mit
1 Orangenscheibe	
1 Cocktailkirsche	
2 Blättchen Zitronenmelisse	garnieren.

Kirsch-Cobbler

3 Eiswürfel	fein schaben, ein Cobblerglas oder einen Sektkelch gut zur Hälfte damit füllen
4 cl Maraschino	
2 cl Kirschsirup	darüber gießen, vorsichtig umrühren, mit
125 ml (⅛ l) Mineralwasser	aufgießen mit
einigen Kirschen	garnieren.

143

MANHATTAN

1 cl Whisky	
2 cl Wermut, extra trocken	
2 cl Wermut, rot	
1 Spritzer Angostura bitter	mit
3 - 4 Eiswürfeln	in einen Shaker geben, gut schütteln
3 - 4 Eiswürfel	in ein Whiskyglas geben, Manhattan in das Glas absieben.

TOM COLLINS (Foto)

4 - 5 Eiswürfel	in einen Shaker geben
5 cl Gin	
3 cl Zitronen- oder Limettensaft	
1 cl Zuckersirup	hinzufügen, gut schütteln und mit den Eiswürfeln in ein Longdrinkglas geben, mit
Sodawasser	auffüllen, mit
1 Zitronenscheibe	
1 Cocktailkirsche	garnieren.

PRAIRIE OYSTER

6 cl Tomatensaft	mit
einigen Tropfen Rotweinessig	
einigen Tropfen Tabasco	
2 Spritzern Worcestersauce	
frisch gemahlenem Pfeffer	würzen, in eine Sektschale gießen,
1 Eigelb	vorsichtig hineingleiten lassen.

144

ROMAN

10 Himbeeren	verlesen, im Mixer pürieren mit
2 cl Parfait d'amour	
3 Eiswürfeln	in einen Shaker geben, gut schütteln, in eine Sektschale absieben mit
Sekt	aufgießen.

ROSENBOWLE

	Von
etwa 8 frischen, stark durftenden Rosenblüten	die Blätter abzupfen (etwa 50 g), in ein Bowlengefäß geben, mit
100 g Zucker	
4 cl Cognac	vermengen, zugedeckt etwa 2 Stunden ziehen lassen, absieben kurz vor dem Servieren mit
2 Flaschen kaltem Asti Spumante	aufgießen, mit
Rosenblättern	dekorieren.

SHARKS TOOTH

2 cl Crème de Cassis	
1 cl Cointreau	
1 cl Wermut, rosé	mit
2 - 3 Eiswürfeln	in einen Shaker geben, schütteln, in ein Glas absieben, mit
Tonic water	auf 125 ml (1/8 l) auffüllen.

MAN NEHME

BASILIKUM

Was wäre die italienische Küche ohne Basilikum? Da schrumpfte jedes vorzügliche Tomatengericht zum simplen Gemüsemus zusammen. Da ließe so manches Hühnchen nicht nur Federn, sondern auch Finesse vermissen und „pesto", die unnachahmliche Kräutersauce, nach der ganz Norditalien duftet, hätte überhaupt keine Existenzgrundlage mehr. Basilikum, dieses sattgrüne Kraut mit seinem frischwürzigen Aroma ist schlichtweg unentbehrlich. Als Gewürz- und Heilpflanze war es schon im Altertum bekannt, als üppig wuchernde Zierpflanze findet man es heute häufig auf Terassen und Balkonen. In hübschen Terrakottatöpfen angepflanzt, sorgt Basilikum für einen Hauch mediterraner Lebens- und Genußfreude.

BASILIKUMKÄSE

(Für 6 Personen)

200 g Schafskäse	durch ein Sieb streichen, mit
150 g weicher Butter	
25 g geriebenem Parmesan-Käse	
125 ml (⅛ l) Schlagsahne	zu einer geschmeidigen Masse verrühren
2 Bund Basilikum	waschen, trockentupfen, die Blätter von den Stielen zupfen, grob hacken
25 g gemahlene Pinienkerne	beide Zutaten unter die Käsemasse rühren, in eine mit kaltem Wasser ausgespülte Schüssel drücken, glattstreichen, 3 - 4 Stunden in den Kühlschrank stellen den Basilikumkäse auf einen Teller stürzen
50 g Pinienkerne	in einer Pfanne goldgelb rösten, abkühlen lassen, den Basilikumkäse damit bestreuen.

Angemachter Liptauer Käse

2 EL Kapern	hacken
1 Gewürzgurke	in kleine Würfel schneiden
1 Zwiebel	abziehen, würfeln
1 - 2 Bund Petersilie	abspülen, trockentupfen, fein hacken
600 g Liptauer Käse	mit den vier Zutaten,
125 ml (⅛ l) Milch	verrühren, mit
Salz	
frisch gemahlenem Pfeffer	
Paprika edelsüß	abschmecken
	den Liptauer Käse auf
Salatblättern	
Gurkenscheiben	anrichten, mit
Kapern	
gehackten Gewürzgurken	bestreuen, mit
Tomatenachteln	
Petersilie	
eingelegten Pfefferschoten	garnieren.

Beef-Sandwich

(Für 2 Personen)

1 grüne Paprikaschote	halbieren, entstielen, entkernen, die weißen Scheidewände entfernen, die Schote waschen, in Streifen schneiden
1 Zwiebel	abziehen, in Scheiben schneiden
1 Knoblauchzehe	abziehen, fein würfeln
2 EL Speiseöl	erhitzen, die drei Zutaten hinzufügen, etwa 2 Minuten dünsten lassen, mit
Salz	
frisch gemahlenem Pfeffer	würzen, etwas abkühlen lassen
2 große Scheiben	
Vollkornbrot	mit
Butter	bestreichen
150 g Roastbeef	
(als Aufschnitt)	darauf verteilen, das Gemüse darauf geben, mit
Kresseblättchen	bestreuen.

GEBACKENE SALBEIBLÄTTER (Foto)

Etwa 200 g Salbeiblätter	vorsichtig abspülen, trockentupfen
20 Kirschtomaten	kurze Zeit in kochendes Wasser legen (nicht kochen lassen), in kaltem Wasser abschrecken, enthäuten.

Für den Teig

125 g Weizenmehl	in eine Schüssel sieben
Salz	
frisch gemahlenen Pfeffer	
geriebene Muskatnuß	hinzufügen, in die Mitte eine Vertiefung eindrücken
2 Eier	mit
1 EL Speiseöl	verschlagen, in die Vertiefung geben von der Mitte aus die Eiermasse mit einem Teil des Mehls verrühren
4-5 EL Wasser	hinzufügen, alles zu einem dickflüssigen Teig verrühren
Fritierfett	in einer Friteuse auf etwa 180 °C erhitzen, Salbeiblättchen und Kirschtomaten in den Teig tauchen, kurz abtropfen lassen, in etwa 4-5 Minuten in dem Fett ausbacken, auf Haushaltspapier abtropfen lassen.

Gurken in Dillsahne

2 - 3 Gemüsegurken (etwa 800 g)	schälen, längs halbieren, die Kerne auskratzen das Fruchtfleisch in 1 cm breite Streifen schneiden
1 Bund Frühlingszwiebeln	putzen, waschen, in Ringe schneiden
1 EL Butter oder Margarine	zerlassen, die Zwiebelringe darin glasig dünsten lassen, die Gurkenstreifen hinzufügen
1 rote Paprikaschote	halbieren, entstielen, entkernen, die weißen Scheidewände entfernen, die Schote waschen, in Würfel schneiden, zu den Gurkenstreifen geben das Gemüse durchdünsten lassen
1 EL Zitronensaft 1 TL Zucker ½ TL abgeriebene Zitronenschale (unbehandelt) Salz, Pfeffer	zu dem Gemüse geben, mit würzen, das Gemüse im geschlossenen Topf in etwa 7 Minuten gar dünsten lassen
8 EL Schlagsahne Zitronensaft oder Weißwein gehacktem Dill	unterrühren, das Gemüse erhitzen, mit abschmecken, mit bestreuen.
Dünstzeit:	etwa 12 Minuten.

Gurken-Quark-Sandwich

(Für etwa 2 Personen)

2 Scheiben Vollkornbrot	mit
Butter	bestreichen, mit
feingehacktem Dill	bestreuen
¼ Salatgurke	schälen, in dünne Scheiben schneiden, schuppenartig auf den Broten anrichten, mit
Salz, Pfeffer	bestreuen
½ Packung (100 g) Knoblauch-Quark	darauf anrichten, mit
roten Zwiebelringen	garnieren.

PAPRIKA-KÄSE-SPIESSCHEN

3 Paprikaschoten (gelb, rot, grün)	waschen, mit
1 TL Sonnenblumenöl	einreiben, auf dem Rost in den vorgeheizten Backofen schieben
Ober-/Unterhitze:	225 - 250 °C (vorgeheizt)
Heißluft:	200 - 220 °C (nicht vorgeheizt)
Gas:	Stufe 6 - 7 (vorgeheizt)
Bratzeit:	etwa 15 Minuten, bis die Haut Blasen wirft und braun wird, dabei alle 5 Minuten wenden die Paprikaschoten aus dem Ofen nehmen, mit einem feuchten Tuch bedecken und etwas abkühlen lassen, die Haut abziehen, Schoten halbieren, entstielen, entkernen, die weißen Scheidewände entfernen, jede Hälfte längs in 3 Streifen schneiden, mit
Meersalz frisch gemahlenem Pfeffer	würzen
90 g Schafskäse 90 g Gorgonzola Käse 90 g Romadur Käse	in jeweils 6 Stücke schneiden Schafskäse auf gelbe Paprikastreifen, Gorgonzola auf grüne und Romadur auf rote legen, zusammenrollen und mit Holzstäbchen feststecken.

CANNELLONI AUF BLATTSPINAT

1 EL Speiseöl	erhitzen
1 Zwiebel	abziehen, fein würfeln, darin andünsten
600 g (2 Packungen) tiefgekühlten Blattspinat	unaufgetaut hinzufügen, etwa 15 Minuten dünsten lassen, mit
Salz frisch gemahlenem Pfeffer geriebener Muskatnuß	würzen den Spinat abtropfen lassen, in eine gefettete feuerfeste Form füllen.

Für die Sauce

60 g Butter	zerlassen
60 g Weizenmehl	unter Rühren so lange darin erhitzen, bis es hellgelb ist
375 ml (³/₈ l) Milch	
125 ml (¹/₈ l) Schlagsahne	hinzugießen, mit einem Schneebesen durchschlagen, darauf achten, daß keine Klumpen entstehen, die Sauce zum Kochen bringen, etwa 2 Minuten kochen lassen, mit
Salz	
frisch gemahlenem Pfeffer	würzen, etwa ¹/₃ der Sauce herausnehmen, mit
60 g geriebenem Parmesan-Käse	verrühren, die restliche Sahnesauce beiseite stellen
	die Hälfte der Käsesauce über den Spinat geben, die andere Hälfte in
etwa 250 g Cannelloni	füllen (am besten mit Hilfe eines Spritzbeutels) die gefüllten Cannelloni auf den Spinat legen, mit der restlichen Sahnesauce übergießen, mit
60 g geriebenem Emmentaler-Käse	bestreuen
Butter	in Flöckchen darauf setzen
	die Form auf dem Rost in den Backofen schieben
Ober-/Unterhitze:	etwa 225 °C (vorgeheizt)
Heißluft:	etwa 200 °C (nicht vorgeheizt)
Gas:	etwa Stufe 4 (vorgeheizt)
Backzeit:	20-30 Minuten
	nach Belieben die Cannelloni einige Minuten unter dem Grill bräunen lassen.

KNOBLAUCH, GEGRILLT

10 Knoblauchknollen	über die Glut auf den Rost des Holzkohlengrills legen, unter Wenden grillen, bis die äußere Schale fast verkohlt und das Innere weich ist, die Zehen herausdrücken, auf
Weißbrotscheiben	streichen.

KRÄUTER-KNOBLAUCH-OLIVEN

500 g schwarze oder rote Oliven	rundherum einige Male mit einer Gabel einstechen
1 - 2 frische, milde Chilischoten	entkernen, waschen
1 kleiner Zweig Thymian 1 Zweig Rosmarin	
	die Kräuter abspülen, trockentupfen
3 - 4 Knoblauchzehen 2 Lorbeerblätter	abziehen, hacken
	die Zutaten in ein Glas schichten
10 EL kaltgepreßtes Olivenöl	darübergeben, das Glas gut verschließen vor dem Verzehr mindestens 3 Tage durchziehen lassen.
Hinweis:	Kräuter-Knoblauch-Oliven sind einige Zeit haltbar.

LAUCH-ROQUEFORT-TOAST

2 mittelgroße Stangen Lauch	putzen, längs halbieren, waschen, in Stücke schneiden (in der Größe von Toastbrot-Scheiben), in
kochendes Salzwasser	geben, zum Kochen bringen, 4 - 5 Minuten kochen, abtropfen lassen
4 Scheiben Toastbrot	mit
Butter	bestreichen
2 große Scheiben Rindersaftschinken	halbieren, auf die Toastbrotscheiben legen, darauf den Lauch verteilen
150 g Roquefort-Käse	in Scheiben schneiden, auf dem Lauch anordnen die Toastbrotscheiben in eine gefettete Brat- und Servierpfanne setzen, die Pfanne auf dem Rost in den vorgeheizten Backofen schieben
Ober-/Unterhitze:	225 - 250 °C (vorgeheizt)
Heißluft:	200 - 220 °C (nicht vorgeheizt)
Gas:	Stufe 5 - 6 (vorgeheizt)
Überbackzeit:	etwa 10 Minuten.

GEBACKENE TOMATEN MIT KÄSESCHAUM (Foto)

8 große Tomaten	waschen, abtrocknen, jeweils einen Deckel abschneiden, das Innere aushöhlen, die Tomaten auf Haushaltspapier etwas abtropfen lassen
125 ml (⅛ l) Milch	erhitzen
100 g Blauschimmelkäse	zerdrücken, hineingeben, verrühren, bis der Käse aufgelöst ist
2 TL Speisestärke	mit
2 EL Wasser	anrühren, die Käsemilch damit binden, etwas abkühlen lassen
2 Eigelb	verschlagen, unterrühren
2 Eiweiß	steif schlagen, der Eierschnee muß so fest sein, daß ein Messerschnitt sichtbar bleibt den Eierschnee unter die Käse-Milch-Masse heben, mit
Salz, Pfeffer	würzen
1 EL gehackte Estragonblättchen	unterrühren
	die Masse in die Tomaten füllen, die Deckel darauf legen
	die Tomaten in eine gefettete feuerfeste Form setzen, die Form auf dem Rost in den vorgeheizten Backofen schieben
Ober-/Unterhitze:	etwa 225 °C (vorgeheizt)
Heißluft:	etwa 220 °C (nicht vorgeheizt)
Gas:	etwa Stufe 5 (vorgeheizt)
Backzeit:	etwa 15 Minuten.

GRIECHISCHE
SCHAFSKÄSE-PASTETE (Foto)

Für den Teig

350 g Weizenmehl	in eine Schüssel sieben, mit
150 g Weizen-Vollkornmehl	mischen, in die Mitte eine Vertiefung eindrücken
30 g Frisch-Hefe	hineinbröckeln
200 ml lauwarmes Wasser	darübergeben, die Hefe darin auflösen, mit etwas Mehl bedecken
	diesen Teig etwa 10 Minuten an einem warmen Ort gehen lassen
1 Ei	
3 EL Olivenöl	
1 TL Salz	hinzufügen und alles zu einem festen, geschmeidigen Teig verkneten, an einem warmen Ort etwa 30 Minuten gehen lassen.

Für die Füllung

1 kg Spinat	verlesen, dicke Stiele abschneiden, die Blätter waschen, abtropfen lassen, grob hacken
2 Zwiebeln	abziehen, fein würfeln
1 Knoblauchzehe	abziehen, zerdrücken
5 EL Olivenöl	erhitzen, die Zwiebelwürfel darin andünsten, den Spinat und den Knoblauch hinzufügen, kurz mitdünsten, mit
frisch gemahlenem Pfeffer	
geriebener Muskatnuß	würzen
2 Bund Dill	abspülen, trockentupfen, fein hacken
300 g Schafskäse	zerbröckeln
	beide Zutaten mit dem Spinat vermengen
	$^2/_3$ des Hefeteiges auf einer bemehlten Arbeitsfläche zu einer runden Platte ausrollen
	eine flache gefettete Pie-Form (Durchmesser 26 cm) damit auslegen, den Rand etwa 1 cm überstehen lassen
	den Boden mehrmals mit einer Gabel einstechen, die Spinat-Käse-Masse gleichmäßig daraufgeben, den Rand über die Füllung legen, mit etwas verschlagenem
Eigelb	bestreichen

den restlichen Teig dünn ausrollen, einen Deckel
in Größe der Pie-Form ausschneiden, auf die Pastete
legen, die Ränder gut andrücken in die Mitte
des Deckels mit einem runden Ausstechförmchen
(Durchmesser 2 cm) ein Loch ausstechen, den Rand
mit einem dünnen Teigröllchen verstärken
aus den Teigresten Blätter formen, die Pasteten-
oberfläche mit Eigelb bestreichen, mit den Blättern
verzieren, ebenfalls bestreichen die Pastete
15 - 20 Minuten ruhen lassen
die Form auf dem Rost in den vorgeheizten
Backofen schieben, goldbraun backen

Ober-/Unterhitze:	etwa 200 °C (vorgeheizt)
Heißluft:	etwa 180 °C (nicht vorgeheizt)
Gas:	etwa Stufe 4 (vorgeheizt)
Backzeit:	etwa 40 Minuten

die Pastete lauwarm servieren.

Marinierte Auberginenscheiben (Foto)

	Von
4 kleinen Auberginen (etwa 500 g)	die Stengelansätze entfernen, die Auberginen waschen, in
kochendes Salzwasser	geben, zum Kochen bringen, etwa 10 Minuten kochen, abtropfen lassen, längs in Scheiben schneiden
2 - 3 Knoblauchzehen	abziehen, durchpressen, die Auberginenscheiben damit bestreichen, mit
Salz grobem Cayennepfeffer	bestreuen, mit dem
Saft von 1 Zitrone 3 EL Olivenöl	beträufeln, die Auberginenscheiben gut durchziehen lassen, evtl. nochmals mit
Zitronensaft	beträufeln, nach Belieben
Tomatenstückchen Basilikumblättchen	über die Auberginenscheiben geben
1 Becher (150 g) Vollmilch-Joghurt	verrühren, dazureichen.

VINSCHGAUER BROTZEIT

	Von
2 kleinen Vinschgauer Fladenbroten oder Roggenbrötchen (je 250 g)	das obere Drittel abschneiden, Brote aushöhlen, so daß ein etwa 2 cm dicker Rand stehen bleibt
200 g Rinderhack	mit
200 g gewürztem Schweinemett	vermengen
1 Bund Petersilie	waschen, gut abtropfen lassen
1 kleine Gewürzgurke	beide Zutaten fein hacken, mit
3 EL fein- gewürfelter Zwiebel 1 Becher (150 g) Crème fraîche	unter das Gehackte mengen, mit
Salz frisch gemahlenem Pfeffer	würzen

Fleischmasse in die Brote drücken
Brote auf gefettete Alufolie legen, Alufolie verschließen, Päckchen in den vorgeheizten Backofen schieben

Ober-/Unterhitze:	etwa 200 °C (vorgeheizt)
Heißluft:	etwa 180 °C (nicht vorgeheizt)
Gas:	etwa Stufe 3 (vorgeheizt)
Backzeit:	etwa 45 Minuten

Alufolie öffnen, Brote nochmals 10 Minuten backen
Vinschgauer halbieren oder vierteln
heiß oder kalt mit

Senf Ketchup Meerrettich oder feingewürfelter Zwiebel	servieren.

Eier-Mozzarella-Toast

8 Eier	in
kochendes Wasser	geben, zum Kochen bringen, in etwa 10 Minuten hartkochen, abschrecken, pellen, abkühlen lassen und in gleichmäßige Scheiben schneiden
8 kleine Tomaten	waschen, abtrocknen, die Stengelansätze herausschneiden, die Tomaten in dünne Scheiben schneiden
8 Scheiben Toastbrot	im Toaster rösten, mit
etwas Butter	bestreichen die Eierscheiben und die Tomatenscheiben abwechselnd darauf anordnen, mit
Salz frisch gemahlenem Pfeffer	würzen, mit
gehackten Oregano- blättchen	bestreuen
200 g Mozzarella-Käse	abtropfen lassen, in sehr dünne Scheiben schneiden, auf den Toasts anrichten die Toasts auf ein mit Alufolie belegtes Backblech setzen, in den vorgeheizten Backofen setzen und überbacken, bis der Käse zu schmelzen beginnt
Ober-/Unterhitze:	etwa 200 °C (vorgeheizt)
Heißluft:	etwa 180 °C (nicht vorgeheizt)
Gas:	etwa Stufe 3 (vorgeheizt)
Überbackzeit:	etwa 10 Minuten.

Eierröllchen

(Für 8 Personen)

Für die Eierkuchen

5 Eier	mit
4 EL Milch	
Salz	verschlagen, mit
100 g gesiebtem Weizenmehl	
3 EL Mineralwasser	zu einem glatten Teig verrühren etwas von

4 EL Speiseöl	in einer Pfanne erhitzen, eine dünne Teiglage hineingeben, von beiden Seiten goldgelb backen, aus dem übrigen Teig weitere sieben Eierkuchen backen, abkühlen lassen.

Für die Füllung

50 g Schafskäse	mit
50 g Sahnequark	cremig rühren, mit
frisch gemahlenem weißem Pfeffer	würzen
	Käsecreme auf die acht Eierkuchen streichen
4 EL Korinthen	verlesen, auf die Käsecreme verteilen
etwa 24 eingelegte Weinblätter (aus dem Glas)	abspülen, trockentupfen, auf die Käse-Korinthen-Masse legen
	die Eierkuchen zusammengerollt servieren.

ESSIG-CHAMPIGNONS

1 kg Champignons	putzen, abspülen, abtropfen lassen, in
kochendes Wasser	geben, zum Kochen bringen, etwa 2 Minuten kochen lassen, auf ein Sieb geben, sofort mit kaltem Wasser übergießen, abtropfen lassen die Pilze in sorgfältig gespülte Gläser mit Schraubverschluß füllen.

Für die Essig-Zucker-Lösung

125 ml (⅛ l) Weißweinessig	mit
6-7 EL Wasser	
100 g Zucker	
1 TL Salz	
½ TL getrockneten Ingwerstücke	unter Rühren zum Kochen bringen, so lange kochen lassen, bis sich der Zucker gelöst hat die Flüssigkeit heiß über die Champignons gießen (die Pilze müssen ganz bedeckt sein) die Gläser sofort verschließen, die Essig-Champignons 1-2 Tage durchziehen lassen, dann kühl und dunkel (Keller) aufbewahren.
Hinweis:	Essig-Champignons sind einige Monate haltbar.

159

RÜHREIER INDISCHE ART (Foto)

1 Tomate	kurze Zeit in kochendes Wasser legen (nicht kochen lassen), in kaltem Wasser abschrecken, enthäuten, den Stengelansatz herausschneiden, die Tomate halbieren, entkernen und in kleine Stücke schneiden
½ grüne Chilischote	waschen, Stengelansatz und Kerne entfernen, die Schote in kleine Würfel schneiden
1 kleine Zwiebel	abziehen, fein hacken
50 g Butter	in einer Pfanne zerlassen (Foto 1), die Zwiebelwürfel darin anbraten, Tomaten- und Chiliwürfel,
1 TL frisch-geriebenen Ingwer	
½ TL Kurkuma	hinzufügen, bei schwacher Hitze mitdünsten
8 Eier	verschlagen (Foto 2), mit
Salz, frisch gemahlenem Pfeffer	würzen
1 EL gehackte Koriander- oder Kerbelblättchen	unterrühren, zu dem Gemüse in die Pfanne geben, kurz verrühren ((Foto 3) sobald die Masse zu stocken beginnt, sie mit einen Pfannenwender immer wieder strichweise vom Boden der Pfanne lösen das Rührei nur so lange weiter erhitzen, bis es cremig-weich und großflockig ist (Foto 4).

Schinken-Quark-Sandwich

(Für etwa 2 Personen)

2 große Scheiben Vollkornbrot	mit
Butter	bestreichen, mit
gewaschenen Salatblättern	belegen
1 große Tomate	waschen, abtrocknen, den Stengelansatz herausschneiden, die Tomate in Scheiben schneiden, auf den Salatblättern verteilen
200 g gekochten Schinken	fein würfeln, mit
1 Packung (200 g) Speisequark	vermengen, mit
Salz, Pfeffer Zwiebelsalz	würzen, auf den Broten anrichten, mit
feingeschnittenem Schnittlauch	bestreut servieren.

Schnecken mit Kräuterbutter

1 - 2 Schalotten	abziehen, fein würfeln
1 Knoblauchzehe	abziehen, zerdrücken
40 - 50 g Butter	in einer Flambierpfanne auf dem Rechaud erhitzen Schalotten- und Knoblauchwürfel darin glasig dünsten lassen
1 EL gehackte Petersilie 1 TL Kräuter der Provence ½ -1 TL Zitronensaft	unterrühren
24 Schnecken (aus der Dose)	abtropfen lassen, zu der Kräuterbutter geben, mit
Salz, Pfeffer	würzen, in der Kräuterbutter erhitzen, mit
3 - 4 EL Gin	flambieren.
Erhitzungszeit für die Schnecken:	6 - 7 Minuten.
Beigabe:	Stangenweißbrot.

161

MAN NEHME

BOHNEN

Sie wuchern und klettern, sind grün oder gelb, dick oder dünn und zählen weltweit zu den wichtigsten Eiweißlieferanten für die menschliche Ernährung. Bohnen sind eine rundum kernige Sache. Sie gelten als Gemüseklassiker schlechthin und sind die Zutat für jeden deftigen Eintopf. Ihr Ruf als hartgesottene Burschen, die man erst stundenlang gar kochen muß, ehe sie überhaupt genießbar sind, ist ebenso legendär wie überholt. Er stammt noch aus Zeiten, in denen Bohnen nur in getrockneter Form zum Kochen verwendet wurden. Heute genießt man bei den Buschbohnen eher die noch unausgereifte, junge Hülse und bei den dicken Bohnen die frisch ausgepalten, grünen oder cremeweißen Kerne.

162

BÄUERLICHE KÄSESUPPE

300 g Spinat	verlesen, die Stiele abschneiden, die Blätter gründlich waschen, in Streifen schneiden
250 ml (¼ l) Fleischbrühe	mit
250 ml (¼ l) Milch	zum Kochen bringen
200 g geräucherten Schmelzkäse	unter ständigem Rühren darin schmelzen den Spinat hinzufügen, kurz miterhitzen
1 Bund Kerbel	abspülen, trockentupfen, fein hacken, mit
4 EL Crème fraîche	unterrühren, die Suppe mit
Salz	
frisch gemahlenem Pfeffer	
geriebener Muskatnuß	abschmecken.
Hinweis:	Mit Knoblauchcroûtons servieren.

BOHNEN-SAHNE-SUPPE

500 g Grüne Bohnen (vorbereitet gewogen)	waschen, in Stücke brechen oder schneiden
2 - 3 Kartoffeln	schälen, waschen, in Würfel schneiden
1 Zweig Bohnenkraut	abspülen die drei Zutaten in
1 ½ l Fleischbrühe	geben, zum Kochen bringen, in etwa 25 Minuten gar kochen lassen (Bohnenkraut entfernen)
2 - 3 EL Weizenmehl	mit
1 Becher (150 g) saurer Sahne	verrühren, die Suppe damit binden, mit
Salz	
frisch gemahlenem Pfeffer	abschmecken
1 Ring Fleischwurst	enthäuten, in Würfel schneiden, in die Suppe geben, miterhitzen
gehackte Petersilie	über die Suppe streuen.

CREMESUPPE MIT STAUDENSELLERIE

30 g Butter	zerlassen
30 g Weizenmehl	unter Rühren so lange darin erhitzen, bis es hellgelb ist
1 l Fleischbrühe	hinzufügen
½-1 Becher (75-150 g) Crème fraîche	hinzufügen, mit einem Schneebesen durchschlagen, darauf achten, daß keine Klumpen entstehen, die Suppe zum Kochen bringen, etwa 5 Minuten kochen lassen
1 Stange Staudensellerie	putzen, waschen, in sehr dünne Scheiben schneiden, in die Suppe geben, zum Kochen bringen, etwa 1 Minute kochen lassen, mit
Salz, Pfeffer	würzen, mit
gehacktem Selleriegrün	bestreuen.
Kochzeit:	etwa 6 Minuten.
Veränderung:	Vor der Zugabe des Staudenselleries
100-125 g geriebenen Gouda-Käse	in die Suppe geben.

EIKLÖSSCHEN-SUPPE

35 g Butter	zerlassen
65 g Weizenmehl	mit
125 ml (⅛ l) Milch	
½ Eiweiß	verrühren, zu der Butter geben, unter Rühren erhitzen, bis sich die Masse vom Topfboden löst, etwas abkühlen lassen
1 EL weiche Butter	cremig rühren
2 Eigelb	unterrühren, mit der Kloßmasse verrühren
1 ½ Eiweiß	steif schlagen, unterheben von der Masse mit 2 Eßlöffeln Klößchen abstechen, in
750 ml (¾ l) kochende Fleischbrühe	geben, zugedeckt bei schwacher Hitze in etwa 10 Minuten gar ziehen lassen, dabei ab und zu vorsichtig umrühren.

GAZPACHO
SPANISCHE GEMÜSE-KALTSCHALE

1 Salatgurke	schälen
1 große Zwiebel	
2 Knoblauchzehen	beide Zutaten abziehen
3 Fleischtomaten	kurze Zeit in kochendes Wasser legen (nicht kochen lassen), abschrecken, enthäuten, die Stengelansätze herausschneiden
1 grüne Paprikaschote	halbieren, entstielen, entkernen, die weißen Scheidewände entfernen, die Schoten waschen die fünf Zutaten grob zerkleinern
2 Scheiben Weißbrot	entrinden, in
6 EL Rotweinessig	einweichen alle Zutaten mit
750 ml (¾ l) Wasser	im Mixer fein pürieren
4 EL kaltgepreßtes Olivenöl	
1 EL Tomatenmark	
2 TL Salz	unterrühren gut zugedeckt mindestens 2 Stunden in den Kühlschrank stellen
2 Scheiben Weißbrot	in Würfel schneiden
2 EL Olivenöl	erhitzen, die Weißbrotwürfel darin knusprig braun rösten, zur Gazpacho reichen.

KRÄUTERSUPPE

1 kleine Stange Lauch	putzen, das dunkle Grün bis auf etwa 10 cm entfernen, den Lauch kleinschneiden, gründlich waschen
50 g Butter	zerlassen, die Lauchstücke darin andünsten
30 g Instant-Haferflocken	unterrühren
1 l heiße Hühnerbrühe	hinzugießen
100 g gemischte Kräuter (Kerbel, Petersilie, Estragon, Kresse, Dill, Schnittlauch, Sauerampfer)	waschen, trockentupfen, fein hacken, in die Brühe geben, pürieren, die Suppe zum Kochen

bringing, 2 - 3 Minuten kochen lassen
1 Eigelb mit
125 ml (⅛ l) Schlagsahne verschlagen, die Suppe damit abziehen, mit
Zucker
frisch gemahlenem Pfeffer
geriebener Muskatnuß würzen, mit
Brunnenkresse garnieren.

MÖHRENSUPPE MIT QUARKHAUBE

1 Salatgurke schälen, halbieren, entkernen
6 mittelgroße Möhren putzen, schälen, waschen
3 Kartoffeln schälen, waschen
die drei Zutaten in kleine Würfel schneiden
1 EL Butter zerlassen, Gurken-, Möhren- und Kartoffelwürfel
darin etwa 4 Minuten dünsten lassen
1 l Fleischbrühe hinzugießen, mit
Salz
frisch gemahlenem Pfeffer würzen, zugedeckt etwa 10 Minuten bei schwacher
Hitze kochen lassen, von der Kochstelle nehmen
1 Packung (200 g)
Grünen Pfeffer Quark mit
2 Eiern gut verrühren, unter die Möhrensuppe rühren
feingehackten Dill
feingeschnittenen
Schnittlauch unterrühren.

SOMMER-SUPPE

(Für 8 Personen)

1 kg Kartoffeln schälen, waschen, in Würfel schneiden
2 Stangen Lauch putzen, waschen, in Scheiben schneiden
500 g enthäutete
Tomaten in Würfel schneiden
1 Zwiebel abziehen, würfeln
50 g Butter zerlassen, die Zwiebelwürfel darin andünsten,
Kartoffeln, Lauch und Tomaten,

166

4 EL gehackte glatte Petersilie	
2 EL gehackte Thymianblättchen	
1 EL gehackte Liebstöckelblättchen	
2 EL gehackte Pimpinelleblättchen	hinzufügen, mitdünsten lassen
1 ½ l Fleischbrühe	dazugießen, mit
1 Lorbeerblatt	
2 Nelken	
Salz	
frisch gemahlenem Pfeffer	
geriebener Muskatnuß	würzen, die Suppe zum Kochen bringen, in etwa 40 Minuten gar kochen lassen, mit Salz, Pfeffer abschmecken.

KALTE GURKENSUPPE

1 Salatgurke (500 g)	schälen, in Würfel schneiden, einige Scheiben zum Garnieren zurücklassen
3 Frühlingszwiebeln	abziehen, in Ringe schneiden beide Zutaten in
500 ml (½ l) Hühnerbrühe	zum Kochen bringen, weich kochen lassen, alles pürieren, mit
2 EL Zitronensaft	
125 ml (⅛ l) Kefir	verrühren, mit
Salz	
frisch gemahlenem Pfeffer	abschmecken
1 EL gehackte Dillspitzen	
1 EL gehackte Zitronenmelisse	
1 EL gehackten Estragon	unterrühren, die Suppe kalt stellen, in Suppentassen geben, mit den zurückbehaltenen
Gurkenscheiben	
Zitronenmelisseblättchen	garnieren.

SPINATSUPPE MIT EI

1 große Zwiebel	abziehen, fein würfeln
2 EL Butter	zerlassen, die Zwiebelwürfel darin andünsten
300 g tiefgekühlten Spinat	hinzufügen
750 ml (¾ l) Fleischbrühe	hinzugießen, den Spinat in etwa 30 Minuten gar dünsten lassen
3 EL Crème fraîche	
5 EL frisch geriebenen Parmesan-Käse	unterrühren, mit
Salz	
frisch gemahlenem Pfeffer	
geriebener Muskatnuß	würzen, die Spinatsuppe in vier vorgewärmte Suppentassen geben
4 Eigelb	darauf verteilen und die Suppe sofort servieren.

TOMATEN-CREME-SUPPE (Foto)

100 g durchwachsenen Speck	in kleine Würfel schneiden
1 EL Butter oder Margarine	zerlassen, die Speckwürfel darin ausbraten
200 g Zwiebeln	abziehen, würfeln, in dem Speckfett glasig dünsten lassen
etwa 500 g Tomaten (aus der Dose)	durch ein Sieb streichen, mit der Flüssigkeit in die Zwiebel-Speck-Masse geben, mit
Salz	
frisch gemahlenem Pfeffer	
gerebeltem Majoran	würzen, zum Kochen bringen, etwa 5 Minuten bei schwacher Hitze kochen lassen
3-4 EL Gin	unterrühren, evtl. mit Salz, Pfeffer abschmecken, von der Kochstelle nehmen
1 Packung (200 g) Grünen Pfeffer Quark	unterrühren
	die Tomatensuppe in vier Suppentassen füllen
4 TL Crème fraîche	darauf verteilen, die Suppe mit
Basilikumblättchen	garnieren.
Beilage:	Kleine Käsestangen.

AIOLI

1 Eigelb	mit
3 abgezogenen, zerdrückten Knoblauchzehen	
1 Prise Meersalz	so lange schlagen, bis das Dotter hellgelb ist
150 ml Olivenöl	unter ständigem Schlagen zunächst tropfenweise, dann in einem dünnen Strahl hinzugeben
1 TL Zitronensaft	
1 Prise Safranpulver	unter Rühren hinzufügen, die Aioli kalt stellen.
Hinweis:	Aioli paßt zu gedünstetem Fisch, gedünstetem Gemüse und hartgekochten Eiern.

BARBECUE-SAUCE, GEKOCHT

125 ml (⅛ l) Tomaten-Ketchup	mit
80-100 ml Worcestersauce	
4 Spritzern Tabasco	
4 cl Essig-Essenz	
Saft von 2 Zitronen	
4 EL Honig	in einem Kochtopf verrühren
150 g Zwiebeln	
4-5 Knoblauchzehen	
	beide Zutaten abziehen, würfeln, mit
1 Lorbeerblatt	
2 EL Senfkörnern	
½ TL Pfeffer	in die Ketchup-Flüssigkeit geben, zum Kochen bringen, im offenen Topf etwa 30 Minuten kochen lassen.
Hinweis:	Fleisch zum Grillen darin einlegen, die Sauce reicht für etwa 1 ½ kg Hühnerfleisch, Rippchen oder Nackenkoteletts. Barbecue-Sauce hält sich fest verschlossen im Kühlschrank mehrere Monate.

BASILIKUMSAUCE

(Für etwa 8 Personen)

4 Tomaten (etwa 250 g)	kurze Zeit in kochendes Wasser legen (nicht kochen lassen), in kaltem Wasser abschrecken, enthäuten, vierteln, entkernen, pürieren
2 Gläser (je 200 g) Joghurt-Salatcreme	
3 Bund gehacktes Basilikum	mit Tomatenpüree,
125 ml (⅛ l) Schlagsahne	verrühren, mit
frisch gemahlenem Pfeffer	würzen
	die Sauce in einer Schüssel anrichten, mit
Basilikum	garnieren.
	Diese Sauce zu gegrilltem Fleisch reichen.

KÄSESAUCE MIT BASILIKUM

20 g Basilikumblättchen (von 2-3 Bund Basilikum)	abspülen, trockentupfen, grob hacken
4 Knoblauchzehen	abziehen, hacken
100 g alten Allgäuer Emmentaler	reiben, die drei Zutaten mit
1 TL Salz	
½ TL frisch gemahlenem schwarzen Pfeffer	
2 EL Pinien- oder Walnußkernen	
125 ml (⅛ l) Olivenöl	im Mixer so lange pürieren, bis eine dickflüssige Creme entsteht, evtl. mit etwas Wasser verdünnen.
Hinweis:	Die Sauce zu Nudeln reichen.

BUNTER QUARK-DIP

150 g Magerquark	mit
4 EL Buttermilch	verrühren
1 kleine Tomate	kurze Zeit in kochendes Wasser legen (nicht kochen lassen), in kaltem Wasser abschrecken,

enthäuten, halbieren, den Stengelansatz
herausschneiden, die Tomate entkernen

1 Sardelle	
2 Oliven	
	die drei Zutaten sehr fein schneiden, mit
2 TL Zwiebelwürfeln	unter den Quark rühren, mit
Salz	
frisch gemahlenem Pfeffer	
gehackten	
Thymianblättchen	würzen.

CHAMPIGNONSAUCE

30 g Margarine	zerlassen
35 g Weizenmehl	unter Rühren so lange darin erhitzen, bis es hellgelb ist
500 ml (½ l) Fleischbrühe	hinzufügen, mit einem Schneebesen durchschlagen, darauf achten, daß keine Klumpen entstehen, die Sauce zum Kochen bringen, etwa 5 Minuten kochen lassen
125 g Champignons	putzen, waschen, in Scheiben schneiden
1 EL Butter oder Margarine	zerlassen, die Champignons darin gar dünsten lassen, in die Sauce geben
1 Eigelb	mit
2 EL kaltem Wasser	verschlagen, die Sauce damit abziehen, mit
Salz	
Zitronensaft	abschmecken.
Kochzeit:	etwa 10 Minuten.

DILLBUTTER

125 g Butter	geschmeidig rühren, mit
6 EL gehacktem Dill	verrühren, mit
Salz	
frisch gemahlenem weißem Pfeffer	
gerebeltem Thymian	würzen.
Hinweis:	Zu gedünstetem Fisch oder gegrilltem Lachs reichen.

JOHANNISBEERSAUCE

250 g Johannisbeergelee	verrühren, einmal aufkochen lassen, durch ein Sieb streichen, mit
1 TL Kirschwasser oder Weinbrand	abschmecken.
Hinweis:	Zu Crêpes oder Buchteln reichen.

BROMBEERSAUCE

250 g Brombeeren	verlesen, waschen, in wenig Wasser kurze Zeit erhitzen, durch ein feines Sieb streichen unter das Brombeermus
100 ml Rotwein 1 EL Zucker abgeriebene Schale von ¼ Orange (unbehandelt) gemahlenes Piment	rühren, erhitzen (nicht kochen lassen) die Sauce mit
Weinbrand Angostura bitter	abschmecken, erkalten lassen.
Hinweis:	Zu Vanillepudding und hellen Cremespeisen reichen.

FLAMBIERTE HIMMBEERSAUCE

4 EL Zucker	in einer Flambierpfanne unter Rühren so lange erhitzen, bis er gelöst ist, leicht karamelisieren lassen
300 g tiefgekühlte oder frische verlesene Himbeeren	hinzufügen (tiefgekühlte auftauen lassen), so lange unter Rühren erhitzen, bis eine dickliche Sauce entstanden ist
6 EL Weinbrand	in einer Suppenkelle erwärmen, anzünden, brennend zur Sauce geben, servieren, sobald die Flamme erloschen ist.
Hinweis:	Zu Vanilleeis oder Vanillepudding reichen.

Suppen und Saucen

ERDBEERSAUCE

250 g Erdbeeren	waschen, abtropfen lassen, entstielen, durch ein Sieb streichen, mit dem
Saft von ½ Zitrone	verrühren, nach und nach
50 g gesiebten Puderzucker	hinzufügen, so lange weiterrühren, bis eine dickliche Sauce entstanden ist.
Hinweis:	Zu Vanillepudding und Cremes reichen.

PISTAZIENSAUCE

6 Eigelb	cremig schlagen, nach und nach
200 g gesiebten Puderzucker	hinzufügen
100 g Pistazienkerne	mahlen, unterrühren, nach und nach
500 ml (½ l) kochende Milch	hinzugießen, so lange schlagen, bis eine dickliche Masse entstanden ist
½ Becher (75 g) Crème fraîche	unterrühren, kurz miterhitzen
Erhitzungszeit:	etwa 15 Minuten.
Hinweis:	Pistaziensauce zu Pudding oder Eis reichen.

STACHELBEERSAUCE MIT ANIS

500 g reife, grüne Stachelbeeren	von Stiel und Blüte befreien, waschen
125 ml (⅛ l) Wasser	mit
50 g Zucker	zum Kochen bringen, die Stachelbeeren hinzufügen, etwa 15 Minuten dünsten lassen (bis sie zerfallen), durch ein Sieb streichen, erkalten lassen
½ TL gehackte Anissamen abgeriebene Schale von 1 Zitrone (unbehandelt) Zitronensaft	unterrühren.
Hinweis:	Zu Puddingen reichen.

KRÄUTER-JOGHURT-DRESSING

2 Becher (je 150 g) Joghurt	abtropfen lassen
2-3 Schalotten	
oder 1 Zwiebel (etwa 50 g)	abziehen, sehr fein würfeln
1-2 Knoblauchzehen	abziehen, zerdrücken
	die Zutaten mit
1 Bund gehacktem Dill	
1 Bund gehackter glatter Petersilie	
1 Bund gehackten Basilikumblättchen	
3 EL Zitronensaft	
3 EL Olivenöl	verrühren, mit
Salz	
frisch gemahlenem Pfeffer	
Zucker	würzen.
Hinweis:	Zu Salaten, gegrilltem Fleisch und Fondue reichen.

KRÄUTER-ÖL-MISCHUNG

2 Bund Petersilie	
2 Bund Schnittlauch	
6 Zweige Estragon	
	die Kräuter vorsichtig abspülen, trockentupfen, die groben Stiele entfernen Petersilien- und Estragonblättchen fein hacken, Schnittlauch fein schneiden
je ½ rote, gelbe und grüne Paprikaschote	entstielen, entkernen, die weißen Scheidewände entfernen, die Schoten waschen, in Würfel schneiden, mit den Kräutern,
1 EL Kümmel	
1 EL grob zerdrücktem schwarzem Pfeffer	
1 l Olivenöl	verrühren, in eine gut gesäuberte Flasche geben, verschließen, kräftig durchschütteln, einige Tage stehenlassen.

MITTELMEERSAUCE

1 kg Fleischtomaten	kurze Zeit in kochendes Wasser legen (nicht kochen lassen), in kaltem Wasser abschrecken, enthäuten, halbieren, die Tomatenhälften in Stücke schneiden
2 EL Olivenöl	erhitzen, die Tomatenstücke darin etwa 10 Minuten dünsten lassen
1 Zwiebel 3 Knoblauchzehen	die beiden Zutaten abziehen, fein würfeln
4 EL Olivenöl	erhitzen, Zwiebel- und Knoblauchwürfel darin andünsten, mit
100 ml trockenem Weißwein	ablöschen, gut durchdünsten lassen, zu dem Tomatenmus geben, verrühren, mit
Salz, Pfeffer	würzen
1 EL gehackte Oreganoblättchen 3 EL gehackte Petersilie	unterrühren.
Dünstzeit:	etwa 15 Minuten.
Hinweis:	Zu gegrillten Garnelen oder zu kleinen, gebratenen Fischen reichen.

OLIVEN-DIP

100 g schwarze Oliven	entsteinen, sehr fein hacken oder pürieren
1 Bund Basilikum	vorsichtig abspülen, trockentupfen, die Blättchen von den Stielen zupfen, fein hacken
2 große Knoblauchzehen	abziehen, durch die Knoblauchpresse geben die drei Zutaten mit
3 Packungen (je 200 g) Speisequark, 40 % 4 EL Tomatenmark 4 EL kaltgepreßtem Olivenöl	verrühren, mit
Salz, Pfeffer	abschmecken.
Hinweis:	Zu rohem oder gedünstetem Gemüse, zu Krustentieren, gekochtem oder gebratenem kaltem Fleisch reichen.

GRIECHISCHE KÄSECREME

75 g Schafskäse	mit einer Gabel zerdrücken
1 kleine Zwiebel	abziehen, grob zerkleinern, mit
100 g weicher Butter	
1 abgezogenen	
Knoblauchzehe	und dem Käse mit dem Pürierstab eines elektrischen Handrührgerätes pürieren, kalt stellen.

PAPRIKA-KRESSE-BUTTER

125 g Butter	geschmeidig rühren
3 EL in sehr kleine Würfel geschnittene Paprikaschoten	
2 EL gehackte Kresse	
	beide Zutaten hinzufügen, mit der Butter verrühren, mit
Salz	abschmecken.
Hinweis:	Zu Schweinesteaks oder gegrilltem Schweinenacken reichen.

PESTO (Foto)

2 Bund Basilikum	
1 Bund Petersilie	
	beide Zutaten abspülen, abtropfen lassen, die Blättchen von den Stengeln zupfen
50 g Parmesan-Käse	grob zerkleinern, mit den Kräutern,
½ TL Salz	
2 EL gerösteten Pinienkernen	
6 EL Olivenöl	im Mixer sehr fein pürieren
3 Knoblauchzehen	abziehen, sehr fein schneiden, unter die Sauce ziehen, in ein Glas füllen, mit
Olivenöl	bedecken, kühl aufbewahren.

Pikante Eiercreme

8 Eier	in
kochendes Wasser	geben, zum Kochen bringen, in etwa 10 Minuten hartkochen, herausnehmen, abschrecken, pellen, beiseite stellen und abkühlen lassen
3 Schalotten	abziehen, fein würfeln
2 Bund Schnittlauch	abspülen, trockentupfen, in feine Ringe schneiden
4 Sardellenfilets	abspülen, trockentupfen, zerdrücken oder fein hacken
5 Cornichons	abtropfen lassen, fein würfeln
3 EL Crème fraîche	mit
1 TL scharfem Senf	
1 EL Balsamessig	verrühren, mit den Zutaten vermengen, mit
Salz	
frisch gemahlenem schwarzen Pfeffer	würzen
	die Eier in Würfel schneiden, mit
2 EL gemischten, gehackten Kräuter	vorsichtig unter die Masse rühren, evtl. nochmals abschmecken, etwa 30 Minuten in den Kühlschrank stellen.
Hinweis:	Zu Vollkornbrot oder Pellkartoffen reichen.

Pikante Johannisbeersauce

2 - 3 Zwiebeln	abziehen, fein würfeln
1 EL Butter	zerlassen, die Zwiebelwürfel darin glasig dünsten lassen
100 g rote und schwarze Johannisbeeren	verlesen, waschen, abtropfen lassen, entstielen die Hälfte der Beeren zu den Zwiebelwürfeln geben, etwa 5 Minuten mitdünsten lassen
125 ml (⅛ l) Fleischbrühe	mit
4 EL Schlagsahne	
1 EL Weinbrand	unter die Beeren rühren, zum Kochen bringen, durch ein Sieb streichen das Beerenmus wieder zum Kochen bringen, etwas einkochen lassen, mit

Salz
Cayennepfeffer würzen, die restlichen Johannisbeeren in die
Sauce geben, kurz erhitzen.
Hinweis: Zu gebratener Entenbrust reichen.

SCHNITTLAUCH-RADIESCHEN-SAUCE

1 EL Mayonnaise mit
1 Becher (150 g) Joghurt glattrühren
1 Bund Radieschen putzen, waschen, sehr fein hacken
1 Bund Schnittlauch waschen, trockentupfen, sehr fein schneiden
beide Zutaten in die Sauce rühren, mit
Salz
frisch gemahlenem Pfeffer
Paprika edelsüß würzen.
Hinweis: Zu Fondue oder Kartoffeln in Folie reichen.

PORTUGIESISCHE SAUCE

1 Zwiebel abziehen, fein würfeln
1 EL Speiseöl erhitzen, die Zwiebelwürfel darin andünsten
500 g Tomaten kurze Zeit in kochendes Wasser legen (nicht
kochen lassen), in kaltem Wasser abschrecken,
enthäuten, die Stengelansätze herausschneiden,
die Tomaten halbieren, entkernen, in Würfel
schneiden
1 Knoblauchzehe abziehen, zerdrücken, mit den Tomatenwürfeln zu
den Zwiebelwürfeln geben, mitdünsten lassen
100 ml Weißwein hinzugießen, mit
Salz
frisch gemahlenem Pfeffer
Zucker würzen, unter Rühren zum Kochen bringen, so
lange dünsten lassen, bis keine Flüssigkeit
mehr vorhanden ist, mit
250 ml (¼ l) Koch-
flüssigkeit oder
hellem Grundfond, auffüllen, zum Kochen bringen, 8-10 Minuten
kochen lassen, mit Salz, Pfeffer, Zucker

abschmecken, mit
feingehackter Petersilie   bestreuen.
Kochzeit: 25 - 30 Minuten.
Empfehlung: Zu Tintenfisch-Ringen, Fischspießchen oder
Fischstäbchen reichen.

PUTEN-THUNFISCH-SAUCE

150 g Putenschnitzel	unter fließendem kaltem Wasser abspülen, trockentupfen, in feine Würfel schneiden
2 EL Speiseöl	erhitzen, die Putenwürfel darin anbraten
1 Zwiebel	abziehen, in Ringe schneiden, etwa 5 Minuten mit dem Putenfleisch schmoren lassen
1 Dose Thunfisch naturel (150 g)	abtropfen lassen, Sud auffangen, mit
100 ml Schlagsahne	zu dem Putenfleisch gießen, weitere 5 Minuten schmoren lassen den Thunfisch hinzugeben, nochmals aufkochen lassen, das Thunfisch-Fleisch mit einer Gabel zerdrücken
2 EL Erbsen (aus der Dose) 1 EL gehackte Pimpinelleblättchen 2 EL gehackte Petersilie 1 EL Zitronensaft	zugeben, mit
frisch gemahlenem Pfeffer	abschmecken.

QUARKMAYONNAISE (Foto)

1 Eigelb	mit
Salz	
1 EL Zitronensaft	in einer Rührschüssel mit einem Schneebesen oder mit einem elektrischen Handrührgerät mit Rührbesen zu einer dicklichen Masse schlagen, erst dann tropfenweise unter ständigem Schlagen
125 ml (⅛ l) Salatöl	hinzufügen
125 g Speisequark	durch ein Sieb streichen, mit
2 - 3 EL Schlagsahne	verrühren, eßlöffelweise in die Mayonnaise rühren, mit

Salz
frisch gemahlenem Pfeffer
Zucker
Zitronensaft würzen.
Hinweis: Als Füllung für Tomaten oder Gurken und als
Salatmayonnaise verwenden.

Rote Paprikasauce

400 g rote Paprikaschoten	waschen, abtrocknen, mit
1 TL Speiseöl	einreiben, mit
200 g kleinen Zwiebeln	auf den Backofenrost legen, in den Backofen schieben, alle 5 Minuten wenden
Ober-/Unterhitze:	etwa 250 °C (vorgeheizt)
Heißluft:	etwa 220 °C (nicht vorgeheizt)
Gas:	Stufe 5 - 6 (vorgeheizt)
Backzeit:	etwa 30 Minuten

die Haut von Zwiebeln und Paprika sollte
bräunlich sein, die Paprika Blasen haben, den
Rost aus dem Ofen nehmen, ein feuchtes Tuch
darüber legen, abkühlen lassen
Zwiebeln und Paprika abziehen, die Paprika
halbieren, entstielen, entkernen, die weißen
Scheidewände entfernen
beide Zutaten grob zerkleinern, mit

5 EL Speiseöl	
1 TL Rosenpaprika	
1 TL Paprika edelsüß	
1 TL Tomatenmark	
frisch gemahlenem Pfeffer	
Salz	
1 Prise Zucker	im Mixer fein pürieren
	die Sauce in ein Glas füllen, mit
Speiseöl	bedecken, kühl aufbewahren.

Rohe Tomatensauce (Foto)

300 g Fleischtomaten	kurze Zeit in kochendes Wasser geben (nicht kochen lassen), in kaltem Wasser abschrecken, enthäuten, die Tomaten zerkleinern, durch ein Sieb streichen, mit
3 EL Olivenöl	
3 EL Schlagsahne	verrühren, mit
1 TL Paprika edelsüß	
1 TL Rosenpaprika	
Salz	
frisch gemahlenem Pfeffer	
1 Prise Zucker	würzen
2 Frühlingszwiebeln	putzen, die Knollen abziehen, waschen, in dünne Ringe schneiden, mit der Sauce verrühren, kalt stellen.

Kirschensauce, Pikant

250 g Sauerkirschen	waschen, entstielen, entsteinen
375 ml (³/₈ l) Wildbratensud oder Wildfond	zum Kochen bringen, die Kirschen darin weich kochen lassen
30 g Butter oder Margarine	zerlassen
20 g Weizenmehl	unter Rühren so lange darin erhitzen, bis es hell- bis dunkelbraun ist, den Bratensatz mit den Kirschen hinzugießen, mit einem Schneebesen durchschlagen, darauf achten, daß keine Klumpen entstehen die Sauce zum Kochen bringen, etwa 5 Minuten kochen lassen, mit
Salz	
Zucker	
Zitronensaft	würzen.
Garzeit:	etwa 20 Minuten.
Hinweis:	Zu Hirsch- oder Rehkeule reichen.

SALSA VERDE

2 Bund glatte Petersilie	die Blättchen von den Stengeln zupfen, waschen, abtropfen lassen, mit
2 EL Kapern	
2 EL Semmelbröseln	
2 EL Sherryessig	
6 EL Olivenöl	
Salz	
frisch gemahlenem schwarzen Pfeffer	im Mixer pürieren
2 Knoblauchzehen	
1 Schalotte	
	beide Zutaten abziehen, fein hacken
6 schwarze Oliven	entkernen, vierteln
	alle Zutaten miteinander verrühren, mit Salz, Pfeffer,
Sherryessig	abschmecken, kühl aufbewahren.

SAUCE BÉARNAISE

200 g Butter	zerlassen, etwas abkühlen lassen
1 Zwiebel	abziehen, fein würfeln, mit
1 EL gehackten Estragonblättchen	
1 EL gehackten Basilikumblättchen	
½ TL frisch gemahlenem Pfeffer	
1 EL Weinessig	
2-3 EL Weißwein	5 Minuten kochen, etwas abkühlen lassen, mit
4 Eigelb	im Wasserbad dicklich schlagen die Butter nach und nach unterschlagen, mit
Salz	
frisch gemahlenem Pfeffer	
Zucker	abschmecken, bis zum Verzehr im Wasserbad warm halten.
Hinweis:	Zu gegrillten Steaks reichen.

Sauce Cambridge

4 Sardellenfilets	
2 EL Kapern	die beiden Zutaten sehr fein hacken, mit
4 hartgekochten Eigelb	durch ein Sieb streichen, mit
1 EL englischem Senfpulver	
2 EL Essig	
6 EL Salatöl	verrühren, mit
Cayennepfeffer	abschmecken
feingehackten Dill	
feingehackte Estragonblättchen	unterrühren.
Hinweis:	Zu gegrilltem Fleisch reichen oder als Salatsauce verwenden.

Sauerampfer-Sauce

20 g Butter	zerlassen
25 g Weizenmehl	unter Rühren so lange darin erhitzen, bis es hellgelb ist
3 EL gehackte Sauerampferblättchen	hinzufügen, andünsten
375 ml (³/₈ l) Fischfond	hinzugießen, mit einem Schneebesen durchschlagen, darauf achten, daß keine Klumpen entstehen
	die Sauce zum Kochen bringen, etwa 10 Minuten kochen lassen, mit
Salz	
frisch gemahlenem Pfeffer	
gemahlenem Ingwer	würzen
1 Becher (150 g) Crème fraîche	unterrühren, die Sauce kurz erhitzen (nicht kochen lassen), mit
feingehackter Petersilie	bestreuen
Kochzeit:	etwa 15 Minuten.
	Sauerampfer-Sauce zu gedünstetem Fischfilet oder zu gekochten Eiern reichen.

MAN NEHME

LAUCH

In der modernen Diät- und Vollwertküche zählt er zu den Favoriten aus dem Gemüsebeet. Porree, so rühmen die einen, hat eine entschlackende Wirkung. Lauch, so attestieren ihm die anderen, liefert Ballast- und Mineralstoffe sowie viele Vitamine. Das „alte" Gemüse kommt zu neuen Ehren. Dabei wußten schon die Römer, daß Lauch allein als Würzkraft für eine Suppe Verschwendung ist. Pur genossen, als komplette Gemüsemahlzeit, bringt er viel mehr. Denn durch seinen hohen Anteil an Allylsenföl senkt er den Blutdruck. Und das tat nicht nur den Römern gut, das bekommt auch gestreßten Zeitgenossen.

Lauch-Topf mit Tomaten

150 g durchwachsenen Speck	in Würfel schneiden
1 große Zwiebel	abziehen, würfeln
1 EL Margarine	zerlassen, Speck- und Zwiebelwürfel darin glasig dünsten lassen
1 kg Lauch (vorbereitet gewogen)	gründlich waschen, dicke Stangen halbieren, in etwa 5 cm lange Stücke schneiden, nochmals waschen, abtropfen lassen, zu dem Speck geben
375 - 500 ml ($^3/_8$ - $^1/_2$ l) heiße Fleischbrühe	hinzugießen, zum Kochen bringen, fast gar kochen lassen
4 enthäutete Tomaten	vierteln, zu dem Lauch geben, mit
$^1/_2$ TL Currypulver Salz 1 Messerspitze Paprika edelsüß	würzen, gar kochen lassen.
Kochzeit:	etwa 30 Minuten.
Beilage:	Salzkartoffeln oder Reis, Brühwürstchen.

Vegetarischer Eintopf

375 g Möhren	putzen, schälen
375 g Kartoffeln	schälen
	beide Zutaten waschen, in Würfel schneiden
375 g Grüne Bohnen	evtl. abfädeln, waschen, in Stücke brechen oder schneiden
250 g Tomaten	kurze Zeit in kochendes Wasser legen (nicht kochen lassen), in kaltem Wasser abschrecken, enthäuten, die Stengelansätze herausschneiden, die Tomaten in Viertel schneiden
250 g Blumenkohl	putzen, waschen, in Röschen teilen
2 mittelgroße Zwiebeln	abziehen, würfeln
50 g Margarine	zerlassen, Zwiebeln, Kartoffeln und Bohnen etwa 5 Minuten unter Wenden darin andünsten, mit
Salz, Pfeffer 2 gestrichenen EL vegetarischer Paste mit Kräutern	

185

1 TL gehackten Basilikumblättchen	würzen
500 ml (½ l) Wasser	hinzugießen, dünsten lassen
	nach etwa 20 Minuten Dünstzeit Möhren, Tomaten und Blumenkohl hinzufügen, gar dünsten lassen
	den Eintopf mit Salz, Pfeffer abschmecken, mit
2 EL gehackter Petersilie	bestreuen.
Garzeit:	etwa 50 Minuten.

FISCHTOPF

250 g Kabeljaufilet	
250 g Rotbarschfilet	
500 g küchenfertigen Seeaal	
	den Fisch unter fließendem kaltem Wasser abspülen, trockentupfen, mit
6 EL Essig	beträufeln
4 große Tomaten	kurze Zeit in kochendes Wasser legen (nicht kochen lassen), in kaltem Wasser abschrecken, enthäuten, die Stengelansätze herausschneiden, die Tomaten in Stücke schneiden
2 Gemüsezwiebeln	
2 Knoblauchzehen	beide Zutaten abziehen, fein würfeln
1 Fenchelknolle	putzen, waschen, achteln
5 EL Olivenöl	in einem breiten Topf erhitzen Zwiebeln, Knoblauch, Tomaten, Fenchel hinzufügen, etwa 15 Minuten darin dünsten lassen
1 Lorbeerblatt	
1 Zweig Thymian	hinzufügen
	den Fisch in Stücke schneiden, auf das Gemüse geben, mit
Salz, Pfeffer	würzen, zugedeckt etwa 20 Minuten dünsten lassen
1 Bund Petersilie	abspülen, trockentupfen, fein hacken, über den Fischtopf streuen.
Beilage:	Weißbrot.
Hinweis:	Die Reste vom Fischtopf schmecken auch sehr gut kalt, mit etwas Zitronensaft beträufelt.

Eintöpfe

GEMÜSETOPF

2 Salatgurken	schälen, längs halbieren, entkernen, in kleine Stücke schneiden
2 enthäutete Fleischtomaten	in Achtel schneiden (Stengelansätze herausschneiden)
1 - 2 EL Butter	zerlassen, die Gurkenstücke darin andünsten, die Tomatenachtel hinzufügen, einige Minuten mitdünsten lassen, mit
Salz frisch gemahlenem Pfeffer	würzen
1 - 2 EL Speiseöl	erhitzen
400 g Gehacktes (halb Rind-, halb Schweinefleisch)	unter Rühren darin anbraten, dabei die Fleischklümpchen zerdrücken, das Hackfleisch gar braten lassen
1 Packung (200 g) Knoblauch- oder Grünen Pfeffer Quark	unterrühren, mit
Salz frisch gemahlenem Pfeffer	würzen, mit dem Gemüse anrichten, mit
feingehacktem Dill feingehackter Petersilie	bestreut servieren.
Beilage:	Reis.

GRÜNE-BOHNEN-EINTOPF

500 g Rindfleisch	unter fließendem kaltem Wasser abspülen, trockentupfen, in Würfel schneiden
1 kg Grüne Bohnen	evtl. abfädeln, waschen, in kleine Stücke brechen oder schneiden
500 g Kartoffeln	schälen, waschen, in Würfel schneiden
40 g Margarine	erhitzen, das Fleisch unter Wenden schwach darin bräunen lassen
1 mittelgroße Zwiebel	abziehen, würfeln kurz bevor das Fleisch genügend gebräunt ist, die Zwiebelwürfel hinzufügen, kurz miterhitzen
1 Stengel Bohnenkraut	abspülen

das Fleisch mit

Salz	
frisch gemahlenem Pfeffer	würzen, Bohnenkraut, Bohnen, Kartoffeln,
500 ml (½ l) Wasser	hinzufügen, gar schmoren lassen
	den Eintopf mit Salz abschmecken.
Garzeit:	etwa 80 Minuten.

TUNESISCHER GEMÜSE-TOPF

4 Kartoffeln	schälen, waschen, in Würfel schneiden
3 Möhren	putzen, schälen, waschen, in Scheiben schneiden
2 Auberginen	
2 Zucchini	
	beide Zutaten waschen, die Stengelansätze abschneiden, das Gemüse in Würfel schneiden
1 Zwiebel	abziehen, würfeln
1 Knoblauchknolle	in Zehen zerteilen, die Zehen abziehen
1 l Gemüsebrühe	zum Kochen bringen, das Gemüse hineingeben, zum Kochen bringen, bei schwacher Hitze in etwa 20 Minuten gar kochen lassen
1 Chilischote	halbieren, entkernen, waschen
1 Bund Petersilie	abspülen, trockentupfen
1 Zwiebel	abziehen
	die drei Zutaten fein hacken
5 EL Olivenöl	in einer Pfanne erhitzen, Chili, Petersilie, Zwiebel darin dünsten, mit
1 TL Kreuzkümmel	würzen, unter das gare Gemüse rühren.

RATATOUILLE

(Im Schnellkochtopf)

1 grüne und 1 gelbe Paprikaschote (je etwa 150 g)	halbieren, entstielen, entkernen, die weißen Scheidewände entfernen, die Schoten waschen, in 1½-2 cm breite Streifen schneiden
300 g Zucchini	
250 g Auberginen	
	von dem Gemüse die Stengelansätze abschneiden,

	das Gemüse waschen, evtl. längs halbieren, in etwa ½ cm breite Scheiben schneiden
3 - 4 Fleischtomaten	kurze Zeit in kochendes Wasser legen (nicht kochen lassen), in kaltem Wasser abschrecken, enthäuten, die Stengelansätze herausschneiden, die Tomaten halbieren, in Scheiben schneiden
1 Zwiebel	
1 - 2 Knoblauchzehen	
	beide Zutaten abziehen, würfeln
3 EL Olivenöl	im Schnellkochtopf erhitzen die Zwiebel- und Knoblauchwürfel darin andünsten, das Gemüse hinzufügen, durchdünsten lassen, mit
Salz	
frisch gemahlenem Pfeffer	
gerebeltem Basilikum	
gerebeltem Thymian	
gerebeltem Majoran	würzen
200 ml Wasser	hinzufügen, den Schnellkochtopf schließen, den Kochregler erst dann auf Stufe I schieben, wenn reichlich Dampf entwichen ist (nach etwa 1 Minute) nach Erscheinen des 1. Ringes das Gemüse 2 - 3 Minuten garen lassen den Topf von der Kochstelle nehmen den Kochregler langsam stufenweise zurückziehen und den Topf öffnen
3 EL Tomatenmark	unterrühren, kurz durchdünsten lassen, mit
2 EL gehackter Petersilie	bestreuen.
Garzeit:	3 - 4 Minuten.

SPINAT-EINTOPF

1 kg Spinat	verlesen, gründlich waschen, tropfnaß in einen Topf geben, erhitzen, bis die Blätter zusammenfallen, abtropfen lassen
1 große Zwiebel	abziehen, würfeln
6 mittelgroße Kartoffeln	schälen, waschen, in Scheiben schneiden
4 EL kaltgepreßtes Olivenöl	erhitzen, die Zwiebelwürfel darin glasig dünsten lassen, den Spinat hinzufügen, unter Rühren so lange dünsten, bis die Flüssigkeit

	verdampft ist, die Kartoffelscheiben hinzufügen, mit
Meersalz	
frisch gemahlenem Pfeffer	
gemahlenem Safran	würzen
1 l kochende Gemüsebrühe	hinzugießen
3 Knoblauchzehen	abziehen, fein hacken, hinzufügen den Eintopf zugedeckt bei schwacher Hitze etwa 25 Minuten kochen lassen
4 Eier	einzeln in einer Kelle aufschlagen, vorsichtig in die Suppe gleiten lassen (die Eier sollen getrennt voneinander stocken)
4 Scheiben Vollkorntoastbrot	in Würfel schneiden
4 EL Butter	zerlassen, die Brotwürfel darin braun rösten, vor dem Servieren über den Eintopf geben.

ZUCKERERBSENTOPF

400 g Roastbeef	unter fließendem kaltem Wasser abspülen, trockentupfen, in feine Streifen schneiden
3 EL Speiseöl	erhitzen, die Fleischstreifen unter Rühren etwa 3 Minuten darin braten, mit
Salz	
frisch gemahlenem Pfeffer	würzen, aus dem Topf nehmen
1 EL Speiseöl	zu dem Bratfett geben
3 - 4 Zwiebeln	abziehen, würfeln, in dem Bratfett andünsten von
375 g Zuckererbsen (Zuckerschoten)	die Enden abschneiden, die Schoten waschen, abtropfen lassen, zu den Zwiebelwürfeln geben
2 Basilikumzweige	vorsichtig abspülen, mit
125 ml (⅛ l) Wasser	
Salz	
frisch gemahlenem Pfeffer	hinzufügen, im geschlossenen Topf etwa 3 Minuten schmoren lassen
2 Fleischtomaten (etwa 400 g)	kurze Zeit in kochendes Wasser legen (nicht kochen lassen), in kaltem Wasser abschrecken, enthäuten, die Stengelansätze herausschneiden, die Tomaten halbieren, in Würfel schneiden, zu

3 EL Sojasauce

den Zuckererbsen geben, etwa 3 Minuten mitschmoren lassen, das Fleisch, unterrühren, den Zuckererbsentopf 2-3 Minuten durchschmoren lassen, mit Salz, Pfeffer abschmecken, sofort servieren.

Schmorzeit: etwa 15 Minuten.

Buntes Reisfleisch

500 g Schweinefleisch unter fließendem kaltem Wasser abspülen, trockentupfen, in Würfel schneiden

500 g Tomaten kurze Zeit in kochendes Wasser legen (nicht kochen lassen), in kaltem Wasser abschrecken, enthäuten, die Stengelansätze herausschneiden, die Tomaten vierteln

2 große Paprikaschoten
(je 150 g, grün und rot) halbieren, entstielen, entkernen, die weißen Scheidewände entfernen, die Schoten waschen, in Stücke schneiden

250 g Zwiebeln abziehen, vierteln

60 g durchwachsenen
Speck in kleine Würfel schneiden

20 g Margarine zerlassen, den Speck darin auslassen, das Fleisch unter Wenden darin bräunen lassen, Zwiebelviertel und Paprikastücke hinzufügen, etwa 10 Minuten mitschmoren lassen, mit

Salz, Pfeffer
2 EL Tomatenmark
einigen Spritzern Tabasco
Paprika edelsüß
Cayennepfeffer würzen
gehackte Basilikum- und
Liebstöckelblättchen unterrühren

250 ml (¼ l) Fleischbrühe hinzugießen, etwa 15 Minuten schmoren lassen Tomatenviertel,

250 g Langkornreis
(parboiled)
500 ml (½ l) Wasser hinzufügen, gar kochen lassen das Gericht evtl. nochmals abschmecken.

Garzeit: etwa 50 Minuten.

MAN NEHME
LACHS

Der König der Edelfische residiert im hohen Norden. Sein Herrschaftsgebiet umfaßt die klaren, kalten und sauerstoffreichen Gewässer des Atlantiks und Pazifiks. Bis Ende der 60iger Jahre wurde der Lachs für erlesene Menüs noch in freier Wildbahn gefangen. Dann nahm seine Beliebtheit bei den internationalen Feinschmeckern derart zu, daß der Fang von freilegenden Fischen bei weitem nicht mehr ausreichte, um allen Gourmetwünschen gerecht zu werden. Daraufhin stabilisierte sich in den nordeuropäischen Ländern eine lukrative Zuchtlachs-Industrie, die eine stets gleichbleibende Qualität garantiert und ganzjährig delikate Fische mit festem Fleisch von rosa bis dunkelroter Färbung liefert.

ÄSCHEN, GEGRILLT

1 - 1 ½ kg Äschen	schuppen, ausnehmen, Flossen und Schwanz entfernen
	die Fische unter fließendem kaltem Wasser abspülen, trockentupfen, nach Belieben mit
Zitronensaft	beträufeln, etwa 15 Minuten stehenlassen, trockentupfen
	die Fische innen mit
Salz	würzen, außen mit
Speiseöl	bestreichen, unter den vorgeheizten Grill legen
Grillzeit	
Ober-/Unterhitze:	Jede Seite etwa 7 Minuten
Gas:	Jede Seite etwa 6 Minuten
Beilage:	Sahne-Meerrettich, Kräuterbutter oder Sauce Béarnaise, Folienkartoffeln.

Lachs in Senfsahne

4 Scheiben Lachs (je 200 - 250 g)	unter fließendem kaltem Wasser abspülen, trockentupfen, mit
Zitronensaft	beträufeln, etwa 15 Minuten stehenlassen, mit
Salz, Pfeffer	würzen, vier Stück Alufolie mit
Butter	bestreichen, je eine Lachsscheibe darauflegen, je einen von
4 Estragonzweigen	darüberlegen, die Folien locker aber dicht verschließen, auf einem Blech in den Backofen schieben
Ober-/Unterhitze:	225 - 250 °C (vorgeheizt)
Heißluft:	200 - 220 °C (nicht vorgeheizt)
Gas:	etwa Stufe 5 (vorgeheizt)
Garzeit:	etwa 15 Minuten.

Für die Sauce

2 Becher (je 200 g) Schlagsahne	zum Kochen bringen, sämig einkochen lassen
4 EL Estragonsenf	
1 TL gehackte Estragonblättchen	unter die Sauce ziehen, mit Salz abschmecken.
Hinweis:	Kleine, in Butter geschwenkte Petersilienkartoffeln dazureichen.

Forellen blau

4 küchenfertige Forellen	unter fließendem kaltem Wasser abspülen
375 ml (³/₈ l) Weißwein	mit
Salzwasser	auf 1 l Flüssigkeit auffüllen
1 Zwiebel	abziehen, vierteln, mit
5 EL Essig	
2 Nelken	
1 Lorbeerblatt	
5 Pfefferkörnern	hinzufügen, zum Kochen bringen, 2 - 3 Minuten kochen lassen
	die Forellen hinzufügen, zum Kochen bringen, im geschlossenen Topf gar ziehen lassen.
Garzeit:	etwa 15 Minuten.

CARPACCIO VOM FISCH

300 g frischen Lachs (ohne Haut und Gräten)	unter fließendem kaltem Wasser abspülen, trockentupfen, schräg in sehr dünne Scheiben schneiden, sofort auf gut gekühlten Portionstellern anrichten
grobes Salz frisch gemahlenen weißen Pfeffer	darüber streuen, mit dem
Saft von 1 Limone	
2 EL Olivenöl	beträufeln
1 EL Crème fraîche	mit
2 EL saurer Sahne	verrühren
50 g Kaviar	darunter mischen einen Löffel Kaviar-Sahne auf die Mitte jeder Portion Lachs geben, mit
feingeschnittenen Salatblättern	garnieren.

FEINSCHMECKER-RÖLLCHEN

600 g Spinat	verlesen, grobe Stiele abschneiden den Spinat gründlich waschen, in
kochendes Salzwasser	geben, zum Kochen bringen, abtropfen lassen
10 Stück Klarsichtfolie (15-20 cm lang)	auf die Tischplatte legen jedes Folienstück mit den abgetropften Spinatblättern auslegen
500-600 g Lachs	entgräten, enthäuten, unter fließendem kaltem Wasser abspülen, trockentupfen, in dünne Scheiben schneiden, so auf dem Spinat verteilen, daß er bedeckt ist
500 g Rotbarschfilet	unter kaltem Wasser abspülen, trockentupfen, in feine Streifen schneiden, mit dem Schneidstab des elektrischen Handrührgerätes pürieren

1 Becher (150 g) Crème fraîche	fast steif schlagen, unter die Fischmasse heben, mit
Zitronensaft Salz frisch gemahlenem Pfeffer	abschmecken die Masse auf den Lachsscheiben verteilen die einzelnen Quadrate mit Hilfe der Klarsichtfolie aufrollen
750 ml (¾ l) Wasser	in einen ovalen Bratentopf mit Einsatz gießen, zum Kochen bringen die Spinat-Röllchen in den Einsatz legen, im geschlossenen Topf gar dämpfen lassen.
Dämpfzeit: Beilage:	etwa 30 Minuten. Möhrensauce.

FISCHSCHNITTEN BARBARA

1 kg Kabeljaufilet	unter fließendem kaltem Wasser abspülen, trockentupfen, in vier gleichgroße Stücke schneiden, mit
Zitronensaft	beträufeln, etwa 15 Minuten stehenlassen, trockentupfen, mit
Salz frisch gemahlenem Pfeffer	bestreuen, in
Weizenmehl	wenden
50 g Pflanzenfett	erhitzen, die Fischstücke von jeder Seite etwa 5 Minuten darin braten
1 rote und 1 grüne Paprikaschote	längs halbieren, entstielen, entkernen, die weißen Scheidewände entfernen, die Schoten waschen, in Streifen schneiden, in
kochendes Salzwasser	geben, zum Kochen bringen, abtropfen, erkalten lassen
75 g durchwachsener Speck 1 festen Camembert (125 g)	
	beide Zutaten in Würfel schneiden jedes Fischstück von beiden Seiten mit einem

	von
4 EL Weinbrand	beträufeln, nebeneinander in eine flache, gefettete Servierpfanne legen, Paprikastreifen, Speck- und Camembertwürfel darauf geben
etwa 2 EL abgezogene, gehobelte, leicht geröstete Mandeln	darüber verteilen, mit
etwa 50 g geriebenem Parmesan-Käse	bestreuen
Butter	in Flöckchen darauf setzen, die Pfanne auf dem Rost in den vorgeheizten Backofen schieben, knusprig braun überbacken
Ober-/Unterhitze:	etwa 200 °C (vorgeheizt)
Heißluft:	etwa 180 °C (nicht vorgeheizt)
Gas:	Stufe 3 - 4 (vorgeheizt)
Überbackzeit:	etwa 15 Minuten.
Beigabe:	Petersilienkartoffeln, Chicoréesalat.

FORELLENRÖLLCHEN MIT SCHMORGEMÜSE

8 Forellenfilets	unter fließendem kaltem Wasser abspülen, trockentupfen, mit
Zitronensaft	beträufeln, mit
Salz	
frisch gemahlenem Pfeffer	würzen, zusammenrollen, mit Holzspießchen feststecken
2 kleine Tomaten	kurze Zeit in kochendes Wasser legen (nicht kochen lassen), in kaltem Wasser abschrecken, enthäuten, vierteln, entkernen
100 g Gurke	schälen, halbieren, entkernen, in Scheiben schneiden
1 Schalotte	abziehen, fein würfeln
1 Thymianzweig	unter fließendem kaltem Wasser abspülen, die Blättchen fein hacken
½ Bund Schnittlauch	unter fließendem kaltem Wasser abspülen, fein schneiden
	eine Kasserolle mit
Butter	ausfetten, Schalottenwürfel, Fischröllchen und Kräuter hineingeben

125 ml (⅛ l)
trockenen Weißwein
125 ml (⅛ l)
trockenen Wermut
2 - 3 EL Wasser hinzugießen, den Fisch etwa 8 Minuten dünsten, herausnehmen, warm stellen

125 ml (⅛ l)
Schlagsahne in den Fond gießen, Tomaten und Gurken hinzufügen, zu einer cremigen Sauce einkochen lassen, mit Salz, Pfeffer abschmecken

50 g kalte Butter in Flöckchen unterschlagen
die Fischröllchen mit der Gemüse-Sahne-Sauce anrichten.

FRITIERTER TINTENFISCH

500 g Tintenfisch
(tiefgekühlt) auftauen lassen, in Ringe schneiden, mit
Salz würzen, in
100 g Weizenmehl wenden
Fritierfett in einer Friteuse auf 180 - 190 °C erhitzen, die Tintenfischstücke portionsweise goldbraun fritieren, auf Haushaltspapier abtropfen lassen, mit dem
Saft von 2 - 3 Zitronen beträufeln, sofort servieren.

GEBEIZTER FISCH

300 g Seeteufel,
Seeforelle oder Lachs
(filetiert, ohne
Gräten und Haut) in sehr kleine Würfel schneiden, in eine flache Form geben, mit

Salz
frisch gemahlenem Pfeffer würzen, mit dem
Saft von 1 Zitrone beträufeln

	die Form mit Klarsichtfolie abdecken, etwa 2 Stunden kalt stellen
1 reife Avocado	halbieren, entkernen, schälen, würfeln, mit dem
Saft von ½ Zitrone	beträufeln
100 g kleine weiße Champignons	putzen, waschen, trockentupfen, in feine Scheiben schneiden
1 Fleischtomate	waschen, den Stengelansatz herausschneiden, die Tomate in Würfel schneiden zum Anrichten den Fisch in die Mitte einer Platte legen, Avocado, Champignons und Tomatenwürfel kranzförmig darumherum anrichten, mit
½ TL roten Pfefferkörnern frischen Pfefferminzblättern	bestreuen, sofort servieren.

GEGRILLTE ROTBARBEN

4 küchenfertige Rotbarben	unter fließendem kaltem Wasser abspülen, trockentupfen
2 EL Speiseöl	mit
Saft von 1 Zitrone 1 abgezogenen feingehackten Knoblauchzehe 1 TL Kräuter der Provence	verrühren, mit
Salz weißem Pfeffer	abschmecken, die Fische innen und außen damit bestreichen, etwa 1 Stunde stehenlassen die Rotbarben unter dem vorgeheizten Grill von jeder Seite etwa 4 Minuten grillen.
Hinweis:	Bunten Blattsalat dazureichen.

4 St. Peterfische
(je etwa 300 g) unter fließendem kaltem Wasser abspülen,
trockentupfen, beidseitig die Haut kreuzweise
einritzen

4 EL Zitronensaft mit
2 EL Weißwein verrühren, die Fische damit innen und außen
beträufeln, mit

Salz
2 EL Worcestersauce würzen, mit
2 EL Speiseöl bestreichen
die Fische im vorgeheizten Grill etwa
25 Minuten garen, dabei nach der Hälfte der Zeit
einmal wenden.

Für die Mango-Mousseline

1 Packung Hüttenkäse
(200 g) im Mixer pürieren, bis eine sahnig-schaumige
Masse entstanden ist

1 kleine Mango
(etwa 220 g) längs halbieren, entsteinen, schälen, das
Fruchtfleisch zum Hüttenkäse geben,
ebenfalls pürieren, die Mousseline mit Salz,

frisch gemahlenem Pfeffer
1 Messerspitze
Cayennepfeffer kräftig abschmecken.

Für die Avocado-Mousseline

1 Packung Hüttenkäse
(200 g) im Mixer pürieren, bis eine sahnig-schaumige
Masse entstanden ist

1 kleine Avocado
(etwa 200 g) längs halbieren, entsteinen, schälen, das
Fruchtfleisch zum Hüttenkäse geben,
ebenfalls pürieren, die Mousseline mit Salz

grob gemahlenem Pfeffer kräftig abschmecken.
Hinweis: Mango- und Avocado-Mousseline zu dem Fisch
reichen.

Im Sommer

HEILBUTT MIT KRÄUTER-SAHNE-SAUCE

4 Scheiben schwarzen Heilbutt (je etwa 200 g)	unter fließendem kaltem Wasser abspülen, trockentupfen, mit
Zitronensaft	beträufeln, etwa 15 Minuten stehenlassen, trockentupfen, mit
Salz frisch gemahlenem Pfeffer	bestreuen
2 EL gemischte, gehackte Kräuter	darauf verteilen
3 Tomaten	kurze Zeit in kochendes Wasser legen (nicht kochen lassen), in kaltem Wasser abschrecken, enthäuten, die Stengelansätze herausschneiden, die Tomaten vierteln, auf jedes Fischstück 3 Tomatenviertel legen, mit
Kräutersalz	bestreuen
750 ml (¾ l) Wasser	in einen ovalen Bratentopf mit Einsatz gießen, zum Kochen bringen den Einsatz gut ausfetten, die Fischstücke hineinlegen, den Einsatz in den Topf setzen die Fischstücke im geschlossenen Topf gar dämpfen lassen die Fischstücke auf einer Platte anrichten, warm stellen.

Für die Kräuter-Sahne-Sauce

1 Becher (150 g) Crème fraîche	mit
1 Eigelb	in einen Topf geben
etwas Senf 2 EL gemischte, gehackte Kräuter	unterrühren, mit Salz, Pfeffer würzen, unter ständigem Schlagen bei schwacher Hitze erhitzen die Sauce mit Salz, Pfeffer
Zitronensaft	abschmecken.
Dämpfzeit für den Fisch:	etwa 15 Minuten.
Erhitzungszeit für die Sauce:	etwa 5 Minuten.

HEILBUTT VOM GRILL (Foto)

4 Heilbuttschnitten (je etwa 200 g)	unter fließendem kaltem Wasser abspülen, trockentupfen, mit
Saft von 1 Zitrone	beträufeln, etwa 15 Minuten stehenlassen
500 g Zucchini	waschen, evtl. schälen, in etwa 1 cm dicke Scheiben schneiden
250 g Gemüsezwiebeln	abziehen, in Ringe schneiden
250 g Tomaten	kurze Zeit in kochendes Wasser legen, in kaltem Wasser abschrecken, enthäuten, vierteln, entkernen
4 EL Olivenöl	erhitzen, die Zucchinischeiben unter ständigem Rühren so lange darin erhitzen, bis sie hellbraun sind, die Zwiebelringe und Tomatenviertel dazugeben, schmoren lassen, mit
1 TL Salz frisch gemahlenem Pfeffer Thymian Basilikum Oregano	würzen, das Gemüse warm stellen die Fischscheiben mit
1 EL Speiseöl	bestreichen, auf den Rost legen, unter den vorgeheizten Grill schieben, von beiden Seiten grillen, mit Pfeffer,
Salz	würzen das Gemüse mit den Heilbuttscheiben auf einer vorgewärmten Platte oder auf Tellern anrichten, mit
halbierten, mit Paprika gefüllten spanischen Oliven Zitronenscheiben	garnieren.
Schmorzeit für das Gemüse:	15-20 Minuten.
Grillzeit für den Fisch: Ober-/Unterhitze:	jede Seite 8-10 Minuten
Gas:	jede Seite 8-10 Minuten.

Im Sommer

201

HUMMERKRABBEN MIT KRÄUTERN

32 Hummerkrabben (ohne Kopf)	unter fließendem kaltem Wasser abspülen, trockentupfen, auf vier Grillspieße stecken
1 Bund Majoran 1 Bund Basilikum	die Kräuter unter fließendem kaltem Wasser abspülen, trockentupfen, fein hacken
4 Fleischtomaten	kreuzweise am Stengelansatz einschneiden, kurz in kochendes Wasser legen (nicht kochen lassen), in kaltem Wasser abschrecken, enthäuten, entkernen, in grobe Würfel schneiden
2 Zwiebeln 2 Knoblauchzehen	abziehen, fein würfeln
4 EL Speiseöl	in einer Pfanne erhitzen, die Hummerkrabben von jeder Seite etwa 5 Minuten darin braten, herausnehmen, warm stellen, das Öl abgießen
100 g Butter	zerlassen, Zwiebel- und Knoblauchwürfel darin dünsten, Tomaten dazugeben, in der Butter schwenken, mit den Kräutern,
Salz, Pfeffer	abschmecken, über die Hummerkrabben geben.
Beilage:	frisches Baguette.

KAJÜTEN-SCHMAUS

2 Zwiebeln	abziehen, in Ringe schneiden
2-3 EL Tomaten-Paprika (aus dem Glas)	abtropfen lassen
2 Äpfel	schälen, vierteln, entkernen, in Streifen schneiden, mit
Zitronensaft	beträufeln
4 Scheiben küchenfertiges Seelachsfilet (je etwa 200 g)	unter fließendem kaltem Wasser abspülen, trockentupfen, mit Zitronensaft beträufeln, etwa 15 Minuten stehenlassen, trockentupfen, mit

Salz, Pfeffer	bestreuen, in
zerriebenem Zwieback	wenden
etwa 2 EL Butter	zerlassen, die Fischscheiben von beiden Seiten darin goldbraun braten, auf einer vorgewärmten Platte anrichten, warm stellen
etwa 75 g mageren, durchwachsenen Speck	in Würfel schneiden
1-2 EL Speiseöl	erhitzen, Speck- und Zwiebelwürfel darin glasig dünsten lassen, Tomaten-Paprika, Apfelstreifen hinzufügen, etwa 5 Minuten mitdünsten lassen, über das Seelachsfilet geben, mit
1 TL Paprika edelsüß	bestreut servieren.
Bratzeit für den Fisch:	10-15 Minuten.
Dünstzeit für das Gemüse:	etwa 10 Minuten.
Beilage:	Röstkartoffeln.

KNOBLAUCHSCAMPI (Foto)

24 Scampi	unter fließendem kaltem Wasser abspülen, trockentupfen
4-5 EL Speiseöl	in einer Pfanne erhitzen, die Scampi darin etwa 5 Minuten braten, auf einer vorgewärmten Platte anrichten, warm stellen
4 Knoblauchzehen	abziehen, fein hacken
2 Fleischtomaten	kurze Zeit in kochendes Wasser legen (nicht kochenlassen), in kaltem Wasser abschrecken, enthäuten, die Stengelansätze herausschneiden, die Tomaten entkernen, in Würfel schneiden
1 Bund Petersilie	unter fließendem kaltem Wasser abspülen, trockentupfen, die Stengel entfernen, die Blättchen fein hacken das Bratfett der Scampi abgießen
80 g Butter	in der Pfanne zerlassen, Knoblauch darin andünsten, Tomaten und Petersilie dazugeben, mitdünsten, mit
Salz, Pfeffer	abschmecken, über die Scampi geben, sofort servieren.
Hinweis:	Safranreis oder ofenwarmes Baguette dazu reichen.

203

LACHSSCHNITTE VOM GRILL (Foto)

4 Scheiben Lachs (je etwa 200 g)	unter fließendem kaltem Wasser abspülen, trockentupfen, mit
Salz frisch gemahlenem Pfeffer	würzen, mit
Zitronensaft	beträufeln den Lachs unter den Grill in den vorgeheizten Backofen schieben, von jeder Seite etwa 10 Minuten grillen
4 Tomaten	unter fließendem kaltem Wasser abspülen, trockentupfen, kreuzweise einschneiden, mit Salz, Pfeffer würzen, etwa 5 Minuten vor Ende der Garzeit ebenfalls unter den Grill setzen Lachs und Tomaten auf Tellern anrichten, mit
100 g Kräuterbutter Kresseblättchen	servieren.

MAKRELEN IN PFEFFERRAHM

8 Makrelenfilets (je etwa 100 g)	unter fließendem kaltem Wasser abspülen, trockentupfen, die Haut mehrmals schräg einritzen, die Filets mit
Zitronensaft	beträufeln, mit
Salz 1 TL zerstoßenen rosa Pfefferkörnern	würzen
6-8 EL Speiseöl	in einer Pfanne erhitzen, die Makrelen von beiden Seiten in etwa 5 Minuten knusprig braten, herausnehmen, warm stellen, das Öl abgießen
1 kleine Zwiebel	abziehen, fein würfeln
50 g Butter	zerlassen, die Zwiebelwürfel darin andünsten, mit
100 ml trockenem Rosé-Wein 100 ml Schlagsahne	ablöschen, einkochen lassen, nochmals mit Salz, Pfeffer abschmecken.
Beilage:	Salzkartoffeln.

Paprikamakrelen

4 küchenfertige Makrelen (je etwa 250 g)	unter fließendem kaltem Wasser abspülen, trockentupfen, enthäuten, filetieren, mit
Zitronensaft oder verdünnter Essig-Essenz (25 %)	beträufeln, etwa 15 Minuten stehenlassen
4 - 5 Zwiebeln	abziehen, würfeln
4 grüne Paprikaschoten	halbieren, entstielen, entkernen, die weißen Scheidewände entfernen, die Schoten waschen, in Streifen schneiden
6 - 8 Tomaten	kurze Zeit in kochendes Wasser legen, in kaltem Wasser abschrecken, enthäuten, halbieren, entkernen, in Stücke schneiden
2 EL Speiseöl	in einer feuerfesten Form erhitzen, die Zwiebelwürfel darin glasig dünsten lassen, Paprika, Tomaten hinzufügen, mit
Salz frisch gemahlenem Pfeffer Paprika edelsüß	würzen, etwa 15 Minuten dünsten lassen
1 - 2 Knoblauchzehen	abziehen, sehr fein hacken, über das Gemüse geben die Fischfilets darauf legen, mit Salz, Pfeffer würzen
2 Bund Petersilie	waschen, hacken, auf dem Fisch verteilen
125 ml (⅛ l) - 250 ml (¼ l) Weißwein	hinzugießen, zugedeckt auf dem Rost in den Backofen schieben.
Ober-/Unterhitze:	etwa 225 °C (vorgeheizt)
Heißluft:	etwa 200 °C (nicht vorgeheizt)
Gas:	Stufe 3 - 4 (vorgeheizt)
Dünstzeit:	etwa 20 Minuten.
Beilage:	Salzkartoffeln, Grüner Salat.

Im Sommer

SCHOLLE AUF MATROSENART

4 kleine küchenfertige Schollen	unter fließendem kaltem Wasser abspülen, trockentupfen, mit
Salz, Pfeffer	würzen
60 g Butter	in einer Fettpfanne im Backofen zerlassen
2 Zwiebeln	abziehen, fein würfeln, mit
1 Bund gehackter Petersilie	in die Fettpfanne geben, die Fische mit der dunklen Haut nach unten nebeneinander hineinlegen
375 ml (³/₈ l) Cidre (Apfelwein)	hinzugießen, dünsten lassen
250 g Muschelfleisch (aus der Dose)	
150 g Krabbenfleisch (aus der Dose)	abtropfen lassen, etwa 5 Minuten vor Beendigung der Dünstzeit zu den Schollen geben, miterhitzen.
Dünstzeit:	20-25 Minuten.
Beilage:	Reis oder Kartoffelbrei, Grüner Salat, Gurken-Dill-Salat.

SCHOLLENFILET MIT SHRIMPS

16 Schollenfilets (je etwa 60 g)	unter fließendem kaltem Wasser abspülen, trockentupfen, mit
Salz frisch gemahlenem Pfeffer	würzen, mit
3 EL Weizenmehl	bestäuben
125 ml (⅛ l) Speiseöl	in einer beschichteten Pfanne erhitzen, die Filets darin 8-10 Minuten braten, warm stellen
4 Scheiben Toastbrot	in Würfel schneiden
1 Bund Petersilie	unter fließendem kaltem Wasser abspülen, trockentupfen, fein hacken
150 g Butter	in einer zweiten Pfanne zerlassen, die Toastbrotwürfel darin bräunen, Petersilie,
200 g Shrimps	unterrühren, mit Salz, Pfeffer abschmecken, über die Schollenfilets geben.
Beilage:	Endiviensalat.

Steinbutt mit Krabben (Foto)

(Für 3 Personen)

1 Steinbutt (etwa 1 ¼ kg)	unter fließendem kaltem Wasser abspülen, trockentupfen, filetieren, die Filets beiseite stellen.

Für die Krabbensauce

1 Stange Lauch 1 Stück Sellerie	beide Zutaten putzen, waschen, grob zerkleinern
1 kleine Zwiebel	abziehen, vierteln
1 Bund Petersilie	vorsichtig abspülen
2 EL Speiseöl	erhitzen, das Gemüse darin andünsten
Steinbuttgräten und -abfälle	hinzufügen, mit
Korianderkörnern frisch gemahlenem weißem Pfeffer	würzen, dünsten lassen, bis die Fischreste an den Gräten weiß sind
250 ml (¼ l) Weißwein	hinzugießen, zum Kochen bringen, etwas einkochen lassen
500 ml (½ l) Wasser	hinzugießen, zum Kochen bringen, auf etwa 300 ml Flüssigkeit einkochen lassen, durch ein Sieb gießen
1 Becher (150 g) Crème fraîche	unterrühren, auf etwa 200 ml einkochen lassen die Sauce mit Salz, Pfeffer
Weißwein	würzen, beiseite stellen
40 g Butter	in der Flambierpfanne auf dem Rechaud erhitzen, die Steinbutt-Filets darin von beiden Seiten insgesamt etwa 7 Minuten braten, herausnehmen, warm stellen

100 g Krabben	in das Bratfett geben, die Sauce hinzufügen, mit Salz, Pfeffer würzen
2-3 EL trockenen Sherry	
1 EL gehackten Dill	unterrühren, die Fischfilets in die Sauce geben, kurz miterhitzen, sofort servieren.
Garzeit für die Sauce:	etwa 45 Minuten.
Bratzeit für den Fisch:	etwa 7 Minuten.
Beilage:	Stangenweißbrot, Feldsalat mit Champignonscheiben.

ZANDER IN GEMÜSE

1 küchenfertigen Zander (etwa 1 ½ kg)	unter fließendem kaltem Wasser abspülen, trockentupfen, mit
2 EL Zitronensaft	beträufeln, 15-20 Minuten stehenlassen, trockentupfen
6-8 Zwiebeln (etwa 300 g)	abziehen, vierteln
500 g Champignons	putzen, waschen, große Köpfe halbieren
50 g Butter	in einer Kasserolle zerlassen, die Zwiebelviertel darin andünsten, die Champignons hinzufügen, kurz durchdünsten lassen, mit
Salz frisch gemahlenem Pfeffer	würzen den Zander außen und innen mit Salz, Pfeffer bestreuen, an den Rand der Kasserolle setzen, mit
6 Scheiben durchwachsenem Speck	belegen die Kasserolle mit dem Deckel verschließen, auf dem Rost in den vorgeheizten Backofen schieben
4-5 Tomaten (etwa 375 g)	kurze Zeit in kochendes Wasser legen (nicht kochen lassen), in kaltem Wasser abschrecken, enthäuten, die Stengelansätze herausschneiden, die Tomaten vierteln, mit Salz, Pfeffer bestreuen

etwa 20 Minuten vor Beendigung der Dünstzeit zu dem Zander geben

1 Becher (150 g) Crème fraîche	mit
1 EL Tomatenmark	
1 TL scharfem Senf	verrühren, über den Fisch geben die Kasserolle ohne Deckel wieder in den Backofen schieben den garen Fisch auf einer vorgewärmten Platte anrichten Gemüse und Sauce mit Salz, Pfeffer abschmecken, um den Fisch geben, mit
2 EL gehackter Petersilie	bestreuen
Ober-/Unterhitze:	etwa 225 °C (vorgeheizt)
Heißluft:	etwa 200 °C (nicht vorgeheizt)
Gas:	Stufe 4 - 5 (vorgeheizt)
Dünstzeit:	etwa 40 Minuten.

KRÄUTER-MATJES

8 Matjesfilets Mineralwasser	1 - 2 Stunden in wässern, trockentupfen.

Für die Sauce

3 Zwiebeln	abziehen
½ Salatgurke	waschen, abtrocknen evtl. schälen
2 mittelgroße Äpfel	schälen, vierteln, entkernen die drei Zutaten in feine Würfel schneiden, mit
2 Bechern (je 150 g) Crème fraîche	
2 EL Weinessig	
2 EL Weißwein	verrühren, mit
Salz frisch gemahlenem Pfeffer	würzen
1 Bund feingeschnittenen Schnittlauch	mit
1 Bund gehacktem Dill	vermengen, die Matjesfilets darin wenden die Sauce auf eine Platte geben, die Kräuter-Matjes darauf anrichten.

ROSMARIN

Immer grün und immer erntebereit ist der Rosmarinstrauch. Seine jungen Triebspitzen und nadelförmigen Blätter eignen sich hervorragend zum Würzen von Schweinebraten und Hammelfleisch. Aber auch für Wild und Geflügel ist der intensiv schmeckende Rosmarin mit seinem süßlich-bitteren Aroma passend. Man kann ihn übrigens ähnlich wie Thymian gleich mit Stiel in den Topf geben. Aber bitte sparsam dosieren und nach der Garzeit wieder entfernen, um die bittere Nuance nicht überhand nehmen zu lassen. Zurück bleibt dann ein überaus kräftiger, mitunter leicht harziger Geschmack, der selbst einfachen Hackfleischgerichten noch eine unerwartet raffinierte Note verleiht.

RUMPSTEAK AUF ROSMARINZWEIGEN

4 Rumpsteaks (je etwa 200 g)	unter fließendem kaltem Wasser abspülen, mit Haushaltspapier trockentupfen
3 EL Speiseöl	in einer Pfanne ohne Kunststoffgriff erhitzen, die Rumpsteaks darin von jeder Seite etwa 2 Minuten braten, mit
Salz, Pfeffer	würzen, aus der Pfanne nehmen
4 frische Rosmarienzweige	in die Pfanne legen, die Pfanne vom Herd nehmen, die Rumpsteaks auf die Rosmarienzweige legen die Pfanne auf dem Rost in den vorgeheizten Backofen schieben, die Steaks von jeder Seite 3-4 Minuten ziehen lassen.
Hinweis:	Baguette und Kräuterbutter dazu reichen.

GEFÜLLTE SCHMORGURKEN

Für die Füllung

400 g Hackfleisch (halb Rind-, halb Schweinefleisch) 125 ml (⅛ l) Wasser	in geben, zum Kochen bringen, so lange kochen lassen, bis die Flüssigkeit verdampft ist, dabei die Fleischklümpchen mit einer Gabel zerdrücken
2 Möhren	putzen, schälen, waschen, raspeln
1 dünne Stange Lauch	putzen, gründlich waschen, sehr fein schneiden
1 EL Butter	zerlassen, das Gemüse darin weichdünsten
2 Knoblauchzehen	abziehen, zerdrücken Hackfleisch, Gemüse, Knoblauch mit
1 Becher (200 g) Schmand 2 Bund feingehacktem Dill Salz	verrühren, mit
frisch gemahlenem Pfeffer	abschmecken.
4 Schmorgurken	schälen, längs halbieren, entkernen die Gurkenhälften nebeneinander in eine gefettete feuerfeste Form legen, die Füllung in die Gurken geben
1 EL Semmelbrösel	mit
2 EL frisch geriebenem Parmesan-Käse	vermengen, über die Füllung streuen
1 große, abgezogene Fleischtomate	in Würfel schneiden (Stengelansatz herausschneiden) die Tomatenwürfel um die Gurken legen
125 ml (⅛ l) Fleischbrühe	hinzugießen die Form auf dem Rost in den vorgeheizten Backofen schieben
Ober-/Unterhitze:	etwa 200 °C (vorgeheizt)
Heißluft:	etwa 180 °C (nicht vorgeheizt)
Gas:	etwa Stufe 3 (vorgeheizt)
Backzeit:	etwa 45 Minuten.
Beilage:	Reis oder frisch gebackenes Knoblauch-Baguette.

GRATINIERTES KALBSKOTELETT

Fleisch und Geflügel

200 g Pellkartoffeln	pellen, reiben, mit
200 g geriebenem Allgäuer Emmentaler	
1 Eigelb	verrühren
1 Bund Schnittlauch	
1 Bund Kerbel	
	die Kräuter abspülen, trockentupfen, fein hacken, unter die Kartoffel-Käse-Masse rühren, mit
Salz	
frisch gemahlenem weißen Pfeffer	würzen
4 Kalbskoteletts (je 200 g)	abspülen, trockentupfen
100 ml Olivenöl	erhitzen, die Kalbskoteletts darin von beiden Seiten kurz anbraten, mit Salz, Pfeffer würzen, auf ein gefettetes Backblech legen
	die Kartoffel-Käse-Masse gleichmäßig auf die Koteletts streichen
	das Blech in den vorgeheizten Backofen schieben, die Koteletts goldbraun überbacken
Ober-/Unterhitze:	150-175 °C (vorgeheizt)
Heißluft:	130-150 °C (nicht vorgeheizt)
Gas:	Stufe 2-3 (vorgeheizt)
Überbackzeit:	etwa 25 Minuten.
Hinweis:	Grüne Bohnen mit Kräuterbutter dazureichen.

HACKFLEISCHSPIESSE

300 g mageres Hackfleisch (Lamm oder Rind)	mit
300 g Schweinemett	verkneten
1 Zwiebel	abziehen, fein würfeln
2 Knoblauchzehen	abziehen, zerdrücken
1 Bund glatte Petersilie	abspülen, trockentupfen, fein hacken
	die drei Zutaten mit dem Hackfleisch,
1 TL Senf	
1 TL Salz	
1 TL frisch gemahlenem Pfeffer	verkneten

aus der Hackfleischmasse mit nassen Händen
2 - 3 cm dicke Röllchen formen,
Metall-Grillspieße durch die Röllchen stecken
die Hackfleischspieße auf den Holzkohlengrill
oder auf Alufolie unter den Elektrogrill legen,
in etwa 10 Minuten von allen Seiten knusprig
braun grillen.

Für die Joghurtsauce

2 Knoblauchzehen	abziehen, zerdrücken, mit
500 g Joghurt	
4 EL zerlassener Butter	
2 EL feingehacktem Dill	verrühren, zu den Spießen servieren.
Beilage:	Fladenbrot, Salat.

HAMMELRÜCKEN MIT GRÜNEN BOHNEN

1 kg Hammelkotelett	waschen, abtrocknen, etwa 24 Stunden in
1 l Buttermilch	legen
	das Fleisch waschen, abtrocknen, von Haut und fast allem Fett befreien (es darf nur noch eine dünne Fettschicht am Fleisch bleiben), das Fleisch mit
Salz, Pfeffer Thymian	einreiben
2 Packungen (je 300 g) Tiefkühl-Brechbohnen	mit Salz,
Bohnenkraut	in den gewässerten Tontopf geben, das Fleisch darauf legen, den Tontopf mit dem Deckel verschließen, in den Backofen stellen das gare Fleisch von den Knochen lösen, in Scheiben schneiden, mit den Bohnen auf einer vorgewärmten Platte anrichten, warm stellen die Bohnen-Fleischbrühe mit
Wasser	auf 250 ml (¼ l) auffüllen
2 TL Speisestärke	mit
1 EL kaltem Wasser	anrühren, die Flüssigkeit damit binden
2 EL Schlagsahne oder	

213

Dosenmilch unterrühren, die Sauce mit Salz abschmecken
Ober-/Unterhitze: 200-225 °C (vorgeheizt)
Heißluft: 180-200 °C (nicht vorgeheizt)
Gas: Stufe 4 - 5 (vorgeheizt)
Garzeit: etwa 1 ¾ Stunden.

KALBFLEISCH, MARINIERT

1 kg Kalbfleisch (Nuß) unter fließendem kaltem Wasser abspülen
1 Bund Suppengrün putzen, waschen, grob zerkleinern, mit
1 ½ l Wasser zum Kochen bringen, das Kalbfleisch,
1 TL Pfefferkörner hinzufügen, zum Kochen bringen, abschäumen, bei
schwacher Hitze etwa 40 Minuten kochen lassen
das Fleisch herausnehmen, abkühlen lassen
die Brühe durch ein Sieb gießen, nach Belieben
als Suppe verwenden.

Für die Marinade

2 Knoblauchzehen abziehen, durchpressen, mit
5 EL Weinessig
1 TL Dijon-Senf
Salz
frisch gemahlenem Pfeffer
¼ TL Zucker verrühren
2 Frühlingszwiebeln abziehen, das Grün entfernen, das weiße Lauch
kleinschneiden

200 g Cornichons
(aus dem Glas) abtropfen lassen, kleinschneiden
1 - 2 TL Kapern

die drei Zutaten in die Marinade geben
6 EL kaltgepreßtes Olivenöl unterrühren
Basilikumblättchen fein schneiden, hinzufügen
das Kalbfleisch in dünne Scheiben schneiden,
auf einer Platte anrichten, die Marinade darüber geben, etwas durchziehen lassen.

KALBSLEBER MIT BANANEN

500 - 600 g Kalbsleber-scheiben	unter fließendem kaltem Wasser abspülen, trockentupfen
2 EL Butter	in einer Pfanne erhitzen die Leberscheiben darin von beiden Seiten braten, mit
Salz frisch gemahlenem Pfeffer	bestreuen, aus der Pfanne nehmen, mit dem Bratensatz begießen, warm stellen die Pfanne mit Küchenpapier säubern
2 EL Butter	darin erhitzen
4 Bananen	schälen, mit
40 g abgezogenen, gehobelten Mandeln	unter Wenden darin leicht bräunen lassen, an den Rand der Pfanne schieben, die Leberscheiben in die Pfanne geben, kurz erhitzen, mit
6 EL Weinbrand	flambieren.
Bratzeit für die Leber:	etwa 7 Minuten.
Beigabe:	Stangenweißbrot, Salat.

Im Sommer

KALBSSCHNITZEL MIT KRUSTE

(Foto)

4 Kalbsschnitzel (je etwa 150 g)	unter fließendem kaltem Wasser abspülen, trockentupfen, mit
Salz frisch gemahlenem Pfeffer	würzen
50 g Butter	mit
2 EL geriebenem Meerrettich (aus dem Glas) 2 EL gemischten, gehackten Kräutern (Schnittlauch, Petersilie, Kerbel, Estragon)	cremig rühren, mit Salz, Pfeffer würzen
1 - 2 EL Semmelbrösel	
2 Eigelb	unterrühren

50 g Butter	in einer Pfanne erhitzen, die Schnitzel darin von beiden Seiten etwa 2 Minuten braten, aus der Pfanne nehmen, in eine feuerfeste Form legen, die Schnitzel mit der Kräutermischung bestreichen die Form auf dem Rost in den vorgeheizten Backofen schieben und das Fleisch etwa 10 Minuten überbacken lassen
Ober-/Unterhitze:	etwa 250 °C (vorgeheizt)
Heißluft:	etwa 225 °C (nicht vorgeheizt)
Gas:	Stufe 5 - 6 (vorgeheizt).
Hinweis:	Röstkartoffeln und Salat dazu reichen.

KALBSSTEAKS MIT GEGRILLTEN BANANEN

2 Bananen (je 175 g)	schälen, der Länge nach halbieren
20 g Butter	zerlassen, mit
½ gestrichenen TL Currypulver	
½ gestrichenen TL Paprika edelsüß	verrühren einen Grillrost mit Alufolie belegen, die Bananenhälften mit der Hälfte der zerlassenen Butter bestreichen, unter den vorgeheizten Grill schieben, von jeder Seite grillen nach dem Umdrehen die Bananen mit der restlichen Butter bestreichen die gegrillten Bananen warm stellen
4 Kalbssteaks (je etwa 125 g, gut 2 cm dick)	unter fließendem kaltem Wasser abspülen, trockentupfen, leicht flachdrücken die Steaks auf den heißen Grillrost legen, unter den vorgeheizten Grill schieben
1 EL Speiseöl	mit
1 Messerspitze Paprika edelsüß	verrühren, die Steaks jeweils nach 1 Minute damit bestreichen die garen Steaks mit

216

Salz	bestreuen, mit den Bananenhälften auf einer vorgewärmten Platte anrichten.
Grillzeit für die Bananen:	Von jeder Seite etwa 2 Minuten.
Grillzeit für die Steaks:	Von jeder Seite etwa 4 Minuten.

LAMMFILET

(Für 2 - 3 Personen)

1 kg Lammrücken	das Filet vom Schlachter auslösen lassen.

Für die Sauce

Lammrücken-Knochen (in 3 Stücke zerteilt)	waschen, abtrocknen
2 EL Speiseöl	erhitzen, die Lammknochen gut darin anbraten, herausnehmen
1 Bund Suppengrün	
100 g Champignons	beide Zutaten putzen, würfeln die Zutaten in dem Bratfett kräftig anbraten
1 Zweig Thymian	
1 Zweig Rosmarin	die Kräuter vorsichtig abspülen, trockentupfen, mit den angebratenen Knochen,
1 Lorbeerblatt	zu dem Gemüse geben
500 ml (½ l) Wasser	
125 ml (⅛ l) Weißwein	hinzugießen, zum Kochen bringen, im geschlossenen Topf etwa 20 Minuten kochen lassen, weitere etwa 40 Minuten im geöffneten Topf kochen lassen, bis auf etwa 200 ml Brühe einkochen lassen, die Knochen herausnehmen, die Brühe mit dem Gemüse durch ein Sieb streichen, mit
Salz	
frisch gemahlenem Pfeffer	würzen, warm stellen die Lammrücken-Filets von Haut und evtl. Fett befreien, unter fließendem kaltem Wasser abspülen, trockentupfen, mit
Salz	
frisch gemahlenem Pfeffer	

gehackten
Thymianblättchen   bestreuen
30 g Butterschmalz   in einer Pfanne erhitzen, die Filets darin von allen
Seiten 12-15 Minuten braten, mit
3-4 EL Weinbrand   flambieren
die Lammfilets schräg in Scheiben schneiden,
mit der Sauce anrichten.
Beilage: Röstkartoffeln, Prinzeßböhnchen.

LAMMKEULE
IN PERGAMENTPAPIER (Foto)

(Für 6 Personen)

1 Lammkeule (2 kg)   unter fließendem kaltem Wasser abspülen,
trockentupfen, das Fleisch schräg einstechen
3 Knoblauchzehen   abziehen, in Stifte schneiden, in das Fleisch
stecken, mit

1 EL Kräutern
der Provence   bestreuen
die Lammkeule auf Pergamentpapier legen
200 g Schafskäse   in Scheiben schneiden, auf dem Fleisch verteilen
das Pergamentpapier mehrmals um das Fleisch
wickeln, mit Küchengarn verschnüren
die Lammkeule auf dem Rost in die
Fettfangschale legen, in den Backofen schieben
Ober-/Unterhitze: etwa 200 °C (vorgeheizt)
Heißluft: etwa 180 °C (nicht vorgeheizt)
Gas: Stufe 2-3 (vorgeheizt)
Bratzeit: etwa 2 ½ Stunden
die gare Keule vor dem Anschneiden etwa
10 Minuten „ruhen" lassen.
Hinweis: In Pergamentpapier gewickelt bleibt das Fleisch
sehr saftig. Schafskäse gibt dem Lammfleisch
zusätzliche Würze.

Leber mit Salbei

500 g Zwiebeln	abziehen, würfeln
50 g Butter	zerlassen, Zwiebelwürfel darin goldgelb dünsten lassen, herausnehmen,
800 g Kalbsleber	unter fließendem kaltem Wasser abspülen, trockentupfen, von der feinen Haut, den Sehnen und Röhren befreien, in dünne Scheiben schneiden, mit
Salz	
frisch gemahlenem Pfeffer	würzen
50 g Butter	erhitzen, die Leberstreifen darin unter Wenden braun braten, herausnehmen, mit
3 - 4 EL Zitronensaft	beträufeln, warm stellen, den Bratensatz mit
100 ml (⅛ l) Weißwein	loskochen
2 Zweige Salbei	abspülen, trockentupfen, die Blättchen abzupfen, fein hacken, mit den gedünsteten Zwiebelwürfeln in den losgekochten Bratensatz geben, kurz erhitzen, die geschnetzelte Leber hinzufügen, miterhitzen
1 - 2 Bund Petersilie	abspülen, trockentupfen, fein hacken, zusammen mit
50 ml Weißwein	auf die Leberpfanne geben, sofort servieren.
Garzeit für die Zwiebeln:	etwa 10 Minuten.
Bratzeit für die Leber:	etwa 5 Minuten.
Beilage:	Stangenweißbrot.
Hinweis:	Anstelle von frischem Salbei kann auch getrockneter verwendet werden. Vorsichtiges Dosieren ist erforderlich, da getrockneter Salbei sehr aromatisch ist.

Italienisches Roastbeef

Für die Marinade

5 EL Portwein	mit
2 EL Zitronensaft	
2 TL Kapern	
2 EL Olivenöl	verrühren, mit

Salz	
frisch gemahlenem Pfeffer	würzen
8 Scheiben Roastbeef (etwa 150 g)	in die Marinade geben, etwa 2 Stunden ziehen lassen, in der Marinade servieren.

RINDERFILET

1 kg Filet (gut abgehangen)	unter fließendem kaltem Wasser abspülen, trockentupfen, enthäuten, mit
Salz	
frisch gemahlenem Pfeffer	einreiben, mit
Speiseöl	bestreichen, auf dem gefetteten Rost auf eine mit Wasser ausgespülte Fettfangschale legen, in den vorgeheizten Backofen schieben, braten lassen, ab und zu wenden
	das gare Fleisch vor dem Schneiden etwa 10 Minuten „ruhen" lassen, damit sich der Fleischsaft setzt, auf einer vorgewärmten Platte anrichten
Ober-/Unterhitze:	225 - 250 °C (vorgeheizt)
Heißluft:	200 - 220 °C (nicht vorgeheizt)
Gas:	Stufe 6 - 7 (vorgeheizt)
Bratzeit:	etwa 30 Minuten.
Beilage:	Broccoli, Herzogin-Kartoffeln.
Hinweis:	Das Rinderfilet vor dem Braten in einer Öl-Weinbrand-Kräuter-Mischung über Nacht marinieren. Das Filet wird dann noch zarter.

RINDFLEISCH

(Im Schnellkochtopf)

500 g Fleischknochen	unter fließendem kaltem Wasser abspülen, mit
1 ½ l kaltem Salzwasser	in den Schnellkochtopf geben, den Topf schließen, erst dann den Kochregler auf Stufe II schieben, wenn reichlich Dampf entwichen ist (nach etwa 1 Minute), nach Erscheinen des 2. Ringes etwa 30 Minuten garen lassen

den Topf von der Kochstelle nehmen, den
Kochregler langsam stufenweise zurückziehen und
den Topf öffnen

1 kg Rinderbrust
(ohne Knochen) unter fließendem kaltem Wasser abspülen
1 mittelgroße Zwiebel abziehen
1 Bund Suppengrün putzen, waschen
die Zutaten in die Brühe geben, den Topf schließen,
nach Erscheinen des 2. Ringes das Fleisch etwa
15 Minuten garen lassen, den Topf von der
Kochstelle nehmen, den Regler langsam stufenweise
zurückziehen und den Topf öffnen, das Fleisch
herausnehmen, in Scheiben schneiden, auf einer
vorgewärmten Platte anrichten, mit etwas von der
Brühe übergießen, mit dem Suppengrün garnieren.
Garzeit: etwa 45 Minuten.

FARMERSTEAK

1 Brötchen in kaltem Wasser einweichen, gut ausdrücken
1 Zwiebel abziehen, fein würfeln
500 g Gehacktes
(halb Rind-, halb
Schweinefleisch) mit dem Brötchen, den Zwiebelwürfeln,
2 EL gehackter Petersilie
100 g grob gehackten
Erdnußkernen vermengen, mit
flüssiger Speisewürze
Salz
frisch gemahlenem
schwarzen Pfeffer
Paprika edelsüß würzen
vier große Steaks aus dem Fleischteig formen,
auf Alufolie auf den Grill legen, von
jeder Seite etwa 8 Minuten grillen
1 grüne Paprikaschote vierteln, entstielen, entkernen, die weißen
Scheidewände entfernen, die Schoten waschen, in
sehr feine Würfel schneiden, auf die gegrillten
Steaks streuen.

DEUTSCHES BEEFSTEAK

600 g Tatar	mit
2 EL weicher Butter	vermengen, mit
Salz	
frisch gemahlenem Pfeffer	würzen, etwa 1 cm dicke Frikadellen daraus formen, in
1 - 2 EL Weizenmehl	wenden
3 EL Speiseöl	erhitzen, die Frikadellen darin von jeder Seite etwa 2 Minuten braten, auf vorgewärmte Teller geben
1 Packung (200 g) Frühlings-Quark	verrühren, über die Frikadellen geben, mit
Tomatenscheiben	
Basilikumblättchen	garnieren.
Beilage:	Bratkartoffeln.

ZUNGENRAGOUT FEINE ART

(Für 6 Personen)

1 gepökelte Rinderzunge (etwa 1 ¼ kg)	unter fließendem kaltem Wasser abspülen, in
2 l kochendes Salzwasser	geben
1 Bund Suppengrün	putzen, waschen, kleinschneiden
1 Zwiebel	abziehen, beide Zutaten mit
1 Lorbeerblatt	
10 Pfefferkörnern	zu der Zunge geben, zum Kochen bringen, gar kochen lassen, die Zunge aus der Brühe nehmen, prüfen, ob sie gar ist
	die Zunge mit kaltem Wasser abspülen, die Haut abziehen, das obere knorpelige Ende ablösen
	die Zunge in Scheiben schneiden
	die Brühe durch ein Sieb gießen, 1 l davon abmessen.

Für die Sauce

100 g Butter	zerlassen
100 g Weizenmehl	unter Rühren so lange darin erhitzen, bis es fast dunkelbraun ist

1 l Zungenbrühe	hinzugießen, mit einem Schneebesen durchschlagen, darauf achten, daß keine Klumpen entstehen, die Sauce zum Kochen bringen, etwa 5 Minuten kochen lassen
250 ml (¼ l) Madeira	hinzugießen, erhitzen die Sauce mit
Salz, Pfeffer, Zucker	abschmecken die Zungenscheiben,
150 g Cocktailwürstchen (aus dem Glas) etwa 250 g gedünstete Champignons	in die Sauce geben, zum Kochen bringen, einige Minuten kochen lassen das Ragout evtl. nochmals mit Salz, Pfeffer, Zucker abschmecken, in eine vorgewärmte Schüssel geben, mit
Blätterteig-Halbmonden	garnieren.
Kochzeit für die Zunge:	2 ¼ - 2 ½ Stunden.
Für die Sauce	etwa 10 Minuten.

ENTENBRUST MIT JOHANNISBEERSAUCE

Etwa 750 g Entenbrustfilets (von 2 Entenbrüsten mit Haut)	unter fließendem kaltem Wasser abspülen, trockentupfen
50 g Butterschmalz	erhitzen, die Filets darin von jeder Seite 7 - 8 Minuten braten lassen, herausnehmen, in Alufolie wickeln, warm stellen
2 - 3 Zwiebeln	abziehen, fein würfeln, in dem Bratfett glasig dünsten lassen
50 g rote und 50 g schwarze Johannisbeertrauben	verlesen, waschen, abtropfen lassen, entstielen die Hälfte der Beeren in das Bratenfett geben, etwa 5 Minuten dünsten lassen

4 EL Schlagsahne
125 ml (⅛ l) Fleischbrühe
1 EL Weinbrand   unterrühren, alles einmal aufkochen lassen, durch ein Sieb streichen
die Sauce wieder zum Kochen bringen, etwas einkochen lassen, mit

Salz
Cayennepfeffer   abschmecken
die restlichen Beeren in die Sauce geben, miterhitzen
die Entenbrust mit der Sauce servieren, mit

Johannisbeertrauben   garnieren.
Bratzeit: etwa 15 Minuten.
Beilage: Kartoffelkroketten.

GEFLÜGELSCHASCHLIK

500 g Hähnchenbrustfilets   unter fließendem kaltem Wasser abspülen, trockentupfen

100 g durchwachsenen
Speck   beide Zutaten in etwa 2 cm große Würfel schneiden

2 - 3 Scheiben Ananas
(aus der Dose)   abtropfen lassen, in nicht zu kleine Stücke schneiden, das Fleisch mit

Salz
frisch gemahlenem
weißem Pfeffer   würzen, abwechselnd mit den Speckwürfeln, den Ananasstücken auf Spieße stecken

3 EL Butter   in einer Bratpfanne zerlassen, die Fleischspieße von allen Seiten darin goldbraun braten, auf einer vorgewärmten Platte anrichten.

Bratzeit: etwa 8 Minuten.
Beilage: Butterreis, Grüner Salat.

Huhn auf texanische Art

1 Hähnchen (etwa 1 ¼ kg)	unter fließendem kaltem Wasser abspülen, trockentupfen, in 8 Stücke schneiden, mit
Salz	
frisch gemahlenem Pfeffer	würzen
1 EL Speiseöl	mit
1 EL Butter	erhitzen, die Hähnchenteile von allen Seiten darin anbraten, herausnehmen
250 g Gehacktes (halb Rind-, halb Schweinefleisch)	in das Bratfett geben, leicht zerdrücken, gut anbraten
2 Zwiebeln	abziehen, würfeln
1 Knoblauchzehe	abziehen, zerdrücken beide Zutaten hinzufügen, kurz durchdünsten lassen
70 g Tomatenmark (aus der Dose)	
250 ml (¼ l) Rotwein	
125 ml (⅛ l) Fleischbrühe	hinzufügen, mit Salz, Pfeffer,
gerebeltem Basilikum	
gerebeltem Thymian	
Cayennepfeffer	würzen, die Hähnchenstücke hinzufügen, im geschlossenen Topf etwa 25 Minuten schmoren lassen
250 g Mais (aus der Dose)	abtropfen lassen, mit
300 g tiefgekühlten Erbsen	zu dem Fleisch geben, 8-10 Minuten mitschmoren lassen, mit Salz, Cayennepfeffer abschmecken, mit
2 EL gehackter Petersilie	bestreuen.
Schmorzeit:	etwa 35 Minuten.

KNOBLAUCHHÄHNCHEN

1 Hähnchen (etwa 1 ½ kg)	enthäuten, innen mit fließendem kaltem Wasser abspülen, trockentupfen, das Hähnchen in mehrere kleine Stücke zerteilen, das Fleisch mit
Cayennepfeffer	
Salz	
1 EL Olivenöl	einreiben
4 EL Olivenöl	in einem großen Schmortopf erhitzen, das Fleisch hineingeben
1 Knoblauchknolle	in die einzelnen Zehen teilen, die Zehen ungeschält zu dem Fleisch geben
1 EL Kräuter der Provence	darüber streuen
	den Topf fest mit dem Deckel verschließen, evtl. Alufolie zwischen Topf und Deckel legen, den Topf auf dem Rost in den vorgeheizten Backofen schieben
Ober-/Unterhitze:	etwa 200 °C (vorgeheizt)
Heißluft:	etwa 180 °C (nicht vorgeheizt)
Gas:	etwa Stufe 3 (vorgeheizt)
Bratzeit:	etwa 1 ½ Stunden.
Hinweis:	Zum Essen den garen Knoblauch aus den Zehen auf geröstetes Weißbrot streichen.

PAPRIKAHÄHNCHEN

1 Hähnchen	enthäuten, innen mit fließendem kaltem Wasser ausspülen, trockentupfen, das Hähnchen in acht Portionsstücke teilen, in
Weizenmehl	wenden
100 g durchwachsenen Speck	in feine Streifen schneiden
1 Zwiebel	
1 Knoblauchzehe	
	beide Zutaten abziehen, würfeln
	die Speckstreifen in einem Schmortopf langsam glasig braten lassen, herausnehmen
	Zwiebel- und Knoblauchwürfel in dem Speckfett weich dünsten lassen

2 EL Paprika edelsüß	unterrühren, etwas erhitzen
	die Hähnchenstücke nebeneinander hineinlegen, bei schwacher Hitze zugedeckt etwa 30 Minuten schmoren lassen, ab und zu wenden
Leber (vom Hähnchen)	unter fließendem kaltem Wasser abspülen, trockentupfen, zu dem Fleisch geben, etwa 10 Minuten weiterschmoren lassen
2 große enthäutete Fleischtomaten	kleinschneiden (Stengelansätze entfernen) die Tomatenstücke zu dem Fleisch geben, mit
Salz frisch gemahlenem Pfeffer	würzen, das Fleisch im offenen Topf noch etwa 10 Minuten weiterschmoren lassen
250 g saure Sahne	verrühren, über das gare Fleisch geben.

HÄHNCHEN MIT SCHNITTLAUCHSAUCE

4 Hähnchenbrustfilets	unter fließendem kaltem Wasser abspülen, trockentupfen und jeweils eine Tasche hineinschneiden
120 g Lachs	in 4 Teile schneiden, in die Taschen füllen, mit Holzspießchen zusammenstecken, die Hähnchenbrustfilets mit
Salz, Pfeffer	würzen
50 g Butter	zerlassen, die Filets darin bei schwacher Hitze etwa 20 Minuten braten, herausnehmen, warm stellen
2 Schalotten	abziehen, fein würfeln
20 g Butter	im Bratensatz zerlassen, die Schalotten darin dünsten, mit
100 ml Weißwein	
100 ml Hühnerbrühe	ablöschen
250 ml (¼ l) Schlagsahne	hinzugießen, einkochen lassen
2 Bund Schnittlauch	abspülen, trockentupfen, in Röllchen schneiden, unterrühren
50 g Butter	in Stückchen unterschlagen, die Sauce mit Salz, Pfeffer würzen, über die Hähnchenbrustfilets geben, sofort servieren
Hinweis:	Nudeln und Erbsen dazu reichen.

MAN NEHME

ESSIG

Schon seit über 5000 Jahren ist Essig als Säuerungs- und Würzmittel, aber auch als Getränk bekannt und beliebt. Als Rohstoffe für die Herstellung von Essig (Gärungsessig) dienen Wein, Branntwein, Fruchtwein oder andere alkoholische Flüssigkeiten. Essigbakterien wandeln Alkohol unter Mitwirkung von Sauerstoff zu Essig um.

Dieser Gärprozeß wird in den Herstellerfirmen in groben Holz- oder Edelstahlbottichen, sogenannten Essigbildnern, gesteuert. Frischer Essig muß in Lagerbehältern zunächst ruhen, damit er die richtige Reife bekommt. Erst dann wird er gefiltert und in Flaschen abgefüllt.

SPINAT MIT EIER-SAHNE-SAUCE

1 kg Spinat	verlesen, gründlich waschen, in
kochendes Salzwasser	geben, zum Kochen bringen, auf ein Sieb geben, abtropfen lassen
1 Schalotte	abziehen, in dünne Ringe schneiden
500 ml (½ l) Wasser	in einen ovalen Bratentopf mit Einsatz gießen, zum Kochen bringen
1 Zweig Rosmarin	in das Wasser geben
	den Spinat abwechselnd mit den Schalotten-Ringen in den Einsatz schichten, dabei jede Schicht mit
geriebener Muskatnuß	bestreuen, den Spinat im geschlossenen Topf gar dämpfen lassen
	den Spinat auf einer vorgewärmten Platte anrichten, warm stellen.

Für die Eier-Sahne-Sauce

1 kleine Schalotte	abziehen, fein würfeln, mit
7 EL trockenem Weißwein	
7 EL Essig	
1 TL gerebeltem Estragon	
½ Lorbeerblatt	in einen kleinen Kochtopf geben, auf etwa ²/₃ der Menge einkochen lassen, durch ein Sieb gießen
3 Eigelb	mit
Salz	
Zucker	
Cayennepfeffer	unter ständigem Schlagen im Simmertopf so lange erhitzen, bis die Masse dick-cremig ist
125 ml (⅛ l) Schlagsahne	steif schlagen, die Eigelb-Masse unter die Schlagsahne rühren
	die Eier-Sahne-Sauce mit Salz, Cayennepfeffer abschmecken, zu dem Spinat reichen.
Dämpfzeit für den Spinat:	etwa 15 Minuten.
Erhitzungszeit für die Sauce:	3 - 5 Minuten.

ERBSEN-AUFLAUF MIT PIKANTER QUARKHAUBE (Foto)

Beilagen

Etwa 500 g tiefgekühlte Erbsen etwas kochendes Salzwasser	in geben, zum Kochen bringen, etwa 5 Minuten darin kochen, abtropfen lassen
1 Bund Frühlingszwiebeln	von das welke Lauch entfernen, das übrige Lauch von den Zwiebeln schneiden, waschen, in Ringe schneiden die Zwiebeln evtl. abziehen, in Scheiben schneiden
50 g Butter oder Margarine	zerlassen, die Zwiebelscheiben darin etwa 3 Minuten dünsten lassen, die Lauchringe hinzufügen, etwa 2 Minuten mitdünsten lassen die Hälfte der Zwiebeln mit den Erbsen vermengen, mit
Salz frisch gemahlenem Pfeffer	würzen, in eine gefettete Servierpfanne geben
250 g Magerquark 2 Eiern 125 ml (⅛ l) Schlagsahne	mit verrühren, die restlichen Zwiebeln,
1 TL zerdrückte grüne Pfefferkörner	unterrühren, mit Salz, Pfeffer würzen, die Masse gleichmäßig auf die Erbsen verteilen, glattstreichen
2 geräucherte Mettwürste	in Scheiben schneiden, auf der Quark-Masse anordnen die Servierpfanne auf dem Rost in den vorgeheizten Backofen schieben
Ober-/Unterhitze:	200-225 °C (vorgeheizt)
Heißluft:	180-200 °C (nicht vorgeheizt)
Gas:	Stufe 3-4 (vorgeheizt)
Backzeit:	etwa 30 Minuten.
Beigabe:	Petersilienkartoffeln.

SOMMERLICHER REIS-SALAT

(Für 6-8 Personen)

200 g Langkornreis	in
1 l kochendes Salzwasser	geben, zum Kochen bringen, in etwa 20 Minuten ausquellen lassen, auf ein Sieb geben, mit Wasser übergießen, gut abtropfen lassen
300 g ausgepalte Erbsen (etwa 700 g) mit Schoten	waschen, in
wenig kochendes Salzwasser	geben, zum Kochen bringen, in etwa 10 Minuten gar kochen lassen, von
1 kleinen Staude Chinakohl (etwa 250g)	die welken Blätter entfernen, den Chinakohl halbieren, den Strunk herausschneiden, den Kohl waschen, in feine Streifen schneiden, gut abtropfen lassen die Salatzutaten miteinander vermengen, auf Portionstellern anrichten.
500 g gares Hähnchenfleisch	evtl. enthäuten, das Fleisch in Scheiben schneiden, auf dem Salat anrichten.

Für die Salatsauce

100 ml Weißwein-Essig	mit
3 TL scharfem Senf Salz frisch gemahlenem Pfeffer 125 ml (⅛ l) Salatöl	gut verschlagen, nach und nach unterschlagen, so lange schlagen, bis eine dickliche Masse entstanden ist die Salatsauce mit
Zitronensaft	abschmecken, über die Salatzutaten verteilen, den Salat etwas durchziehen lassen.
Kochzeit für den Reis:	etwa 20 Minuten.
Für die Erbsen:	8-10 Minuten.

231

KARTOFFELPÜREE, FLÄMISCH (Foto)

1 kg Kartoffeln Salzwasser	schälen, waschen, in Stücke schneiden, in zum Kochen bringen, in etwa 20 Minuten gar kochenlassen, abgießen, abdämpfen, sofort heiß durch die Kartoffelpresse geben oder mit einem Handrührgerät zerkleinern
300 g Sauerampfer oder Blattspinat in	verlesen, gründlich waschen, abtropfen lassen,
1 EL zerlassener Butter	so lange erhitzen, bis das Gemüse zusammenfällt, auf ein Küchenbrett geben, grob zerkleinern
2 große Zwiebeln	abziehen, in kleine Würfel schneiden
2 EL Butter	zerlassen, die Zwiebeln darin goldgelb dünsten, Kartoffelbrei und Gemüse hinzufügen, gut vermengen das Püree mit
Meersalz frisch gemahlenem Pfeffer geriebener Muskatnuß	abschmecken
125 ml (⅛ l) Schlagsahne	kurz erhitzen, unter den Brei rühren, sollte der Brei zu fest sein, noch etwas
warme Schlagsahne oder Milch	hinzufügen.
Beilage:	Möhrenrohkost.

Kartoffelpfanne „Espagna"

1 kg Kartoffeln	schälen, waschen, in Scheiben schneiden
75 g durchwachsenen Speck	in Würfel schneiden, auslassen
1 Zwiebel	
1 Knoblauchzehe	die beiden Zutaten abziehen, fein würfeln, in dem Speckfett glasig dünsten lassen, die Kartoffelscheiben hinzugeben, mit
Salz	bestreuen, zunächst zugedeckt, dann in der offenen Pfanne etwa 10 Minuten anbraten
10 grüne Oliven, mit Paprika gefüllt	in Scheiben schneiden
½ rote und ½ grüne Paprikaschote	halbieren, entstielen, entkernen, die weißen Scheidewände entfernen, die Schoten waschen, in Würfel schneiden
3 Tomaten	waschen, die Stengelansätze herausschneiden, die Tomaten in Stücke schneiden die 3 Zutaten zu den Kartoffeln geben, etwa 5 Minuten mitbraten lassen
5 Eier	mit
Salz	
frisch gemahlenem Pfeffer	
Paprika edelsüß	verschlagen, über die Kartoffelpfanne geben, stocken lassen die Kartoffeln auf eine vorgewärmte Platte geben, mit
grünen oder schwarzen Oliven	garnieren.
Beilage:	Gemischter Salat.

MANGOLD (Foto)

1 kg Mangold	putzen, die Stengel von den Blättern schneiden die Blätter gründlich waschen, ohne Wasser gar dünsten lassen, dann grob oder fein schneiden die Mangoldstengel abziehen
50 g Butter	zerlassen, die Mangoldstengel darin andünsten
1 Lorbeerblatt	
1 - 2 TL Kräuteressig	
125 ml (⅛ l) Milch	hinzufügen, mit
Meersalz	würzen, gar dünsten lassen die kleingeschnittenen Mangoldblätter,
125 ml (⅛ l) Schmand	unterrühren, erhitzen das Gemüse mit Salz,
frisch gemahlenem Pfeffer	abschmecken.
Dünstzeit:	etwa 10 Minuten.

MANGOLDBLÄTTER MIT SCHINKEN UND KÄSE GEFÜLLT

Für die Füllung

250 g Champignons	putzen, waschen, in kleine Stücke schneiden
1 Zwiebel	
1 Knoblauchzehe	beide Zutaten abziehen, würfeln
1 EL Butter	zerlassen, Zwiebel- und Knoblauchwürfel darin andünsten, die Champignonstücke hinzufügen, mit
Salz	
frisch gemahlenem Pfeffer	würzen, etwa 5 Minuten dünsten lassen
200 g gekochten Schinken	in Würfel schneiden, zu den Champignons geben, miterhitzen
125 g Gouda-Käse	in Würfel schneiden, mit
3 EL gehackten Kräutern (Petersilie, Kerbel, Estragon, Pimpinelle)	
2 Eiern	
2 EL Semmelbrösel	unterrühren, nochmals mit Salz, Pfeffer abschmecken
von	
16 großen Mangold- blättern (etwa 2 Stauden)	die Stiele entfernen, die Mangoldblätter waschen, in
kochendes Salzwasser	legen, zum Kochen bringen, 2-3 Minuten kochen, abtropfen lassen, die Mangoldblätter nebeneinander legen, auf jedes Blatt etwa 1 Eßlöffel von der Füllung geben, die Blattränder über die Füllung schlagen, aufrollen
750 ml (³/₄ l) Wasser	in einen ovalen Bratentopf mit Einsatz gießen, zum Kochen bringen, die Mangold-Röllchen nebeneinander in den Einsatz legen, im geschlossenen Topf gar dämpfen lassen die Mangold-Röllchen auf einer vorgewärmten Platte anrichten
50-75 g Butter	zerlassen, leicht bräunen lassen, über die Mangold-Röllchen geben.
Dünstzeit für Füllung:	etwa 8 Minuten.
Dämpfzeit:	etwa 15 Minuten.

MÖHREN MIT KERBEL (Foto)

750 g kleine, junge Möhren	putzen, schälen, waschen
1 Zwiebel	abziehen, würfeln
50 g Butter	zerlassen, die Zwiebelwürfel darin glasig dünsten lassen, die Möhren mit
etwas Wasser	hinzufügen, mit
Salz	
frisch gemahlenem Pfeffer	würzen, zum Kochenbringen, in etwa 10 Minuten gar dünsten lassen, mit
2 - 3 EL gehackten Kerbelblättchen	bestreuen.

NUDELSALAT

125 g Makkaroni	in etwa 2 cm lange Stücke brechen, in
1 l kochendes Salzwasser	geben, zum Kochen bringen, ab und zu umrühren, in etwa 15 Minuten gar kochen lassen, auf ein Sieb geben, mit kaltem Wasser übergießen, gut abtropfen lassen
100 g mageres Bratenfleisch (als Aufschnitt) 100 g mageren gekochten Schinken	
	beide Zutaten in Streifen schneiden
250 g Tomaten	waschen, abtrocknen, halbieren, die Stengelansätze entfernen, die Tomaten entkernen, in Würfel schneiden
1 grüne Paprikaschote	halbieren, entstielen, entkernen, die weißen Scheidewände entfernen, die Schote waschen, in sehr dünne Streifen schneiden
2 Gewürzgurken (200 g) 2 TL Kapern	in Würfel schneiden.

Für die Salat-Sauce

1 EL Salatöl	mit
2 - 3 EL Essig 3 EL Schlagsahne	verrühren, mit
Salz frisch gemahlenem Pfeffer Zucker	abschmecken
1 EL gehackte Petersilie 1 EL feingeschnittenen Schnittlauch	unterrühren, mit den Salatzutaten vermengen, durchziehen lassen, den Salat evtl. mit Salz, Pfeffer, Zucker abschmecken, mit
Eischeiben Petersilie	garnieren.

WARMER AUBERGINENSALAT (Foto)

Beilagen

100 g parboiled Reis	in
125 ml (⅛ l) Salzwasser	geben, zum Kochen bringen, in 15 Minuten gar kochen lassen, evtl. noch etwas Wasser hinzugießen
2 Auberginen (etwa 600 g)	putzen, waschen, in je 4 Längsscheiben schneiden, diese mit
Salz	bestreuen, etwa 15 Minuten Wasser ziehen lassen, mit Haushaltspapier sorgfältig trockentupfen, die Auberginenscheiben in Würfel schneiden
125 ml (⅛ l) Speiseöl	erhitzen, die Auberginenwürfel unter ständigem Rühren kräftig braun braten lassen, bis die Auberginen gar sind, herausnehmen, das restliche Fett wieder erhitzen
200 g Rinderhack	darin gar schmoren, mit den Auberginenwürfeln, dem Reis,
10 schwarzen Oliven	vermengen, mit
2 EL Zitronensaft	
schwarzem Pfeffer	würzen, lauwarm servieren.

ÜBERRASCHUNGS-BRIOCHES

(8 Stück)

Für den Teig

20 g frische Hefe	in
4 EL lauwarmem Wasser	auflösen, mit
1 TL Zucker	verrühren, 15 Minuten an einem warmen Ort gehen lassen, diesen Vorteig mit
350 g gesiebtem Weizenmehl	
½ TL Salz	
3 verquirlten Eiern	verrühren
150 g kalte Butter	in Stückchen mit den Knethaken des elektrischen Handrührgeräts unterkneten, bis der Teig elastisch und glänzend von den Haken reißt, den Teig mit
1 EL Weizenmehl	bestäuben, mit einem Tuch abdecken, über Nacht kühl ruhen lassen, bis sich sein Volumen verdoppelt hat
	8 Briocheförmchen mit
weicher Butter	dick einpinseln
	den Teig nochmals schnell durchkneten, in 16 gleiche Teile trennen, Kugeln formen, in jedes Briocheförmchen eine Kugel geben, an den Rändern hochdrücken, so daß in der Mitte eine Mulde entsteht
80 g Thüringer Mett	halbieren, jeweils in zwei Brioches füllen
80 g Gänseleberpastete	halbieren, jeweils in zwei Brioches füllen
80 g Kräuter-Doppelrahm-Frischkäse	halbieren, jeweils in zwei Brioches füllen
80 g geriebenen Edamer	halbieren, jeweils in zwei Brioches füllen
	mit den 8 zurückbehaltenen Kugeln bedecken, die Ränder andrücken, die Brioches mit
1 verschlagenem Eigelb	bestreichen, auf dem Rost in den Backofen schieben, 1 - 2 Stunden gehen lassen, erst dann den Backofen anheizen
Ober-/Unterhitze:	200 - 225 °C (vorgeheizt)
Heißluft:	180 - 200 °C (nicht vorgeheizt)
Gas:	Stufe 3 - 4 (vorgeheizt)
Backzeit:	30 - 35 Minuten.

Im Sommer

ZUCCHINI-ZWIEBEL TOMATEN-GEMÜSE

Beilagen

250 g Gemüsezwiebeln	abziehen, halbieren
250 g Zucchini	waschen, halbieren
	beide Zutaten in Scheiben schneiden
250 g Tomaten	waschen, die Stengelansätze herausschneiden
	die Tomaten in Achtel schneiden
3 EL Speiseöl	erhitzen, die Zwiebelscheiben darin andünsten, die Zucchinischeiben hinzufügen, etwa 5 Minuten mitdünsten lassen
Tomatenachtel, Salz frisch gemahlenen Pfeffer Zucker	hinzufügen, gar dünsten lassen das Gemüse mit Salz, Pfeffer, Zucker abschmecken, mit
gehackten Oreganoblättchen gehackten Basilikumblättchen	bestreuen.
Dünstzeit:	etwa 15 Minuten.
Hinweis:	Zucchini-Zwiebel-Tomaten-Gemüse schmeckt besonders gut zu gegrilltem Fleisch, evtl. auch kalt mit Stangenweißbrot.

ZUCKERERBSEN MIT ZITRONENSAUCE (Foto)

	Von
600 g	Zuckererbsen
(Zuckerschoten)	die Enden abschneiden, die Schoten waschen, abtropfen lassen, in
kochendes Salzwasser	geben
2 EL Speiseöl	hinzufügen, zum Kochen bringen, 5 - 7 Minuten kochen, abtropfen lassen, in einer vorgewärmten Schüssel anrichten

Für die Zitronen-Sauce

1 Becher (150 g)
Crème fraîche mit
2 EL Joghurt
abgeriebener Schale von
1 Zitrone (unbehandelt)
Salz
frisch gemahlenem Pfeffer
Zucker verrühren
1 - 2 EL feingehackte
Zitronenmelisseblättchen unterrühren, zu den Zuckererbsen reichen.
Zuckererbsen mit Zitronensauce zu Filetsteaks
oder Koteletts reichen.

ZUCKERERBSEN MIT MANDELBUTTER (Foto)

Von

600 g Zuckererbsen
(Zuckerschoten) die Enden abschneiden, die Schoten waschen,
abtropfen lassen, in
kochendes Salzwasser geben, zum Kochen bringen, etwa 5 Minuten
kochen, abtropfen lassen
50 g Butter zerlassen, etwas bräunen lassen
40 g abgezogene,
gehobelte Mandeln darin unter Rühren leicht bräunen lassen,
Zuckererbsen hinzufügen, durchschwenken, mit
Salz, Pfeffer würzen, sofort servieren. Zuckererbsen mit
Mandelbutter zu kurzgebratenem Fleisch, z.B.
Filetsteaks, Koteletts reichen.

MAN NEHME

PFLAUMEN

Der Anbau von Pflaumen spielt in Europa seit jeher eine wichtige Rolle. Immerhin ergibt die jährliche Pflaumenernte – zu denen auch die Mirabellen und Renekloden zählen – aus der Bundesrepublik Deutschland, den Balkanländern, Jugoslawien und Rumänien 40 Prozent der Weltproduktion. Den wirtschaftlich wichtigsten Faktor stellt dabei die Zwetsche dar. Mit ihrem festen Fruchtfleisch eignet sie sich bestens zum Backen und Einmachen und findet entsprechend viele Abnehmer. Die Pflaumen, rundlicher und roter als ihre erfolgsverwöhnten Verwandten, locken dagegen mit vielen weichen, sehr wohlschmeckenden Sorten.

Rotes Würzkompott

250 ml (¼ l) Wasser	mit
100 g Zucker	zum Kochen bringen, kochen lassen, bis sich der Zucker aufgelöst hat
3 EL Crème de Cassis	
1 Vanilleschote	
1 Zimtstange	hinzufügen
300 g Pflaumen	waschen, halbieren, entsteinen
300 g Brombeeren	vorsichtig waschen, grüne Blättchen abzupfen
300 g Sauerkirschen	waschen, entstielen, entsteinen
	Obst zum Zuckersirup geben, zum Kochen bringen, etwa 20 Minuten nur leicht kochen, abkühlen lassen, Vanilleschote und Zimtstange entfernen, Kompott kalt stellen.

Zimtpflaumen mit Blätterteighaube

Etwa 700 g gedünstete Pflaumen	abtropfen lassen, in vier kleine feuerfeste, flache Förmchen geben, mit
8 EL gehackten Walnußkernen	bestreuen, mit
4 EL Nußlikör	beträufeln
2 Platten tiefgekühlten Blätterteig	antauen lassen, quer halbieren, so daß vier Quadrate entstehen, in Größe der Förmchen ausrollen, den Rand der Förmchen mit
1 Eiweiß	bestreichen
	den Teig auf die Förmchen legen, die Ränder andrücken, die Teigoberfläche mit
1 verschlagenen Eigelb	bestreichen, die Förmchen auf der obersten Schiene in den vorgeheizten Backofen schieben
Ober-/Unterhitze:	etwa 225 °C (vorgeheizt)
Heißluft:	etwa 220 °C (nicht vorgeheizt)
Gas:	Stufe 4 - 5 (vorgeheizt)
Backzeit:	etwa 13 Minuten.

NEKTARINEN IN HIMBEERMARK

100 g Marzipan-Rohmasse	mit
einigen Tropfen grüner Lebensmittelfarbe	verkneten, zu 8 Blättern formen
300 g Himbeeren	verlesen, vorsichtig waschen, abtropfen lassen, einige Beeren beiseite legen, den Rest pürieren, durch ein Sieb streichen, mit
3 cl Himbeergeist 100 g Zucker	verrühren, auf vier tiefe Teller geben
4 Nektarinen	gründlich mit heißem Wasser waschen, abtrocknen, halbieren, entsteinen, in Spalten schneiden Nektarinenspalten wie eine Blüte auf das Himbeermark legen, mit den Marzipanblättern und den restlichen Beeren verzieren, mit
Puderzucker	bestäuben.

Mokka-Nektarinen

4 Nektarinen	mit kochendem Wasser übergießen, die Haut abziehen, aus
4 TL Kaffeepulver	4 Tassen Kaffee kochen, in einem Topf zum Kochen bringen, mit
2 EL Instant-Kakaopulver	verrühren, Nektarinen darin 5 Minuten ziehen lassen, herausnehmen, abtropfen lassen, kalt stellen
	Sud im Topf auf 500 ml (½ l) einkochen lassen, 300 ml abmessen, mit
2 EL Zucker	
1 EL Nougatmasse	
1 EL Moccalikör	verrühren, in einem Behälter einfrieren, alle 20 Minuten mit einem Schneebesen durchschlagen, den restlichen Sud auf die Hälfte einkochen, mit
2 EL Moccalikör	verrühren, kalt stellen
	unten in die Nektarinen ein Loch in Kerngröße bohren, Kern herausheben, die Öffnung vollständig mit Moccasorbet ausfüllen, mit der Öffnung nach unten auf vier Teller geben, mit dem erkalteten Sirup begießen
200 ml Schlagsahne	mit
1 EL Vanille-Zucker	anschlagen, neben die Mokka-Nektarinen geben.

Gefrorener Sabayon

3 Eigelb	mit
75 g Zucker	schaumig schlagen, mit
75 ml Portwein	verrühren, im heißen Wasserbad schlagen, bis die Masse dicklich wird, im kalten Wasserbad weiterschlagen, bis der Sabayon abgekühlt ist
2 Eiweiß	steif schlagen, Sabayon unter ständigem Schlagen hinzugießen, Masse sofort in einen Behälter geben, einfrieren
	vor dem Servieren 20 Minuten im Kühlschrank antauen lassen, mit einem Eis-Portionierer Kugeln abstechen, in vier Schalen verteilen.

Pfirsiche, überbacken

	Eine Gratinform mit
1 EL weicher Butter	ausstreichen
750 g kleine Pfirsiche	kurze Zeit in kochendes Wasser legen (nicht kochen lassen), in kaltem Wasser abschrecken, enthäuten, nicht entsteinen
	die Pfirsiche mit der Rundung nach oben in die Pfanne legen
1 Becher (150 g) Crème fraîche	verrühren, auf die Pfirsiche verteilen, mit
2 EL braunem Zucker	bestreuen
	die Gratinform auf dem Rost in den vorgeheizten Backofen schieben
Ober-/Unterhitze:	225 - 250 °C (vorgeheizt)
Heißluft:	200 - 220 °C (nicht vorgeheizt)
Gas:	Stufe 4 - 5 (vorgeheizt)
Backzeit:	etwa 30 Minuten.

Karamel-Pfirsiche

4 große, reife Pfirsiche	kurze Zeit in kochendes Wasser legen (nicht kochen lassen), in kaltem Wasser abschrecken, enthäuten, halbieren, entsteinen
30 g Butter	in einer Pfanne erhitzen
2 EL Zucker	hinzufügen, unter Rühren leicht bräunen
	die Pfirsichhälften darin unter Wenden gar dünsten lassen, mit
4 - 6 EL Grand Marnier	flambieren
125 ml (⅛ l) Schlagsahne	unterrühren, kurz aufkochen lassen
	die Pfirsiche sofort servieren.
Dünstzeit:	etwa 10 Minuten.
Beigabe:	Nuß- oder Vanilleeis.

Pfirsiche mit Eierlikörsahne

500 g Pfirsiche	kurze Zeit in kochendes Wasser legen, mit kaltem Wasser abschrecken, enthäuten, halbieren, entsteinen, in Scheiben schneiden
125 ml (⅛ l) Wasser	mit
50 g Zucker	zum Kochen bringen, die Pfirsichscheiben hineingeben, zum Kochen bringen, fast weich kochen, erkalten lassen.

Für die Eierlikörsahne

250 ml (¼ l) Schlagsahne	steif schlagen
	2 Eßlöffel von dem Pfirsichsaft,
5 EL Eierlikör	unterschlagen
	Pfirsichscheiben und Eierlikörsahne abwechselnd lagenweise in eine Glasschüssel oder in Gläser füllen.
Kochzeit:	etwa 3 Minuten.

Im Sommer

SEKTPFIRSICH MIT SORBET

8 Pfirsichhälften (aus der Dose)	abtropfen lassen, in Spalten schneiden, mit
125 ml (⅛ l) Sekt	begießen, im Kühlschrank 1 Stunde ziehen lassen, Sekt abgießen, mit
1 Packung Cassis-Sorbet	im Mixer pürieren, Pfirsichspalten in Glasschalen geben, Sorbet in eine Spritztüte mit Sterntülle füllen, auf die Pfirsiche spritzen, mit
125 ml (⅛ l) Sekt	begießen.

PFIRSICHE AUF ORIENTALISCHE ART

Etwa 1 ½ kg enthäutete Pfirsiche	halbieren, entsteinen, vierteln
4 EL Honig	erhitzen, die Pfirsichviertel mit
gemahlenem Zimt Schale von 1 Zitrone (unbehandelt)	hinzufügen, im geschlossenen Topf zum Kochen bringen, gar dünsten, erkalten lassen, mit
etwa 50 g abgezogenen, gerösteten Mandeln	bestreuen.

Für die Joghurtsahne

1 Becher (150 g) Crème fraîche	fast steif schlagen
1 Becher (200 g) Vollmilch-Joghurt	unterrühren, mit
Zucker Zitronensaft	abschmecken die Joghurtsahne zu den Pfirsichen reichen.
Dünstzeit:	etwa 5 Minuten.

Sommerkompott mit Haube

500 g Süßkirschen	waschen, entstielen, entsteinen
500 g Aprikosen	waschen, entstielen, vierteln, entsteinen
250 ml (¼ l) hellen Traubensaft	erhitzen
1 EL Speisestärke	mit
1 EL Wasser	anrühren, unter Rühren in den Saft geben, zum Kochen bringen, das Obst etwa 5 Minuten im Saft bei schwacher Hitze ziehen lassen, in eine feuerfeste, flache Schale geben
30 g süße Mandeln	mit
kochendem Wasser	überbrühen, die Haut abziehen, die Kerne mahlen
1 Eiweiß	mit
40 g Puderzucker	steif schlagen, die Mandeln unterziehen, die Masse in die Mitte der Schale geben die Schale auf dem Rost auf der mittleren Schiene in den vorgeheizten Backofen schieben
Ober-/Unterhitze:	etwa 250 °C (vorgeheizt)
Heißluft:	etwa 220 °C (nicht vorgeheizt)
Gas:	Stufe 5 - 6 (vorgeheizt)
Backzeit:	etwa 5 Minuten das Kompott erkalten lassen, dann servieren.

SCHNEEWITTCHENKOMPOTT

750 g Sauerkirschen	waschen, entsteinen, mit
75 g Zucker	
½ Vanilleschote	zum Kochen bringen, etwa 2 Minuten kochen lassen, auf ein Sieb geben, abtropfen lassen, den Saft auffangen, mit der Vanilleschote auf 100 ml einkochen lassen, Mark aus der Schale kratzen, mit dem Saft verrühren, mit den Kirschen vermengen, das Kompott auf vier Teller verteilen, kalt stellen
4 EL Crème fraîche	mit
1 Päckchen Vanillin-Zucker	verrühren, spiralförmig in das erkaltete Kompott ziehen, mit
2 EL Schokoladenraspeln	bestreuen.

FLAMBIERTER BANANEN-KOKOS-FLAMMERI

250 ml (¼ l) Schlagsahne	mit
250 ml (¼ l) Cream of Coconut	
50 g Zucker	
1 Prise Salz	zum Kochen bringen
250 ml (¼ l) Milch	mit
70 g Speisestärke	verrühren, unter Rühren in die kochende Sahne geben, zum Kochen bringen, etwas abkühlen lassen
2 Bananen	schälen, pürieren, unter die Creme ziehen, in eine flache Puddingform füllen, kalt stellen, nach etwa 6 Stunden stürzen, mit
2 EL Farinzucker	bestreuen
4 cl weißen Rum	erwärmen, über den Flammeri gießen, sofort anzünden.

SAUERKIRSCHKALTSCHALE

(Foto)

500 g Sauerkirschen	waschen, abtropfen lassen, entstielen, entsteinen in einen Topf geben
1 Stück Stangenzimt 4 Nelken 50 g Zucker	hinzufügen, zum Kochen bringen, 5 Minuten kochen, Gewürze entfernen, die Kirschen durch ein Sieb streichen, zum Kochen bringen
1 EL Speisestärke 2 EL Wasser	mit anrühren, die Kirschflüssigkeit damit binden, von der Kochstelle nehmen
500 ml (½ l) Rotwein	unterrühren, kalt stellen
125 - 250 ml (⅛ - ¼ l) Schlagsahne 1 Päckchen Vanillin-Zucker	fast steif schlagen, mit süßen, zur Kaltschale geben.

Rote Grütze

(Für 6 - 8 Personen)

300 g Sauerkirschen	waschen, abtropfen lassen, entstielen, entsteinen
300 g Johannisbeeren	waschen, abtropfen lassen, von den Stengeln streifen
300 g Himbeeren	waschen, abtropfen lassen die Beeren mit
100 g Zucker 3 geschälten bitteren Mandeln	vermischen, in einem Topf zum Kochen bringen, etwa 15 Minuten kochen lassen
200 ml Apfelsaft	mit
50 g Speisestärke	anrühren, in die Grütze rühren, kurz aufkochen lassen, kalt stellen vor dem Servieren die Mandeln entfernen. Dazu paßt Vanillesauce oder angeschlagene mit Vanille abgeschmeckte Sahne.

Brombeeren mit Sahne und Krokant

(Für 4 - 6 Personen)

1 EL Butter	in der Flambierpfanne erhitzen
3 EL Zucker	darin hell karamelisieren
500 g Brombeeren	verlesen, vorsichtig waschen, gut abtropfen lassen, zu der Karamelmasse geben, unter vorsichtigem Rühren erhitzen, mit
6 EL Rum (54 %ig)	flambieren, auf Glastellern anrichten
250 ml (¼ l) Schlagsahne	steif schlagen, mit
Vanillin-Zucker	süßen, mit
Haselnuß-Krokant (aus der Packung)	zu den Brombeeren reichen.
Empfehlung:	Kupfer-Edelstahl-Flambierpfanne.

JOHANNISBEER-CRUMBLE

200 g Mandeln	mit kochendem Wasser übergießen, die Haut abziehen, Mandeln grob hacken
200 g Butter	zerlassen, mit den Mandeln
200 g Zucker	
2 Päckchen Vanillin-Zucker	
1 Prise Salz	
240 g gesiebtem Weizenmehl	zu einem Krümelteig zerbröseln eine Tarteform aus Keramik mit
1 EL Butter	ausfetten, die Hälfte der Teigkrümel hineinbröseln
1 kg rote Johannisbeeren	waschen, abtropfen lassen, mit einer Gabel von den Stielen streifen, auf den Krümeln verteilen, mit den restlichen Krümeln bestreuen, auf der mittleren Schiene in den vorgeheizten Backofen schieben
Ober-/Unterhitze:	etwa 220 °C (vorgeheizt)
Heißluft:	etwa 200 °C (nicht vorgeheizt)
Gas:	etwa Stufe 4 (vorgeheizt)
Backzeit:	etwa 50 Minuten den Kuchen abkühlen lassen
3 EL Puderzucker	mit
2 Päckchen Vanillin-Zucker	mischen, auf den Crumble sieben.

BEEREN-SCHAUM

200 ml Rotwein	mit
200 ml Apfelsaft	
60 g Zucker	
1 Zimtstange	zum Kochen bringen
60 g Speisestärke	mit
100 ml Apfelsaft	anrühren, unter Rühren in den kochenden Wein geben, aufkochen
4 Eiweiß	steif schlagen, unter das Weingelee heben, nochmals aufkochen, mit
200 g Brombeeren	vermischen, kalt stellen.

CASSISEIS

150 g rote
Johannisbeeren
150 g schwarze
Johannisbeeren

die Johannisbeeren vorsichtig waschen,
abtropfen lassen, von den Rispen streifen, mit
im Mixer pürieren, mit
parfümieren, durch ein Sieb streichen, in
einen Behälter füllen, einfrieren
etwa 30 Minuten vor dem Servieren im
Kühlschrank antauen lassen, in einen
Spritzbeutel mit gezackter Tülle füllen, in
vier Gläser spritzen
die Gläser mit
garnieren

50 g Zucker
2 cl Crème de Cassis

Johannisbeerrispen

ERDBEEREIS

300 g Erdbeeren	verlesen, waschen, abtropfen lassen, entstielen, mit
50 g Zucker	im Mixer pürieren, mit
2 cl Orangenlikör	parfümieren, in einen Behälter füllen, einfrieren
	vor dem Servieren etwa 30 Minuten im Kühlschrank antauen lassen,
	in einen Spritzbeutel mit gezackter Tülle füllen,
	in vier Gläser spritzen
	die Gläser mit
Erdbeerhälften und -blättchen	garnieren.

ERDBEEREN IN ZITRONENQUARK

400 g Erdbeeren	verlesen, waschen, abtropfen lassen, entstielen, in eine Schüssel geben
250 g Speisequark	mit
1 Ei	
125 ml (⅛ l) Schlagsahne	
Saft und Schale von ½ Zitrone	
50 g Zucker	cremig rühren, auf die Erdbeeren geben
4 Waffelröllchen	zerbröseln, auf die Speise streuen.

HIMBEEREIS

300 g Himbeeren	verlesen, vorsichtig abspülen, abtropfen lassen, mit
50 g Zucker	im Mixer pürieren, in einen Behälter füllen, einfrieren
8 cl Apricot Brandy	auf vier Gläser verteilen mit einem Eis-Portionierer Kugeln vom Himbeereis abstechen, in die Gläser geben, mit
einigen Himbeeren	garnieren.

SCHOKOFRÜCHTE

200 g kleine Erdbeeren	
200 g Brombeeren	
200 g Himbeeren	die Beeren verlesen, vorsichtig waschen, mit Haushaltspapier trockentupfen
150 g Schokoladenglasur	im heißen Wasserbad erwärmen, warm halten einzelne Früchte auf ein Holzspießchen stecken, in die Glasur tauchen, abtropfen lassen, Schokofrüchte so auf einen Teller oder ein Kuchengitter legen, daß sie sich nicht berühren, trocknen lassen, kalt stellen die Schokofrüchte zum Servieren auf einer Platte auftürmen.
Hinweis:	Dazu paßt Champagnerchaudeau oder Vanillesauce.

WEINÄPFEL AUF
BROMBEERQUARK MIT SAHNE

Für die Wein-Äpfel

375 ml Weißwein   mit

125 ml (⅛ l) Wasser

40 g Zucker

Schale von

½ Zitrone (unbehandelt)

1 Stück Stangenzimt

2 Nelken   zum Kochen bringen, 3 - 4 Minuten kochen lassen

4 säuerliche Äpfel   schälen, das Kerngehäuse mit einem Apfelausstecher ausstechen, die Äpfel in den Weinsud geben, zum Kochen bringen, im geschlossenen Topf gar kochen, im Sud erkalten lassen.

Für das Brombeermark

etwa 375 g Brombeeren   verlesen, vorsichtig waschen, entstielen, abtropfen lassen, pürieren, durch ein Sieb streichen

2 EL Zucker   unterrühren, mit

gemahlenem Zimt   abschmecken

das Brombeermark auf vier Glasteller verteilen, jeweils einen abgetropften Weinapfel hineinsetzen

125 ml (⅛ l) Schlagsahne   mit

etwas

Vanillin-Zucker   steif schlagen, in einen Spritzbeutel mit gezackter Tülle füllen, auf die Äpfel spritzen die Weinäpfel mit Schokoladen-Blättchen garnieren.

Kochzeit: etwa 10 Minuten.

SCHOKOLADENPARFAIT MIT APRIKOSENSAHNE

(Für 6 Personen)

Für das Schokoladenparfait

50 g Vollmilch-schokolade	
50 g Halbbitter-schokolade	zerkleinern, schmelzen lassen, mit
5 Eigelb	cremig rühren, mit
3 EL Marillengeist	verrühren, abkühlen lassen
250 ml (¼ l) Schlagsahne	steif schlagen, mit
50 g gehackter Vollmilchschokolade	unter die Schokoladenmasse ziehen, in einen Behälter geben, einfrieren.

Für die Aprikosensahne

6 Aprikosenhälften (aus dem Glas)	pürieren, durch ein Sieb geben, mit
1 EL Marillenlikör	verrühren
250 ml (¼ l) Schlagsahne	mit
1 Päckchen Vanillin-Zucker	anschlagen, Aprikosenmark locker unterziehen, auf sechs Teller verteilen mit dem Eis-Portionierer Kugeln vom Schokoladenparfait abstechen, auf die Aprikosensahne geben, mit
Schokoladenraspeln Aprikosenspalten	verzieren.

HEFEKLÖSSE

500 g Weizenmehl	in eine Schüssel sieben, mit
1 Päckchen Trocken-Backhefe	sorgfältig vermischen
1 TL Zucker	
Salz	
1 Ei	
300 ml lauwarme Milch	hinzufügen, alles mit einem elektrischen Handrührgerät mit Knethaken zuerst auf der niedrigsten, dann auf der höchsten Stufe in etwa 5 Minuten zu einem Teig verarbeiten, sollte er kleben, noch etwas Mehl hinzufügen

den Teig an einem warmen Ort so lange stehenlassen, bis er etwa doppelt so hoch ist, ihn dann auf höchster Stufe nochmals durchkneten, zu einer Rolle formen, in 12 Stücke teilen, 12 Klöße formen

die Klöße auf einem bemehlten Brett abgedeckt nochmals so lange an einem warmen Ort stehenlassen, bis sie sich etwa verdoppelt haben einen breiten Topf bis zu etwa 1/3 mit

Wasser	füllen, ein Küchenhandtuch über die Topföffnung legen, mit einem Bindfaden festbinden, das Wasser zum Kochen bringen

die Klöße nebeneinander auf das Küchenhandtuch legen, mit einer Schüssel oder Topf entsprechender Größe bedecken, gar dämpfen lassen (Klöße evtl. in 2 Portionen gar dämpfen) die Klöße auf einer vorgewärmten Platte anrichten, sofort mit

125 g zerlassener, gebräunter Butter	servieren.
Dämpfzeit:	etwa 15 Minuten.
Beigabe:	Heidelbeer- oder Sauerkirschkompott, Zimt-Zucker.

REISGELEE SARAH BERNHARD

(Für 4 - 6 Personen)

700 ml Milch	mit
80 g Zucker	
½ Vanilleschote	zum Kochen bringen,
200 g Rundkornreis	zugeben, den zugedeckten Topf auf dem Rost auf der mittleren Schiene in den vorgeheizten Backofen schieben
Ober-/Unterhitze:	etwa 170 °C (vorgeheizt)
Heißluft:	etwa 150 °C (nicht vorgeheizt)
Gas:	etwa Stufe 1 - 2 (vorgeheizt)
Garzeit:	etwa 40 Minuten
4 Blatt weiße Gelatine	10 Minuten in kaltem Wasser einweichen
2 cl Kirschwasser	erhitzen, die Gelatine darin auflösen, ausdrücken, unter den Reis ziehen, kaltstellen
	ist der Reis abgekühlt, die Vanilleschote entfernen
250 ml (¼ l) Schlagsahne	steifschlagen, unter den Reis ziehen
4 Blatt weiße Gelatine	und
5 Blatt rote Gelatine	10 Minuten in kaltem Wasser einweichen, ausdrücken,
	weiße Gelatine in
2 EL heißem Weißwein	auflösen, mit
300 ml Weißwein	
50 g Zucker	verrühren, bis sich der Zucker gelöst hat, in eine Rundform geben, kaltstellen
	rote Gelatine in
2 EL heißem Roséwein	auflösen, mit
400 ml Roséwein	
50 g Zucker	verrühren, bis sich der Zucker gelöst hat
	ist die Gelatine in der Rundform erstarrt, die Reiscreme hineingeben, andrücken, Rosé-Gelee darüber geben, kalt stellen
	nach 4 - 6 Stunden stürzen

125 g Walderdbeeren	
125 g Heidelbeeren	verlesen, waschen, abtropfen lassen
250 ml (¼ l) Schlagsahne	mit
3 EL Zucker	steifschlagen, die Beeren unterziehen, in den Kranz geben.
Hinweis:	Statt Walderdbeeren können Sie auch kleine Gartenerdbeeren verwenden.

MARMORIERTE EISWAFFELN

250 ml (¼ l) Schlagsahne	steif schlagen, mit
200 g gekochtem Vanillepudding	verrühren, einfrieren
250 ml (¼ l) Schlagsahne	steif schlagen
250 g Erdbeeren	verlesen, waschen, pürieren, durch ein Sieb geben, mit der Schlagsahne,
2 EL Zucker	verrühren, einfrieren ist das Eis gefroren, jede Sorte mit einem Handrührgerät mit Rührbesen cremig rühren, in einen Spritzbeutel mit gezackter Tülle immer einen Löffel rotes und einen Löffel weißes Eis geben, auf sechs von
12 Waffelfächer	spritzen, mit den restlichen Waffeln abdecken, mit
Erdbeerhälften	verzieren.

HEFE-QUARKKLÖSSE MIT KIRSCHEN

Für die Hefe-Quarklöße

375 g Weizenmehl	in eine Schüssel sieben, mit
1 Päckchen Dr. Oetker Hefe	sorgfältig vermischen
100 g Zucker	
Salz	
100 g zerlassene, abgekühlte Butter	
2 Eier	
250 g Magerquark	
abgeriebene Schale von ½ Zitrone (unbehandelt)	
50 g Rosinen	hinzufügen, alles mit einem elektrischen Hand-rührgerät mit Knethaken zuerst auf der niedrigsten dann auf der höchsten Stufe in etwa 5 Minuten zu einem Teig verarbeiten, sollte er kleben, noch etwas Mehl hinzufügen

den Teig an einem warmen Ort so lange stehen-lassen, bis er etwa doppelt so hoch ist, ihn dann auf der höchsten Stufe nochmals gut durchkneten

einen breiten, flachen Topf (Durchmesser etwa 24 cm) knapp zur Hälfte mit

Wasser	füllen, ein Küchentuch über den Topf spannen, mit
Weizenmehl	bestäuben, das Wasser zum Kochen bringen, den Teig in 10-12 Teile schneiden, mit

bemehlten Händen zu Klößen formen, die Klöße auf das Tuch legen, mit einer breitgewölbten Schüssel bedecken, das Wasser zum Kochen bringen (nur schwach kochen)

die Klöße gar ziehen lassen.

Für die Kirschen

500 g Sauerkirschen	waschen, abtropfen lassen, entstielen, entsteinen mit
50 g Zucker	
1 Stück Stangenzimt	
etwas Zitronenschale (unbehandelt)	zum Kochen bringen
3 TL Speisestärke	mit
2 EL Wasser	anrühren, die Kirschen damit binden, mit
Zucker	abschmecken, die Gewürze entfernen
100 g Butter	bräunen lassen, mit den heißen Kirschen zu den Klößen reichen.
Dämpfzeit:	etwa 20 Minuten.

QUARKFLAMMERI

250 ml (¼ l) Milch	mit
1 TL Butter	
Salz	
1 EL Zucker	
1 Päckchen Vanillin-Zucker	zum Kochen bringen
1 EL Speisestärke	mit
2 EL Wasser	anrühren, mit
1 Eigelb	verrühren, unter Rühren in die kochende Milch geben, aufkochen, etwas abkühlen lassen
1 Packung (200 g) Speisequark, 40%	unter den Flammeri heben den Quarkflammeri in eine Glasschale oder Portionsgläser füllen, kalt stellen.
Hinweis:	Gedünstetes Obst, Apfelmus oder gezuckerte frische Johannisbeeren, Himbeeren, Erdbeeren oder Blaubeeren dazureichen.

MAN NEHME

ERDBEEREN

Ob Mai oder Oktober, Juli oder Dezember, Erdbeeren sind das ganze Jahr über zu haben. Irgendwo ist immer gerade Saison – und sei's im Treibhaus.

Doch am besten schmecken die roten Früchte im Frühsommer, wenn sie sonnengereift auf den großen Feldern oder im eigenen Garten gepflückt werden können. Und noch besser als die leckeren Gartenerdbeeren sind die Walderdbeeren. Sie sind ihrer äußeren Form nach zwar längst nicht so attraktiv wie die kultivierte Verwandte, dafür aber weitaus aromatischer. Zu finden sind sie häufig in Kahlschlägen und an Waldrändern, eben dort, wo viel Sonne hinkommt.

ERDBEER-MAKRONEN-TORTE

Für den Teig

125 g Weizenmehl ½ gestrichener TL Backpulver	mischen, auf die Tischplatte sieben, in die Mitte eine Vertiefung eindrücken
50 g Zucker 1 Päckchen Vanillin-Zucker 2 Eigelb	hineingeben, mit einem Teil des Mehls zu einem dicken Brei verarbeiten
75 g kalte Butter	in Stücke schneiden, auf den Brei geben, mit Mehl bedecken von der Mitte aus alle Zutaten schnell zu einem glatten Teig verkneten sollte er kleben, ihn eine Zeitlang kalt stellen den Teig auf dem Boden einer Springform (Durchmesser etwa 26 cm) ausrollen, mehrmals

mit einer Gabel einstechen, die Form auf dem Rost
in den vorgeheizten Backofen schieben
goldgelb backen

Ober-/Unterhitze:	200 - 225 °C (vorgeheizt)
Heißluft:	180 - 200 °C (nicht vorgeheizt)
Gas:	Stufe 3 - 4 (vorgeheizt)
Backzeit:	etwa 15 Minuten.

Für den Belag

2 Eiweiß	sehr steif schlagen
	darunter nach und nach
100 g Zucker	schlagen
175 g abgezogene, gemahlene Mandeln	vorsichtig unterheben

die Masse in einen Spritzbeutel füllen, auf den
vorgebackenen, erkalteten Boden gleichmäßig
einen dicken Rand von etwa 2 ½ cm Höhe spritzen,
in den vorgeheizten Backofen schieben

Ober-/Unterhitze:	125 - 150 °C
Heißluft:	100 - 120 °C
Gas:	Stufe 1 - 2
Backzeit:	etwa 40 Minuten
750 g Erdbeeren	waschen, gut abtropfen lassen, entstielen, mit
50 g Zucker	vermengen

die Erdbeeren einige Zeit zum Saftziehen
stehenlassen, abtropfen lassen, auf dem erkalteten
Tortenboden verteilen
den Saft mit

Rotwein	auf 250 ml (¼ l) auffüllen.

Für den Guß

aus

1 Päckchen Tortenguß, rot	
Zucker nach Angabe auf dem Tortenguß-Päckchen	
250 ml (¼ l) Fruchtsaft	nach der Vorschrift auf dem Päckchen einen Tortenguß zubereiten, über das Obst verteilen, die Torte mit
Schlagsahne	verzieren.

Pommersche Schichttorte

Für den Teig

500 g Butter	mit
300 g Zucker	geschmeidig rühren, nach und nach
8 Eier	
450 g gesiebtes Weizenmehl	
8 Tropfen Vanillinaroma	unterrühren

etwas Teig mit einem Teigschaber dünn auf den gefetteten Boden einer Springform streichen, Springformboden auf dem Rost in den Backofen schieben

Ober-/Unterhitze:	175 - 200 °C (vorgeheizt)
Heißluft:	150 - 180 °C (nicht vorgeheizt)
Gas:	etwa Stufe 3 (vorgeheizt)
Backzeit:	5 - 7 Minuten

auf diese Weise etwa 20 goldgelbe Tortenschichten backen, noch warm zusammensetzen.

Für die Füllung

500 g rote Johannisbeer-Konfitüre	durch ein Sieb streichen, jeden frisch gebackenen Boden damit bestreichen, den nächsten auflegen, wieder bestreichen, bis alle Böden mit Konfitüre zu einer Torte zusammengesetzt sind die Schichttorte auskühlen lassen, mit
gesiebtem Puderzucker	bestäuben.

Die Torte zum Verzehr in gerade, 5 mm dicke Scheiben schneiden, sonst ist sie zu mächtig.

Buchteln mit Aprikosen

(Etwa 18 Buchteln)

Für den Teig

25 g frische Hefe	in
2 EL lauwarmer Milch	auflösen, 15 Minuten an einem warmen Ort gehen lassen, mit

etwa 160 ml lauwarmer Milch	
3 Eigelb	
1 EL Zucker	
250 g gesiebtem Weizenmehl	
50 g zerlassener Butter	vermengen, mit einem elektrischen Handrührgerät mit Knethaken zunächst 3 Minuten auf niedrigster Stufe, dann 5 Minuten auf höchster Stufe zu einem geschmeidigen Teig verarbeiten, wenn nötig noch etwas
Milch	zugeben, den Teig an einem warmen Ort gehen lassen, bis er sich verdoppelt hat den Teig nochmals durchkneten, etwa 5 mm dick ausrollen
etwa 18 kleine Aprikosen	waschen, an einer Seite einschneiden, die Kerne entfernen, mit
150 g Nuß-Schokoladencreme	füllen, Früchte zusammendrücken Teigplatte in Rechtecke schneiden, die groß genug für die Aprikosen sind, jede Frucht mit dem Teig umhüllen
100 g Butter	zerlassen, jede Buchtel in der Butter wälzen, dicht nebeneinander in eine große Springform oder Reine stellen 15-20 Minuten an einem warmen Ort gehen lassen, in den vorgeheizten Backofen schieben
Ober-/Unterhitze:	etwa 200 °C (vorgeheizt)
Heißluft:	etwa 180 °C (nicht vorgeheizt)
Gas:	etwa Stufe 3 (vorgeheizt)
Backzeit:	30-40 Minuten die Buchteln mit
2 EL feinem Streuselzucker	bestreuen, in der geöffneten Springform abkühlen lassen.
Beilage:	Vanille-Sahne-Sauce.

MASCARPONE-HEIDELBEER-TORTE

500 g Mascarpone	mit
80 g Zucker	
Saft von 1 Zitrone	zu einer glatten Creme rühren
500 g Heidelbeeren	verlesen, waschen, gut abtropfen lassen die Mascarpone-Masse auf
1 großen Biskuit-Obsttortenboden	streichen, die Heidelbeeren gleichmäßig darüber verteilen
3 - 4 EL Hagelzucker	darüber streuen.
Hinweis:	Etwas Marzipan-Rohmasse mit Puderzucker und einigen Tropfen grüner Lebensmittelfarbe verkneten, dünn ausrollen, kleine Blättchen ausschneiden und mit einem Holzspießchen die Blattadern einritzen, die Torte damit verzieren.

KÄSEKUCHEN AUF DEM BLECH

Für den Teig

250 g Weizenmehl	
1 gestrichenen TL Backpulver	mischen, auf die Tischplatte sieben, in die Mitte eine Vertiefung eindrücken
60 g Zucker	
1 Ei	hineingeben, mit einem Teil des Mehls zu einem dicken Brei verarbeiten
125 g kalte Butter	in Stücke schneiden, auf den Brei geben, mit Mehl bedecken, von der Mitte aus alle Zutaten schnell zu einem glatten Teig verkneten, ihn eine Zeitlang kalt stellen den Teig auf einem gefetteten Backblech ausrollen, mehrmals mit einer Gabel einstechen, mit
100 g gemahlenen Haselnußkernen	bestreuen.

Für die Füllung

1 kg Sauerkirschen	waschen, entstielen, entsteinen
4 Packungen (je 200 g) Speisequark, Magerstufe	mit
200 g Zucker	
1 Päckchen Vanillin-Zucker	
abgeriebener Schale und Saft von ½ Zitrone (unbehandelt)	
3 Eiern	
4 EL Grieß	gut verrühren die Kirschen auf dem Boden verteilen, die Quarkmasse darauf geben, glattstreichen
4 EL geschälte Sonnenblumenkerne	darüber streuen das Blech in den vorgeheizten Backofen schieben
Ober-/Unterhitze:	etwa 200 °C (vorgeheizt)
Heißluft:	etwa 180 °C (nicht vorgeheizt)
Gas:	etwa Stufe 4 (vorgeheizt)
Backzeit:	50 - 60 Minuten.

MAN NEHME
MINZE

Die Nordafrikaner wissen schon, warum sie jedem Gast einen Tee aus frischen Minzblättern zur Begrüssung servieren. Er schmeckt nicht nur angenehm, sondern wirkt auch kühl und entspannend. Seit altersher zählt die Minze zu den beliebtesten Küchengewürzen und Heilkräutern. Rund zwanzig verschiedene Arten kennt man im Mittelmeergebiet. Bei uns wird überwiegend die grüne Minze angeboten, deren getrocknete Blätter mit ihrem starken Pfefferminzgeschmack als Tee aufgebrüht wirksam bei allen Darmerkrankungen sind. Minze wird zudem oft und gern als aromatische Zutat für Cocktails verwendet und im angelsächsischen Gebiet gehört sie in Form einer delikaten Sauce zu Lamm- und Hammelgerichten.

MINT JULEP

(Für 1 Person)

4 Minzeblätter	mit
1 Barlöffel Puderzucker	in einem großen Whisky-Glas zerdrücken und umrühren.
	Die Blätter entfernen und das Glas zu Dreiviertel mit
fein zerstoßenem Eis	füllen
5 cl Bourbon Whisky	hinzufügen, gut umrühren und mit
1 Orangenscheibe	und
1 Minzezweig	ganieren.

Himmbeerpunsch mit Arrak

(Für 1 Person)

1 l Wasser	zum Kochen bringen
7 EL Assam-Tee	damit aufbrühen, 4 Minuten ziehen lassen, abgießen zusammen mit
2 EL Himbeer-Sirup	
Zucker nach Geschmack	erhitzen, aber nicht kochen lassen
150 ml Arrak	hinzugeben, erneut kurz erhitzen heißen Punsch in Gläser füllen und mit gewaschenen und abgetropften Himbeeren servieren.

Café Drambuie

(Für 1 Person)

2 - 3 cl Drambuie	mit
1 TL Zucker	
heißem starkem Kaffee	in einem vorgewärmten Irish-Coffee-Glas oder einem Punschglas gut verrühren
2 EL geschlagene Sahne	als Haube darauf setzen.

Jamaika Kaffee

(Für 1 Person)

2 cl Jamaika Rum	mit
2 cl Kaffee-Likör	
1 TL Zucker	in einem vorgewärmten Punschglas verrühren, mit
heißem starkem Kaffee	auffüllen
2 - 3 EL geschlagene Sahne	als Haube darauf setzen.

Eiskaffee

750 ml ($^3/_4$ l) starken Kaffee	kalt stellen
	Gläser zu $^2/_3$ mit dem erkalteten Kaffee füllen
1 Packung Vanilleeis	in Würfel schneiden, in die Gläser geben
125 ml ($^1/_8$ l) Schlagsahne	mit
Zucker	süßen, steif schlagen, auf das Eis spritzen, nach Belieben mit
geraspelter Schokolade	bestreuen.

271

Wenn im September hauchzarte Spinn
weben durch die noch milde Luft fliegen,
um den Altweibersommer zu ver-
abschieden, dann ist die Zeit der Ernte
gekommen. Apfel, Birne und Co. wollen
gepflückt werden, Pflaume und Quitte
warten aufs Einmachen, Kartoffeln aufs
Ausmachen, Weintrauben auf die Lese.
Die Jagd ist auf und was paßt besser
zu Wild als Pfifferlinge und Preiselbeeren?
Nun schmecken sie wieder, die dampfend
heißen Suppen mit ihren kräftigen
Einlagen und deftige Braten wie die tradi-
tionelle Martinsgans. Ein reich gedeckter
Tisch hat noch jede neblige November-
Tristesse vertrieben. Und bei einer Tasse
aromatischem Tee nebst selbstgebackenem
Kuchen läßt es sich herrlich entspannen...

GETROCKNETE FRÜCHTE

Eine der ältesten Konservierungsmethoden, die der Mensch kennt, ist das Trocknen von Obst. Äpfeln, Aprikosen, Pflaumen, Datteln, Trauben oder Feigen wird Feuchtigkeit entzogen, wodurch sich die Zuckerkonzentration erhöht. Zwischen 60 und 70 Prozent liegt der Kohlenhydratanteil beim Trockenobst. Entsprechend hoch ist der Kalorienwert: 100 g getrocknete Früchte haben 270 bis 300 Kalorien. Trockenobst aus hellen Früchten (z.B. Apfel und Birne) darf übrigens mit Schwefeldioxid behandelt werden. So behält es seine helle Farbe und wird gegen Pilzbefall geschützt. „Geschwefeltes" Obst muß extra gekennzeichnet sein.

Bananas

3 cl Bananensaft
2 cl Grapefruitsaft
2 cl Aprikosensaft
1 cl Möhrensaft
½ cl Himbeersirup
1 cl Schlagsahne mit
3 Eiswürfeln in einen Shaker geben, gut schütteln, in ein
Longdrinkglas absieben
mit
etwas Kakaopulver bestäuben.

Bloody Mary

1 cl Wodka
6 cl Tomatensaft
1 Spritzer Worcestersauce
1 Spritzer Tabasco
1 Spritzer Zitronensaft
frisch gemahlenen
weißen Pfeffer
Salz mit
2 Eiswürfeln in einen Shaker geben, gut schütteln, in ein
Glas absieben.

Brandy Alexander

2 cl Weinbrand
2 cl Crème de cacao
2 cl Schlagsahne
1 Messerspitze Zimt
1 Messerspitze Kakao mit
3 Eiswürfeln in einen Shaker geben, gut schütteln, in ein
Cocktailglas absieben, nach Wunsch mit
Kakao und Zimt bestäuben.

MARTINI

4 cl Gin	
1 cl Wermut, extra trocken	mit
3 Eiswürfeln	in ein Mixglas geben, mit einem Löffel rühren, sobald das Eis zu schmelzen beginnt, in ein Cocktailglas umfüllen, mit
1 grünen Olive	servieren.

NEKRONI

2 cl Campari	
1,5 cl Gin	
2 cl Wermut, rot	mit
3 Eiswürfeln	in einen Shaker geben, gut schütteln
3 - 4 Eiswürfel	in ein hohes Glas geben, den Drink in das Glas absieben.

SUNRISE

6 cl Möhrensaft	
4 cl Zitronensaft	
2 cl Apfelsaft	
2 cl Bananensaft	
1 cl Himbeersirup	mit
3 Eiswürfeln	in einen Shaker geben, gut schütteln
3 Eiswürfel	in ein Longdrinkglas geben den Drink in das Glas absieben
Bananenscheiben Himbeeren	
	Früchte abwechselnd auf einen Sticker spießen, auf das Glas legen, nach Wunsch mit
Zitronenmelissezweig	garnieren.

ANANAS-MANGO-BOWLE

(Für 6 Personen)

	Von
1 Ananas	Blattkrone und Stengelansatz abschneiden, Ananas schälen, vierteln, den holzigen Strunk entfernen, Fruchtfleisch in 1 cm dicke Scheiben schneiden
	mit dem Saft in ein Bowlengefäß geben
2 Mangos	schälen, halbieren, das Fruchtfleisch vom Kern lösen, in Würfel schneiden, mit den Ananasstückchen vermengen
125 ml (⅛ l) Madeira	
3 TL Grenadine-Sirup	
3 Flaschen Rosé-Wein	hinzugießen, umrühren, zugedeckt etwa 2 Stunden im Kühlschrank durchziehen lassen, nach Wunsch mit
Mineralwasser	auffüllen.

BLUE MOON

4 cl Curaçao blue	
1 cl weißen Rum	
½ cl Cointreau	mit
2 - 3 Eiswürfeln	in einen Shaker geben, gut schütteln, in ein Cocktailglas absieben, mit
Mineralwasser	auffüllen.

BRASIL

2 cl Crème de cacao	
1 cl Curaçao orange	
1 cl Cointreau	
2 cl kalter Kaffee	
1 cl süße Schlagsahne	mit
2 - 3 Eiswürfeln	in einen Shaker geben, gut schütteln, in ein Cocktailglas absieben.

MAN NEHME

PILZE

Dank Zuchtbetrieben und einer Konservenindustrie kann man das ganze Jahr über Pilze in den verschiedensten Variationen servieren. Doch frisch sind sie immer noch am besten. Wenn ab Juni die ersten Pfifferlinge auf den Markt kommen, dann sollte man zugreifen. Aber auch die wildwachsenden Waldpilze, die gezüchteten braunen und weißen Champignons mit ihrem nussigen Geschmack oder die aromatischen Austernpilze verdienen einen fest reservierten Platz auf jedem Speiseplan. Eine ganz besondere Stellung in der weitläufigen Pilzfamilie nehmen die Morcheln und Trüffel ein. Als wahrhaft fürstliche Delikatesse verlangen sie bei Tisch ein entsprechendes Honorar.

ÜBERBACKENE STEINPILZE

1 kg Steinpilze	putzen, abspülen, trockentupfen, die Stiele herausdrehen, fein hacken, die Hüte mit
Zitronensaft	beträufeln, die Unterseite nach oben in eine mit
Olivenöl	gefettete, feuerfeste Form legen
2 Knoblauchzehen	abziehen, würfeln, gehackte Pilzstiele mit
3 EL Pinienkernen	vermengen, auf die Pilzhüte verteilen, mit
Salz, Pfeffer	bestreuen, mit
3 EL Olivenöl	beträufeln
	die Form auf dem Rost unter den vorgeheizten Grill schieben, die Pilze etwa 2 Minuten grillen.

DREI-PILZE-PIZZA

(Für 8 Personen)

Für den Teig

250 g Weizenmehl	in eine Schüssel sieben, mit
Salz	mischen, eine Vertiefung eindrücken
20 g Frisch-Hefe	hineinbröckeln
125 ml (⅛ l) lauwarmes Wasser	
½ TL Olivenöl	darüber geben, die Hefe darin auflösen, mit Mehl bedecken, diesen „Vorteig" etwa 10 Minuten an einem warmen Ort gehen lassen, danach die Zutaten von der Mitte aus mit den Händen zu einem lockeren, glatten Teig verkneten, zu einer Kugel formen, über Kreuz einschneiden, mit etwas
Weizenmehl	bestäuben, zugedeckt etwa 1 Stunde an einem warmen Ort gehen lassen.

Für den Belag

je 200 g Pfifferlinge, Steinpilze und Chamipgnons	putzen, waschen, kleinschneiden
4 Schalotten	abziehen, fein würfeln
100 g Butter	zerlassen, Zwiebelwürfel darin andünsten, Pilze hinzufügen, mitdünsten lassen
1 Knoblauchzehe	abziehen, zerdrücken, mit
3 EL feingeschnittenem Schnittlauch	
3 EL gehackter Petersilie	zu den Pilzen geben, mit
Salz, Pfeffer	würzen
	den Pizzateig zu einer runden Platte von etwa 28 cm Durchmesser ausrollen, auf ein mit wenig
Olivenöl	bestrichenes Back- oder Pizzablech legen, den Belag gleichmäßig darauf verteilen
400 g geriebenem Gruyère-Käse	darüber streuen, die Pizza in den vorgeheizten Backofen schieben
Ober-/Unterhitze:	etwa 225 °C (vorgeheizt)
Heißluft:	etwa 200 °C (nicht vorgeheizt)
Gas:	etwa Stufe 5 (vorgeheizt)
Backzeit:	etwa 20 Minuten.

Im Herbst

DOPPELDECKER-IMBISS

12 Scheiben Roggentoastbrot	mit 60 g von
80 g Butter	bestreichen
2 Kästchen Kresse	waschen, gut abtropfen lassen Blättchen mit einer Schere abschneiden, auf 4 Toastscheiben verteilen
2 Äpfel	schälen, vierteln, Kerngehäuse entfernen, die Apfelviertel in dünne Scheiben schneiden, auf der Kresse verteilen je 2 von
8 Scheiben rohem Schinken	auf die Äpfel legen, mit 4 Brotscheiben mit der gebutterten Seite nach unten bedecken, mit der restlichen Butter bestreichen zuerst mit je 1 von
4 gewaschenen Salatblättern	dann mit je 1 von
4 Scheiben Weinbergkäse	belegen, mit den restlichen Brotscheiben mit der gebutterten Seite nach unten bedecken Doppeldecker diagonal durchschneiden, in Folie wickeln nach Belieben
Senf Meerrettich Ketchup	dazu reichen.

Vorspeisen

RÜHREI MIT SCHINKEN

125 g mageren gekochten Schinken	in kleine Würfel schneiden, mit
6 Eiern 6 EL Mineralwasser	gut durchschlagen, mit
Salz frisch gemahlenem Pfeffer geriebener Muskatnuß	würzen
1 EL gemischte, gehackte Kräuter	unterrühren
1 EL Butter	in einer Pfanne zerlassen, die

Eier-Schinken-Masse hineingeben
sobald die Masse zu stocken beginnt, sie
strichweise vom Boden der Pfanne lösen
so lange weiter erhitzen, bis keine Flüssigkeit
mehr vorhanden ist.

BUNTE MAISCREME

150 g gekochte Maiskörner (aus der Dose)	abtropfen lassen, mit dem Pürierstab des elektrischen Handrührgerätes pürieren, mit
100 g Crème fraîche 1 TL Zitronensaft	verrühren
1 kleine rote Paprika	halbieren, entstielen, entkernen, die weißen Scheidewände entfernen, die Paprika waschen, in feine Würfel schneiden, mit
1 EL gehackter Petersilie 1 EL Schnittlauchröllchen	unter die Maiscreme rühren, mit
Salz, Pfeffer geriebener Muskatnuß	würzen, kühl stellen.

EIER MIT ESTRAGONSAUCE

Für die Estragonsauce

50 g Butter	zerlassen
2 EL Weizenmehl	unter Rühren so lange darin erhitzen, bis es hellgelb ist
250 ml (¼ l) Schlagsahne	hinzugießen, mit einem Schneebesen durchschlagen, darauf achten, daß keine Klumpen entstehen die Sauce zum Kochen bringen, etwa 5 Minuten kochen lassen
4 Eigelb	mit
3 EL kalter Milch	verschlagen, die Sauce damit legieren, mit
Salz frisch gemahlenem Pfeffer	würzen
1 - 2 EL feingehackte Estragonblättchen	unterrühren
6 gekochte Eier	pellen, längs halbieren, auf einer Platte anrichten, die Estragonsauce darüber geben, die Eierhälften mit
Estragonblättchen	garnieren.

WACHTELEIER IN CHAMPIGNONS

12 sehr große Champignons	putzen, waschen, die Stiele entfernen, die Köpfe trockentupfen, mit
Salz frisch gemahlenem Pfeffer	bestreuen die Champignons in eine gefettete flache Auflaufform setzen
2 rohe Wachteleier	in die Pilze geben
120 g Kräuterbutter	darauf verteilen die Form in den vorgeheizten Backofen setzen, die Eier stocken lassen
Ober-/Unterhitze:	etwa 175 °C (vorgeheizt)
Heißluft:	etwa 150 °C (nicht vorgeheizt)
Gas:	etwa Stufe 2 (vorgeheizt)
Backzeit:	etwa 15 Minuten.

MARMOREIER

8 Eier	in
Salzwasser	geben, zum Kochen bringen, etwa 1 Stunde kochen, damit das Eigelb cremig wird, die Eier abschrecken, rundherum anknicken.

Für die Marinade

500 ml (½ l) Wasser	mit
3 EL Earl-Grey Teeblättern	
1 Sternanis	
1 Zimtstange	
3 Nelken	
5 Pimentkörnern	
5 Pfefferkörnern	
1 EL Worcestersauce	zum Kochen bringen, Eier hineingeben, evtl. noch etwas Wasser hinzugießen (Eier müssen bedeckt sein), 2 Stunden bei kleiner Hitze ziehen lassen, im Sud auskühlen lassen.

Vorspeisen

Eier im Förmchen

80 g rohen Schinken	vom Fettrand befreien, in feine Würfel oder Streifen schneiden
1 Schalotte oder 1 kleine Zwiebel	abziehen, fein hacken
1 EL Speiseöl	erhitzen, die Zwiebelwürfel darin glasig dünsten, Schinkenwürfel hinzufügen, mitdünsten
50 g Champignons	putzen, waschen, trockentupfen, grob hacken, etwa 5 Minuten mitdünsten, bis die Flüssigkeit fast verdampft ist, mit
Salz, Pfeffer 1 Messerspitze Cayennepfeffer	würzen 4 feuerfeste Förmchen ausfetten, die Schinken-Pilz-Mischung darin verteilen
4 Eier	verquirlen
1 EL gemischte, gehackte Kräuter	unterrühren die Masse in die Förmchen geben, mit Alufolie verschließen, in einen Topf mit
kochendem Wasser	stellen, die Eier zugedeckt bei schwacher Hitze in etwa 30 Minuten garziehen lassen.

Tee-Eier mit Ingwer

4 Eier	in kochendes Wasser geben, zum Kochen bringen, in 10 Minuten hartkochen, abschrecken, rundherum anknicken.

Für die Marinade

2 EL Teeblätter (z.B. Assam) 250 ml (¼ l) kochendes Wasser	in geben, etwa 10 Minuten ziehen lassen, durch ein Sieb geben
1 Stück frische Ingwerwurzel (etwa 1 cm)	schälen, in dünne Scheiben schneiden, in den Tee geben, die angeknickten Eier in dem Teesud zugedeckt etwa 1 Stunde ziehen lassen.

ROTER HARZER MIT MUSIK

1 Zwiebel	abziehen, in Scheiben schneiden, in Ringe teilen, im Wechsel mit
5 Harzer Käse (insgesamt 200 g)	in ein kleines, gut schließendes Glas schichten
1 TL Senfkörner 1 Zimtstange 2 Nelken	hinzugeben, mit
200 ml Rotwein	bedecken, Glas verschließen, mindestens 2 Tage durchziehen lassen.

HARZER KÄSE IN ÖL

500 ml (½ l) Speiseöl	mit
½ TL weißen Pfefferkörnern 2 abgezogenen Knoblauchzehen Kapern ¼ TL Kümmel 1 Lorbeerblatt 1 kleinen Rosmarinzweig 1 kleinen Thymianzweig 1 - 2 roten Chilischoten	mischen
500 g Harzer Käse	in die vorgegebenen Einzelstücke (Rollen) teilen, in ein hohes Glasgefäß geben, mit der Marinade übergießen (Käse soll bedeckt sein), mindestens 4 - 5 Tage stehenlassen.
Beilage:	Grau-, Misch- oder Vollkornbrot.
Anmerkung:	Die Marinade kann mehrmals verwendet werden.

Käseflipkugeln auf Pflaumen

(12 Stück)

20 g Erdnußflips	fein zerdrücken, 15 g davon mit
120 g Weinbergkäse	verkneten, mit
gemahlenem Zimt	
frisch gemahlenem Pfeffer	würzen
	aus der Käsecreme 12 Kugeln formen, in den zurückgelassenen Erdnußflipbröseln wälzen
6 dicke blaue Pflaumen	waschen, halbieren, entsteinen, die Käsekugeln auf die Hälften legen.

Schweizer Käsekuchen

375 ml (³/₈ l) Milch	mit
60 g Butter	zum Kochen bringen, vom Herd nehmen
170 g Weizenmehl	sieben, in die Flüssigkeit geben, zu einer glatten Masse rühren, noch etwa 1 Minute erhitzen, danach etwas abkühlen lassen
5 Eigelb	
150 g geriebenen Schweizer Käse	
150 g geriebenen Parmesan-Käse	unterrühren
5 Eiweiß	steif schlagen, unter die Masse rühren
250 g tiefgekühlten Blätterteig	auftauen lassen, die einzelnen Teigplatten nebeneinander legen und in der Größe einer Pie-Form (Durchmesser 26 cm) ausrollen die Pie-Form mit kaltem Wasser ausspülen, den Teig hineinlegen, die Ränder hochdrücken, die Käsemasse hinzugeben, glattstreichen die Form auf dem Rost in den vorgeheizten Backofen schieben
Ober-/Unterhitze:	etwa 175 °C (vorgeheizt)
Heißluft:	etwa 150 °C (nicht vorgeheizt)
Gas:	etwa Stufe 3 (vorgeheizt)
Backzeit:	etwa 45 Minuten.

Im Herbst

Gefüllter Kürbis

2 Sommerkürbisse (je etwa 500 g Pattisons oder andere kleine Kürbisse) schwach gesalzenes Wasser	waschen, längs halbieren, in soviel
	geben, daß die Kürbisse vollständig bedeckt sind, zum Kochen bringen, etwa 20 Minuten kochen, bis sie leicht einzustechen sind, abgießen und lauwarm abkühlen lassen.

Für die Füllung

2 Lauchstangen (etwa 400 g)	putzen, das dunkle Grün abschneiden, den zarten Teil der Stangen aufschneiden, gründlich waschen, in feine Ringe schneiden
2 Schalotten	abziehen, in feine Scheiben schneiden
30 g Butter oder Margarine	in einer Pfanne zerlassen, zuerst die Zwiebelscheiben andünsten, dann den Lauch etwa 5 Minuten unter gelegentlichem Wenden dünsten die Kerne aus den Kürbissen kratzen aus jeder Kürbishälfte etwa ²⁄₃ des Fruchtfleisches herausschälen, grob hacken und zum Lauch in die Pfanne geben, mit
50 g frisch geriebenen Parmesan-Käse	unterrühren, mit
Salz, Pfeffer	würzen, alles im offenen Topf unter gelegentlichem Wenden dünsten lassen, bis die Flüssigkeit verdampft ist die Lauchmischung in die Kürbishälften füllen, die Kürbisse nebeneinander in eine feuerfeste Form setzen, mit
8 EL Schlagsahne	beträufeln und nach Belieben mit
4 TL abgezogenen gemahlenen Mandeln	bestreuen, die Form auf dem Rost in den vorgeheizten Backofen schieben (mittlere Schiene)
Ober-/Unterhitze:	etwa 225 °C (vorgeheizt)
Heißluft:	etwa 200 °C (nicht vorgeheizt)
Gas:	Stufe 4 - 5 (vorgeheizt)
Backzeit:	etwa 20 Minuten.

Vorspeisen

KÜRBISPÜREE

500 g Kürbisfleisch	und
1 Apfel	schälen, entkernen, in Stücke schneiden, mit
knapp 5 EL Wasser	
Saft von 1 Zitrone	etwa 15 Minuten zugedeckt dünsten, anschließend pürieren
70 g weiche Butter	
½ TL gemahlenen Zimt	
1 TL braunen Zucker	darunter rühren.
Hinweis:	Paßt zu allen Fleisch- und Wildgerichten.

KNOBLAUCH-TOMATEN

100 g Bacon (in Scheiben)	in eine flache feuerfeste Form legen
5 Fleischtomaten	waschen, die Stengelansätze herausschneiden, die Tomaten nebeneinander in die Form setzen
6 - 8 frische Knoblauchzehen	abziehen, würfeln
1 Bund Basilikum	
1 Bund Petersilie	
4 Salbeiblättchen	
	die Kräuter abspülen, trockentupfen, hacken, mit dem Knoblauch auf den Tomaten verteilen
200 g Schafskäse	darüberbröseln, die Form auf dem Rost in den Backofen schieben
Ober-/Unterhitze:	etwa 175 °C (vorgeheizt)
Heißluft:	etwa 150 °C (nicht vorgeheizt)
Gas:	Stufe 2 - 3 (vorgeheizt)
Backzeit:	etwa 35 Minuten.

Paksoi-Quiche

Für den Teig

250 g Weizenmehl	in eine Schüssel sieben
125 g kalte Butter	in kleinen Stückchen dazugeben, Mehl und Butter zwischen den Handflächen reiben, bis eine krümelige Masse entstanden ist
1 Ei	verschlagen, mit
1 TL Salz	
1 Prise Zucker	unter den Teig kneten
4 EL Milch	nach und nach unter den Teig arbeiten den Teig zu einer Kugel formen und etwa 1 Stunde kühl stellen.

Für den Belag

500 g Paksoi	putzen, den Stielansatz abschneiden und entfernen, die Blätter von den Stielen streifen, Blätter und Stiele waschen, kleinschneiden, in
kochendes Salzwasser	geben, etwa 2 Minuten blanchieren, abtropfen lassen
2 Eier	mit
150 ml Schlagsahne	
200 g Speisequark (Magerstufe)	
Salz	
frisch gemahlenem Pfeffer	
Cayennepfeffer	
geriebener Muskatnuß	verrühren, unter das Gemüse heben eine Quicheform (Durchmesser 30 cm) mit dem Teig auskleiden, mehrmals mit einer Gabel einstechen, das Gemüse darauf verteilen
100 g Schinkenspeck	in feine Streifen schneiden, darüberstreuen die Form auf dem Rost in den Backofen schieben (mittlere Schiene)
Ober-/Unterhitze:	etwa 225 °C (vorgeheizt)
Heißluft:	etwa 200 °C (nicht vorgeheizt)
Gas:	etwa Stufe 4 - 5 (vorgeheizt)
Backzeit:	etwa 40 Minuten.

Vorspeisen

Pflaumen-Portweincreme-Torteletts mit Schweinebraten (Foto)

(6 Stück)

3 Scheiben mageren Schweinebraten (etwa 200 g)	mit einer Geflügelschere in 6 Kreise von etwa 5 cm Durchmesser schneiden
1 Apfel	schälen, vierteln, entkernen, grob zerkleinern, mit den Bratenresten,
50 g entsteinten Backpflaumen 2 EL Portwein 4 EL Schlagsahne Worcestersauce frisch gemahlenem schwarzem Pfeffer gemahlenem Piment gemahlenen Nelken	im Mixer pürieren, mit würzen die Füllung in
6 Torteletts (fertig gekauft)	geben, glattstreichen, auf jedes Tortelett ein rundes Stück Schweinebraten legen, mit
Backpflaumenstückchen Pfefferminzblättchen	garnieren.

WÜRZIGE ROTE BETE

1 kg Rote Bete (Rote Rüben - ohne Grün)	putzen, unter fließendem kaltem Wasser sorgfältig bürsten, mit
Salzwasser	in den Schnellkochtopf geben, den Topf schließen, erst dann den Kochregler auf Stufe II schieben, wenn reichlich Dampf entwichen ist (nach etwa 1 Minute), nach Erscheinen des 1. Ringes die Rote Bete garen lassen, den Topf von der Kochstelle nehmen den Regler langsam stufenweise zurückziehen und den Topf öffnen die Rote Bete aus der Flüssigkeit nehmen, mit kaltem Wasser übergießen, abtropfen lassen, schälen, in Scheiben schneiden, große Scheiben evtl. halbieren
5 Zwiebeln	abziehen, in Scheiben schneiden die Rote Bete mit den Zwiebelscheiben,
2 zerkleinerten Lorbeerblättern 12 - 15 Nelken 12 - 15 Pimentkörnern	in eine Schüssel schichten.

Für die Essig-Zucker-Lösung

75 g Zucker	mit
500 ml (½ l) Wasser 1 TL Salz	zum Kochen bringen
250 ml (¼ l) Weinessig (5%ig)	hinzugießen die Flüssigkeit über die Roten Bete gießen, einige Tage durchziehen lassen.
Garzeit:	etwa 25 Minuten.

ROQUEFORT-APFEL-TOAST

4 mürbe Äpfel (Boskop)	schälen, das Kerngehäuse ausstechen, die Äpfel in dünne Ringe schneiden
etwa 200 g Roquefort-Käse	in dünne Scheiben schneiden
8 Scheiben Weißbrot	toasten, mit
Butter	bestreichen, zuerst mit den Apfelringen, dann mit den Roquefortscheiben belegen, mit
100 g frisch geriebenem Parmesan-Käse	bestreuen die Toasts im vorgeheizten Backofen goldgelb überbacken
Ober-/Unterhitze:	etwa 200 °C (vorgeheizt)
Heißluft:	etwa 180 °C (nicht vorgeheizt)
Gas:	etwa Stufe 4 (vorgeheizt)
Überbackzeit:	10-15 Minuten.

ROQUEFORT-QUARK-CREME

200 g Roquefort-Käse	mit einer Gabel zerdrücken, mit
1 Packung (200 g) Speisequark	verrühren
½ abgezogene Zwiebel	fein reiben, unterrühren, mit
Zucker	
frisch gemahlenem Pfeffer	würzen, bergartig auf einen Teller häufen
2 EL abgezogene, grob gehackte Mandeln	in einer heißen Pfanne ohne Fett goldgelb rösten, über die Roquefort-Quark-Creme streuen
Cräckers	darum legen.
Beilage:	Weintrauben, Birnenviertel, frische Datteln oder Staudenselleriestücke, junge Möhren, Chicoréeblätter.

WEIN-LAUCH

1 kg Lauch (möglichst dünne Stangen)	putzen, das dunkle Grün bis auf etwa 10 cm entfernen, den Lauch in etwa 7 cm lange Stücke schneiden, seitlich einschneiden, unter fließendem kaltem Wasser gründlich waschen, abtropfen lassen
5 EL Olivenöl	in einer Pfanne erhitzen, die Lauchstangen darin rundherum braun anbraten
250 ml (¼ l) Weißwein	hinzufügen, etwa 10 Minuten dünsten, im Sud erkalten lassen, mit
Salz frisch gemahlenem Pfeffer geriebener Muskatnuß	würzen
2 EL gehackte Petersilie	unterrühren, nach Wunsch mit
Zitronenachteln	garnieren, lauwarm oder kalt servieren.

FEINE ZIMT-ZWIEBELCHEN

500 g kleine Zwiebeln	abziehen
2 EL Speiseöl	in einer großen Pfanne erhitzen, die Zwiebeln glasig dünsten lassen, mit
Salz	würzen
60 g braunen Zucker	über die Zwiebeln streuen, karamelisieren lassen
200 ml Rotwein	mit
6 EL Essig	mischen, mit
2 EL Tomatenmark	verrühren, über die Zwiebeln gießen, gut verrühren, aufkochen lassen, mit
2 TL gemahlenem Zimt Cayennepfeffer	würzen, im geschlossenen Topf etwa 15 Minuten dünsten lassen, dabei ab und zu umrühren, die Zwiebeln herausnehmen, die Flüssigkeit in etwa 10 Minuten dicklich einkochen lassen, die Zwiebeln hineingeben, erhitzen, mit
Essig gemahlenem Zimt	abschmecken.
Hinweis:	Feine Zimt-Zwiebelchen zu Lamm oder Wild oder zu Fondue reichen.

292

BESCHWIPSTE ZWIEBELN

1 kg mittelgroße Zwiebeln	abziehen, in
kochendes Wasser	geben, zum Kochen bringen, etwa 10 Minuten kochen lassen, herausnehmen, etwa 10 Minuten in kaltes Wasser legen, abtropfen lassen
250 ml (¼ l) Rotweinessig	mit 100 g von
250 g Zucker 2 gestrichenen TL Salz	zum Kochen bringen, beiseite stellen den restlichen Zucker in einem Topf unter Rühren karamelisieren lassen, die Essig-Flüssigkeit hinzugießen, gut verrühren, bis die Karamel-Masse gelöst ist
8 Salbeiblättchen	vorsichtig abspülen, trockentupfen, mit den vorbereiteten Zwiebeln,
4 Lorbeerblättern etwas geschälter Ingwerwurzel 5 Nelken 10 schwarzen Pfefferkörnern 1 Stück Stangenzimt Schale von 1 Zitrone (unbehandelt)	in die Zucker-Essig-Flüssigkeit geben, zum Kochen bringen, etwa 5 Minuten kochen lassen, von der Kochstelle nehmen
etwa 250 ml (¼ l) roten Portwein	hinzugießen Zwiebeln und Gewürze aus der Portwein-Flüssigkeit nehmen, in Gläser füllen, die Flüssigkeit hinzugießen, die Gläser verschließen, die Zwiebeln kühl aufbewahren.
Kochzeit:	etwa 15 Minuten.
Hinweis:	Beschwipste Zwiebeln zu Fondue oder anderem kurzgebratenem Fleisch reichen.

Gebackene Pfannkuchen-Rollen

Für die Pfannkuchen

250 g Weizenmehl	in eine Schüssel sieben, in die Mitte eine Vertiefung eindrücken
4 Eier	
Salz	mit
300 ml Milch	
300 ml Wasser	verschlagen, etwas davon in die Vertiefung geben, von der Mitte aus Eier-Milch und Mehl verrühren, nach und nach die übrige Eier-Milch dazugeben, darauf achten, daß keine Klumpen entstehen
	den Teig etwa 30 Minuten stehenlassen
Butterschmalz	in einer Pfanne erhitzen, eine dünne Teiglage hineingeben
	von beiden Seiten goldgelb backen
	bevor der Pfannkuchen gewendet wird, etwas Fett in die Pfanne geben
	die übrigen Pfannkuchen auf die gleiche Weise zubereiten (insgesamt 8-10 Stück).

Für die Füllung

400 g Bratwurstbrät	aus der Haut drücken, mit
125 ml (⅛ l) Schlagsahne	
2 EL gemischten, gehackten Kräutern (Dill, Petersilie, Schnittlauch, Estragon)	verrühren, mit
Salz	
frisch gemahlenem Pfeffer	abschmecken
	jeweils etwa 1 Eßlöffel von der Füllung auf einen Pfannkuchen streichen, aufrollen
	die Pfannkuchen nebeneinander in eine viereckige, gefettete Bratpfanne legen.

Für die Sauce

125 ml (⅛ l) Schlagsahne	mit
1 Becher (150 g) Joghurt	

Vorspeisen

294

1 Ei	verrühren, mit
Salz	
frisch gemahlenem Pfeffer	
geriebener Muskatnuß	würzen, über die Pfannkuchen geben, die Form auf dem Rost in den vorgeheizten Backofen schieben
Ober-/Unterhitze:	225 - 250 °C (vorgeheizt)
Heißluft:	200 - 220 °C (nicht vorgeheizt)
Gas:	Stufe 4 - 5 (vorgeheizt)
Backzeit:	etwa 20 Minuten.

PALMITO-PILZ-COCKTAIL (Foto)

Etwa 200 g Palmherzen in saurem Sud (aus der Dose)	abtropfen lassen, in etwa 1 cm dicke Scheiben schneiden
300 g Champignons	putzen, waschen, in dünne Scheiben hobeln
100 g dünn geschnittenes Bündner Fleisch	in etwa 2 cm große Stückchen zupfen (4 Scheiben zum Garnieren zurücklassen).

Für die Cocktailsauce

8 EL Palmherzensud	mit
2 EL Zitronensaft	
6 EL Salatöl	verrühren, mit
Salz	
frisch gemahlenem weißem Pfeffer	würzen
2 EL gehackte Kräuter (Petersilie, Schnittlauch)	unterrühren, mit den Cocktailzutaten vermengen den Cocktail etwa 5 Minuten durchziehen lassen 4 Cocktailgläser
gewaschenen, äußeren Batavia Salatblättern	auslegen, den Cocktail darin anrichten, mit zur Rose gedrehtem Bündner Fleisch garnieren.

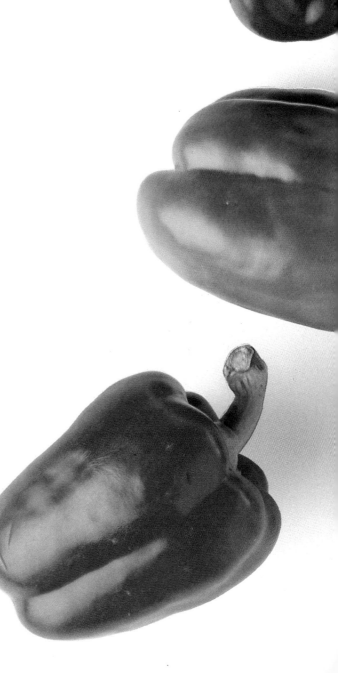

MAN NEHME
PAPRIKA

Wer Paprika mit Ungarn gleichsetzt, der irrt. Das fruchtige Gemüse stammt ursprünglich aus dem tropischen und subtropischen Amerika. Man unterscheidet zwischen den länglichen Gewürzsorten – wozu unter anderem auch der Chilipfeffer gehört – und den eher rundlichen, dickwandigen Gemüsearten, zu denen der bei uns handelsübliche Paprika zählt. Die an Vitamin C und A sowie Karotin reichen Nachtschattengewächse sind grundsätzlich zunächst einmal grün. Erst mit zunehmender Reife verfärbt sich die Frucht gelb oder orange und schließlich leuchtend rot. Entsprechend ändert sich auch der Geschmack, von herb über mild bis angenehm süß.

MITTERNACHTSSUPPE

(Für 8-10 Personen)

250 g Rindfleisch	
150 g Schweinefleisch	das Fleisch waschen, abtrocknen, in Würfel schneiden
50 g Schweineschmalz	zerlassen, das Fleisch von allen Seiten gut darin anbraten
250 g Zwiebeln	abziehen, halbieren, zu dem Fleisch geben, kurze Zeit mitschmoren lassen, mit
Salz	
frisch gemahlenem Pfeffer	
Zucker	
Paprika extra scharf	
Tabasco	
Chilisauce	
Cayennepfeffer	
Madeira	würzen
1 l Fleischbrühe	hinzugießen, kochen lassen
1 Stange Lauch	putzen, waschen, in schmale Ringe schneiden, evtl. nochmals waschen
1 rote Paprikaschote	vierteln, entstielen, entkernen, die weißen Scheidewände entfernen, die Schote waschen
1 Stück Sellerie (etwa 125 g)	putzen, schälen, waschen
2 Möhren	putzen, schälen, waschen die drei Zutaten in Streifen schneiden nach etwa 15 Minuten Kochzeit das Gemüse in die Suppe geben, gar kochen lassen 5 Minuten vor Beendigung der Kochzeit
425 g Rote Bohnen (aus der Dose)	
425 g Weiße Bohnen (aus der Dose)	mit der Flüssigkeit hinzufügen, kurz miterhitzen die Suppe mit Salz, Pfeffer, Zucker, Tabasco, Chilisauce, Cayennepfeffer abschmecken.
Kochzeit:	etwa 1 Stunde.

Im Herbst

297

CHINESISCHE HÜHNERSUPPE (Foto)

(Für 6 - 8 Personen)

30 g chinesische Pilze	in
kaltem Wasser	einweichen (am besten einige Stunden), abtropfen lassen, in Streifen schneiden
2 ½ l Wasser	zum Kochen bringen
6 EL Instant-Hühnersuppe	unterrühren
1 küchenfertiges Hähnchen (etwa 1 kg)	unter fließendem kaltem Wasser abspülen
1 Bund Suppengrün (Möhre, Lauch, Sellerie)	putzen, waschen, kleinschneiden die beiden Zutaten in die Hühnersuppe geben, zum Kochen bringen, etwa 1 Stunde kochen lassen das Hähnchen aus der Suppe nehmen, das Fleisch von den Knochen lösen, in Würfel schneiden
50 g eingeweichte Glasnudeln Sojasauce	und die Pilze in die Suppe geben, zum Kochen bringen, 20 Minuten kochen lassen
etwa 340 g Bambussprossen (aus der Dose)	und das Hähnchenfleisch dazugeben, kurz miterhitzen, nach Belieben mit
Sambal Oelek Sojasauce Chilisauce	abschmecken.
Kochzeit:	etwa 1 ¼ Stunden.

HÜHNERCREMESUPPE MIT EI

2 getrocknete Pilze (Shiitake)	nach Anweisung auf der Packung einweichen
1 Hühnerbrustfilet	abspülen, trockentupfen, in feine Streifen schneiden, in eine Schüssel geben, mit 1 Eßlöffel von
2 EL heller Sojasauce	und 1 Eßlöffel von
2 EL trockenem Sherry	beträufeln, ziehen lassen in einer anderen Schale
4 ausgelöste Garnelen	mit der restlichen Sojasauce und dem Sherry marinieren die Pilze entstielen, in feine Scheiben schneiden
3 Eier	mit
500 ml (½ l) Hühnerbrühe	verquirlen, durch ein feines Sieb geben
8 Grüne Bohnen	waschen, putzen, halbieren, in
kochendem Wasser	etwa 3 Minuten blanchieren, abschrecken Huhn, Garnelen, Bohnen und Pilze in vier feuerfeste Schälchen verteilen, mit der Eier-Brühe auffüllen, mit
Petersilienblättern	garnieren die Schälchen mit Alufolie gut verschließen, in einem großen Topf in
kochendes Wasser	stellen, etwa 30 Minuten bei schwacher Hitze stocken lassen.

GRAUPENSUPPE MIT PFLAUMEN

250 g ungeschwefelte Backpflaumen	waschen, in
1 ½ l Wasser	12 - 24 Stunden einweichen, mit dem Einweichwasser zum Kochen bringen
2 schwach gehäufte EL Instant-Gemüsebrühe	unterrühren
75 g Perlgraupen	
30 g Butter	hinzufügen, zum Kochen bringen, gar kochen lassen, nach Belieben mit
Meersalz, Honig	abschmecken
1 Eigelb mit	
2 EL kaltem Wasser	verschlagen, die Suppe damit legieren.
Kochzeit:	etwa 1 Stunde.

Im Herbst

KARTOFFELSUPPE
MIT WÜRSTCHEN

Suppen und Saucen

2 - 3 Markknochen	
500 g Querrippe	
	beide Zutaten unter fließendem kaltem Wasser abspülen, mit
5 - 6 Pfefferkörnern	in
1 ½ l kaltes Salzwasser	geben, zum Kochen bringen, abschäumen
1 Bund Suppengrün	putzen, waschen, kleinschneiden, hinzufügen, zum Kochen bringen, 1 ½ - 2 Stunden kochen lassen, die Brühe durch ein Sieb gießen, das Fleisch von den Knochen lösen, in Würfel schneiden, mit dem Suppengrün beiseite stellen
1 kg mehlig-kochende Kartoffeln	schälen, waschen, in Würfel schneiden
2 - 3 grüne Paprikaschoten (etwa 400 g)	halbieren, entstielen, entkernen, die weißen Scheidewände entfernen, die Schoten waschen, in Streifen schneiden
150 g durchwachsenen Speck	in Würfel schneiden, auslassen
4 Zwiebeln	abziehen, würfeln, in dem Speckfett glasig dünsten lassen, die Brühe, Kartoffelwürfel hinzufügen, zum Kochen bringen, etwa 10 Minuten kochen lassen die Paprikastreifen in die Suppe geben, zum Kochen bringen, in etwa 10 Minuten gar kochen lassen mit
Salz frisch gemahlenem Pfeffer Paprika edelsüß	würzen
4 Wiener Würstchen	mit den Fleischwürfeln in die Suppe geben, miterhitzen.

MINESTRONE (Foto)

(Für 6 Personen)

3 Möhren	putzen, schälen
2 große Kartoffeln	schälen
	beide Zutaten waschen, in kleine Würfel schneiden
2 Zucchini (etwa 350 g)	waschen, die Enden abschneiden, die Zucchini in Würfel schneiden
2 Stangen Lauch	putzen, waschen, in Scheiben schneiden
2-3 Stengel Staudensellerie	waschen, evtl. die Fäden abziehen, in Scheiben schneiden
250 g Wirsing (vorbereitet gewogen)	waschen, in Streifen schneiden
250 g Grüne Bohnen	abfädeln, waschen, in Stücke schneiden
100 g ausgepalte Erbsen	waschen
2 Zwiebeln	abziehen, fein würfeln
150 g durchwachsenen Speck	in kleine Würfel schneiden
5 EL kalt gepreßtes Olivenöl	erhitzen, Speck- und Zwiebelwürfel,
2 EL gehackte glatte Petersilie	
2 EL gehackte Basilikumblättchen	darin andünsten, das vorbereitete Gemüse dazugeben, durchdünsten lassen
2 l Fleischbrühe	hinzugießen, die Suppe zum Kochen bringen, etwa 10 Minuten kochen lassen
125 g Hörnchen-Nudeln	hinzufügen, etwa 5 Minuten mitkochen lassen
2 enthäutete Fleischtomaten	halbieren, entkernen, kleinschneiden, in die Suppe geben
	die Minestrone in etwa 3 Minuten gar kochen, mit
Salz Rosenpaprika	abschmecken, mit
frisch geriebenem Parmesan-Käse	bestreut servieren.

Selleriebouillon mit Sherrysahne

2 Fleischknochen	
500 g Querrippe	
	beide Zutaten unter fließendem kaltem Wasser abspülen, trockentupfen
3 EL Speiseöl	im Schnellkochtopf erhitzen, Knochen und Fleisch von allen Seiten darin anbraten
1 Zwiebel	abziehen
1 Bund Suppengrün	putzen, waschen, grob zerkleinern beide Zutaten mit
1 Lorbeerblatt	zu den Knochen und dem Fleisch geben, durchdünsten lassen
1 ½ l Salzwasser	hinzugießen, im offenen Schnellkochtopf zum Kochen bringen, abschäumen den Topf schließen, erst dann den Kochregler auf Stufe II schieben, wenn reichlich Dampf entwichen ist (nach etwa 1 Minute) nach Erscheinen des 2. Ringes etwa 30 Minuten garen lassen den Topf von der Kochstelle nehmen, erst öffnen, wenn das Druckventil nicht mehr sichtbar ist die Brühe durch ein Sieb gießen
1 Sellerieknolle (etwa 350 g)	schälen, waschen, in feine Stifte schneiden die Brühe zum Kochen bringen, die Sellerie-Stifte hinzufügen, im offenen Schnellkochtopf zum Kochen bringen, etwa 5 Minuten kochen lassen, mit
Salz	
frisch gemahlenem Pfeffer	abschmecken
1 EL gehackte Petersilie	unterrühren.

Für die Sherrysahne

125 ml (⅛ l) Schlagsahne	steif schlagen
3 EL Cream Sherry	unterziehen, mit
Salz	
frisch gemahlenem Pfeffer	abschmecken die Selleriebouillon auf Suppentassen verteilen, auf jede Portion 1 Eßlöffel Sherrysahne geben, sofort servieren.
Garzeit:	etwa 35 Minuten.

ROQUEFORT-RAHM-SUPPE MIT KREBSSCHWÄNZEN

1 Schalotte	abziehen, halbieren
1 Dillzweig	
2 Petersilienzweige	
	die Kräuter abspülen, mit der Schalotte,
1 Lorbeerblatt	
einigen Pfefferkörnern	
100 ml trockenem Weißwein	in
500 ml (½ l) Wasser	geben, zum Kochen bringen
3 Krebse	mit dem Kopf zuerst hineingeben, zum Kochen bringen, in 5 - 8 Minuten (je nach Größe der Krebse) gar kochen lassen die Krebse herausnehmen, die Krebsschwänze aus den Schalen lösen, beiseite stellen den Sud noch etwas einkochen lassen, durch ein Sieb geben, 250 ml (¼ l) abmessen
150 g Feldsalat	verlesen, gründlich waschen
1 kleine Zwiebel	abziehen, fein würfeln
50 g Butter	zerlassen, die Zwiebelwürfel darin andünsten, den Feldsalat (einige Blättchen zum Garnieren zurücklassen) hinzufügen, etwa 5 Minuten mitdünsten lassen
250 ml (¼ l) Krebsbrühe	
125 ml (⅛ l) Schlagsahne	hinzugießen, zum Kochen bringen, etwas abkühlen lassen, dann pürieren
50 g Roquefort-Käse	zerbröckeln, in die Suppe geben die Suppe wieder zum Kochen bringen, mit
Salz, weißem Pfeffer geriebener Muskatnuß	abschmecken, die Krebsschwänze hineingeben, evtl. kurz erhitzen, die Suppe mit den Feldsalatblättchen garniert servieren.

Im Herbst

ROTE BOHNEN-SUPPE (Foto)

375 g Rote Bohnen	in
1 ¾ l kaltem Wasser	12 - 24 Stunden einweichen
500 g geräucherte Dicke Rippe	
2 kleine Mettwürste (Rauchenden)	
	beide Zutaten unter fließendem kaltem Wasser abspülen, mit den Bohnenkernen im Einweichwasser zum Kochen bringen, 1 ¼ - 1 ½ Stunden kochen lassen
6 - 7 TL körnige Fleischbrühe	unterrühren
2 Stangen Lauch	putzen, längs halbieren, gründlich waschen, in Ringe oder Würfel schneiden
2 Möhren	putzen, schälen, waschen, in Stifte schneiden
500 g Kartoffeln	schälen, waschen, in Würfel schneiden
	die 3 Zutaten in die Suppe geben, zum Kochen bringen, gar kochen lassen
	Fleisch und Mettwürste aus der Suppe nehmen, kleinschneiden, mit
½ - 1 Becher (75 - 150 g) Crème fraîche	wieder in die Suppe geben, erhitzen, mit
Salz frisch gemahlenem Pfeffer	abschmecken
½ EL gehackte Majoranblättchen	über die Bohnensuppe geben.
Kochzeit:	etwa 1 ¾ Stunden.

OCHSENBRUST IM GEMÜSESUD

2 - 2 ½ kg Ochsenbrust
3 Sandknochen

beide Zutaten waschen, in

2 ½ l Salzwasser zum Kochen bringen, abschäumen
2 Möhren putzen, schrappen
2 Stangen Lauch putzen, längs halbieren
1 Stück Sellerie schälen
1 Stück Selleriegrün

das Gemüse waschen, in Würfel schneiden

1 Zwiebel abziehen
4 Liebstöckelzweige vorsichtig abspülen, mit dem gewürfelten
Gemüse, der Zwiebel

2 Lorbeerblättern
2 Nelken
2 Pfefferkörnern zu dem Fleisch geben, zum Kochen bringen,
2 ½ - 3 Stunden kochen lassen, verdampfte
Flüssigkeit evtl. mit
heißem Wasser auffüllen
das gare Fleisch aus der Brühe nehmen, in
Scheiben schneiden, auf einer vorgewärmten
Platte anrichten
die Brühe durch ein Sieb gießen, etwas über das
Fleisch geben, die restliche Brühe als Suppe
reichen.

SAHNE-MAIS-SUPPE

Von

3 großen Maiskolben
(etwa 1 kg) die Blätter mit den Fäden abziehen oder
abschneiden
die Maiskolben waschen, in
kochendes Salzwasser geben, zum Kochen bringen, etwa 10 Minuten
kochen, abtropfen lassen
die Maiskörner von den Kolben lösen, etwa
500 g Maiskörner abwiegen, 150 g Maiskörner
beiseite stellen, die restlichen pürieren, durch ein
Sieb streichen

750 ml Hühnerbrühe	hinzugießen, zum Kochen bringen
3 TL Speisestärke	mit
2 EL kaltem Wasser	anrühren, die Maissuppe damit binden, die zurückgelassenen Maiskörner hinzufügen, miterhitzen, die Suppe mit
Salz, Pfeffer Zwiebelsalz	würzen
2 Eigelb	mit
125 ml (⅛ l) Schlagsahne	verschlagen, die Suppe damit legieren, mit
1 EL feingeschnittenem Schnittlauch	bestreuen.
Kochzeit:	12-15 Minuten.

UNGARISCHE SAUERKRAUTSUPPE

(Für 4-6 Personen)

75 g durchwachsenen Speck	in Würfel schneiden
40 g Schweineschmalz	erhitzen, die Speckwürfel darin ausbraten
2 Zwiebeln 2 Knoblauchzehen	beide Zutaten abziehen, würfeln, zu dem Speckfett geben, andünsten
750 g Sauerkraut	lockerzupfen, mit
1 l Fleischbrühe ½ TL Kümmel 1 Lorbeerblatt 4 kleinen, geräucherten Mettwürsten	hinzufügen, zum Kochen bringen, etwa 20 Minuten kochen lassen
400 g Weiße Bohnen (aus der Dose)	abtropfen lassen, mit
70 g Tomatenmark 1 EL Paprika edelsüß	hinzufügen, mit
Salz frisch gemahlenem Pfeffer	würzen, zum Kochen bringen, 5-10 Minuten kochen lassen, evtl. nochmals mit Salz, Pfeffer, Paprika abschmecken, vor dem Servieren
½-1 Becher (75-150 g) Crème fraîche	auf die Suppe geben.
Kochzeit:	etwa 30 Minuten.

Kalte Tomatensuppe mit Avocadocreme (Foto)

1 kg Suppentomaten	waschen, kleinschneiden, durch ein Sieb streichen
1 kleine Zwiebel	abziehen, reiben
	beide Zutaten mit
6 EL Olivenöl	
3 EL Weinessig	verrühren, mit
Salz, Pfeffer	abschmecken, kühl stellen.

Für die Avocadocreme

1 große Avocado	schälen, entsteinen, grob zerkleinern
1 Knoblauchzehe	abziehen, zerdrücken
	beide Zutaten mit Salz
125 ml (⅛ l) Milch	
Saft von ½ Zitrone	
1 Prise Zucker	im Mixer pürieren
	die Tomatensuppe in Suppenteller füllen, die
	Avocadocreme darauf geben, mit
Minzeblättchen	garnieren.

DUNKLE GRUNDSAUCE

20 g Butter oder Margarine	zerlassen
35 g Weizenmehl	unter Rühren so lange darin erhitzen, bis es hell- bis dunkelbraun ist
375 ml (³/₈ l) Kochflüssigkeit oder braunen Fond	hinzugießen, mit einem Schneebesen durchschlagen darauf achten, daß keine Klumpen entstehen die Sauce zum Kochen bringen, etwa 5 Minuten kochen lassen, mit
Salz frisch gemahlenem Pfeffer	würzen.
Kochzeit:	etwa 5 Minuten.

BRAUNER WILDFOND

150 g durchwachsenen Speck	in kleine Würfel schneiden, in
30 g Pflanzenfett	auslassen
Wildabschnitte (Parüren)	waschen, abtrocknen, in dem Fett anbraten
2 Zwiebeln	abziehen, fein würfeln
1 Bund Suppengrün	putzen, waschen, kleinschneiden die beiden Zutaten hinzufügen, mitbräunen lassen
½ TL gerebelten Rosmarin ½ TL Wacholderbeeren 3 Pimentkörner (Nelkenpfeffer)	hinzufügen, miterhitzen
2 l Wasser	hinzugießen, zum Kochen bringen, bis auf 1 l Flüssigkeit einkochen lassen, durch ein Sieb gießen.
Kochzeit:	etwa 2 ½ Stunden.
Hinweis:	Einmal zubereitet, läßt er sich zur späteren Verwendung portionsweise am besten tiefgekühlt aufbewahren.

BRAUNE SENFSAUCE

375 ml (³/₈ l) Rinderbratensud oder braunen Rinderfond	zum Kochen bringen
2 EL Senf	
3 EL Rotwein	
3 EL saure Sahne	unterrühren, die Sauce mit
Salz	
Zucker	
Zitronensaft	würzen
1 TL gehackte Kräuter (z.B. Petersilie, Kresse)	hinzufügen.
Kochzeit:	3 - 5 Minuten.
Empfehlung:	Zu Rinderschmorbraten oder Kalbsbraten reichen.

NORDISCHE WILDSAUCE

375 ml (³/₈ l) Wildbratensud oder Wildfond	zum Kochen bringen
2 - 3 EL Preiselbeerkompott	unterrühren, zum Kochen bringen, 3 - 5 Minuten kochen lassen die Sauce mit
Salz	
frisch gemahlenem Pfeffer	
Zitronensaft	
gemahlenem Rosmarin	
Worcestersauce	würzen.
Empfehlung:	Zu Rehmedaillons oder Rehsteaks reichen.

Im Herbst

ANANASSAUCE

1 kleine Ananas	schälen, vierteln, den mittleren holzigen Kern herausschneiden, das Fleisch grob zerkleinern, im Mixer pürieren
3 EL Sesamsamen	in einer Pfanne ohne Fett braun rösten, mit dem Ananaspüree,
3 EL Sesamöl	
2 EL Honig	
1 EL Obstessig	
½ TL Ingwerpulver	verrühren, mit
Salz	
frisch gemahlenem Pfeffer	abschmecken.

APFELSAUCE

250 g Äpfel	schälen, halbieren, entkernen, in Stücke schneiden, mit
125 ml (⅛ l) Weißwein	
50 g Zucker	zum Kochen bringen, im geschlossenen Topf gar dünsten lassen
	den Topf von der Kochstelle nehmen, die Äpfel durch ein Sieb streichen, von der Kochflüssigkeit so viel unter das Apfelpüree rühren, bis eine dickliche Sauce entstanden ist, die Sauce kalt servieren.
Hinweis:	Zu Rohrnudeln oder Mohnstrudel reichen.

ESTRAGONESSIG

2 Estragonzweige	vorsichtig abspülen, trockentupfen, mit
500 ml (½ l) Weißweinessig (5 %)	in eine Flasche geben, gut verschließen, etwa 14 Tage an einem dunklen, kühlen Ort (Keller) stehenlassen.
Hinweis:	Estragonessig zu Salatsaucen und zum Würzen von Fischgerichten verwenden.

FEINE PREISELBEERSAUCE (Foto)

Etwa 200 g Preiselbeerkompott (aus dem Glas)	durch ein Sieb streichen oder im Mixer pürieren, mit
3 EL Salatmayonnaise abgeriebener Schale von ½ Orange (unbehandelt) 1 TL scharfem Senf 1 - 2 TL Zitronensaft 2 EL Orangensaft	verrühren, mit
geschrotetem weißem Pfeffer Salz	würzen.
Hinweis:	Feine Preiselbeersauce eignet sich für Wild und Fleischsalate.

GEDÜNSTETE ZWIEBELSAUCE

3 Zwiebeln	abziehen, halbieren, in Scheiben schneiden
4 EL Speiseöl	erhitzen, Zwiebelscheiben darin in etwa 10 Minuten glasig dünsten
1 EL braunen Rohrzucker	darüber streuen, in etwa 2 Minuten karamelisieren, abkühlen lassen, pürieren, mit
2 EL Sherryessig 1 EL Senf 2 EL Salatöl 2 Eigelb	cremig rühren, mit
Salz frisch gemahlenem Pfeffer	würzen, kühl aufbewahren.

Käse-Schaum-Sauce

150 g Sahnequark	gut verrühren
125 ml (⅛ l) Schlagsahne	mit dem Schneebesen darunterschlagen
2-3 Bund Kräuter (Kerbel, Kresse glatte Petersilie, Estragon)	abspülen, trockentupfen, fein hacken, mit
50 g frisch geriebenem Parmesan-Käse	unter die Quarksahne rühren, mit
Salz	
frisch gemahlenem Pfeffer	
Zitronensaft	
Worcestersauce	abschmecken.

Pflaumensauce

60 g Backpflaumen	mit
100 ml schwarzem Tee	
3 EL Marsala	
1 EL Obstessig	
2 EL Sojasauce	im Mixer pürieren
1 abgezogene, gehackte Knoblauchzehe	
1 EL Schnittlauchröllchen	unterrühren, mit
frisch gemahlenem Pfeffer	
Piment	würzen, kühl stellen.

Pikante Kräutercreme

1 Becher (150 g) Crème fraîche	mit
2 EL Weißwein	verrühren, kurz aufkochen lassen, mit
Salz	
frisch gemahlenem Pfeffer	
Speisewürze	
Worcestersauce	würzen
1 EL gehackte Kräuter	
1 TL feingehackte Haselnußkerne	unterrühren.

PIKANTE KRÄUTERSAUCE

4 - 6 Schalotten oder kleine Zwiebeln	abziehen, kleinschneiden, mit
125 ml (⅛ l) Weißwein	und den Stengeln von
1 Bund Petersilie	
1 Bund Kerbel	
1 Bund Estragon	(die Blätter abzupfen, feinhacken, beiseite stellen) zum Kochen bringen, zur Hälfte einkochen lassen, durch ein Sieb gießen, mit
375 ml (⅜ l) Schweinebratensud oder braunem Schweinefond	auffüllen, zum Kochen bringen, einmal aufkochen lassen mit
Salz	
frisch gemahlenem Pfeffer	
Zitronensaft	
Zucker	würzen, die feingehackten Kräuter unterrühren.
Kochzeit:	etwa 20 Minuten.
Empfehlung:	Zu warmem Schinken, Kasseler, Braten, Fischgerichten, Reis oder Teigwaren reichen.

PIKANTE SENFSAUCE

2 Äpfel	schälen, halbieren, entkernen, reiben
2 hartgekochte Eier	pellen, halbieren, das Eigelb durch ein Sieb streichen, mit
150 g Crème fraîche	
4 TL Senf	verrühren, mit
Salz	
frisch gemahlenem Pfeffer	würzen.
Hinweis:	Als Salatsauce für Fisch- und Fleischsalate verwenden.

PIKANTE SAUCE

1 Zwiebel	abziehen, fein würfeln
20 g Butter oder Margarine	zerlassen, die Zwiebelwürfel darin hellgelb dünsten, mit
125 ml (⅛ l) Weißwein	ablöschen
1 EL feingehackte Kapern	
1 EL feingehackte Estragonblättchen	
1 EL Senf	
1 EL Tomatenmark	
Zucker	hinzufügen, mit
Essig	abschmecken, zum Kochen bringen, etwa 15 Minuten kochen lassen, mit
250 ml (¼ l) Schweinebratensud oder braunem Schweinefond	auffüllen, zum Kochen bringen
2 Gewürzgurken	fein hacken, in die Sauce geben, einmal aufkochen lassen, mit
Salz	
frisch gemahlenem Pfeffer	würzen, mit
feingehackter Petersilie	bestreut servieren.
Garzeit:	etwa 25 Minuten.
Empfehlung:	Zu Schweinebraten oder Schweinesteaks reichen.

PIKANTER WEINCHAUDEAU

2 Eigelb	mit
5 EL Weißwein	
5 EL Fleischbrühe	verrühren, im Wasserbad mit dem elektrischen Handrührgerät mit Rührstäben so lange schaumig rühren, bis fast der Kochpunkt erreicht ist und die Sauce cremig ist, mit
Salz	
frisch gemahlenem Pfeffer	
geriebener Muskatnuß	
Zucker	
1 TL Paprika edelsüß	
½ TL Worcestersauce	würzen, unter ständigem Rühren abkühlen lassen.

Remouladen-Sauce

2 hartgekochte Eier	pellen, das Eigelb durch ein Sieb streichen (Foto 1) (Eiweiß zurücklassen), mit
1 rohen Eigelb	
Salz	
1 TL Zucker	verrühren, dann tropfenweise unter Schlagen die Hälfte von
125 ml (⅛ l) Salatöl	hinzufügen, ist die Masse steif genug,
2 EL Essig	
1 TL Senf	hinzufügen (Foto 2), dann erst den Rest des Öls hinzugeben
1 - 2 TL Kapern	fein hacken
2 kleine Gewürzgurken	in feine Würfel schneiden
1 TL grünen Pfeffer	zerdrücken
2 EL gemischte, gehackte Kräuter	
	die vier Zutaten unter die Mayonnaise rühren (Foto 3) das hartgekochte Eiweiß in kleine Würfel schneiden, mit in die Sauce geben.
Hinweis:	Zu gekochtem Fleisch und Fisch reichen.

SALBEIÖL

2 - 3 Stengel Salbei	abspülen, trockentupfen, 3 Tage zum Trocknen hinlegen, in eine sorgfältig gespülte Flasche geben, mit
750 ml (³/₄ l) Sonnenblumenöl	auffüllen, die Flasche verschließen das Öl mindestens 14 Tage an einem kühlen, dunklen Ort (Keller) ziehen lassen.
Hinweis:	Salbeiöl für Leber-, Schweinefleisch- und Kalbfleischgerichte verwenden.
Verpackungsvorschläge zum Verschenken von Ölen und Essigen:	Öle und Essige in dekorative Flaschen oder Karaffen füllen, mit Schleifenband dekorieren, Kräutersträußchen daran befestigen.

SAUERAMPFERSAUCE

Suppen und Saucen

20 g Butter	zerlassen
25 g Weizenmehl	unter Rühren so lange darin erhitzen, bis es hellgelb ist
3 EL gehackte Sauerampferblättchen	hinzufügen, andünsten
375 ml (³/₈ l) Fischfond	hinzugießen, mit einem Schneebesen durchschlagen, darauf achten, daß keine Klumpen entstehen die Sauce zum Kochen bringen, etwa 10 Minuten kochen lassen, mit
Salz frisch gemahlenem Pfeffer gemahlenem Ingwer	würzen
1 Becher (150 g) Crème fraîche	unterrühren, die Sauce kurz erhitzen (nicht kochen lassen), mit
feingehackter Petersilie	bestreuen.
Kochzeit:	etwa 15 Minuten.
Hinweis:	Sauerampfersauce zu gedünstetem Fischfilet oder zu gekochten Eiern reichen.

Sauce Mousseline

200 g Butter	zerlassen, etwas abkühlen lassen
4 Eigelb	mit
6 EL trockenem Weißwein	im heißen Wasserbad dicklich schlagen, heraus-nehmen, die noch flüssige Butter nach und nach unterschlagen
	die Sauce mit
Salz	
frisch gemahlenem weißem Pfeffer	
Zitronensaft	
Worcestersauce	
Currypulver	würzen
2 Becher (je 150 g)	
Crème fraîche	kurz vor dem Servieren unterrühren
	die Sauce Mousseline bis zum Verzehr im Wasser-bad warm halten, damit sie nicht gerinnt.
Hinweis:	Zu kurzgebratenem Fleisch oder Gemüse reichen.

Weinsauce, kaiserliche Art

125 ml (⅛ l) Weißwein	mit
2 Eigelb	
1 gestrichenen TL	
Speisestärke	unter ständigem Schlagen im Topf erhitzen, bis eine dickliche Masse entstanden ist, von der Kochstelle nehmen, in kaltes Wasser stellen, erkalten lassen, ab und zu durchschlagen
1 Becher (150 g)	
Crème fraîche	fast steif schlagen, vorsichtig unter die Weinsauce ziehen, mit
Salz	
frisch gemahlenem Pfeffer	würzen.
Erhitzungszeit:	etwa 5 Minuten.

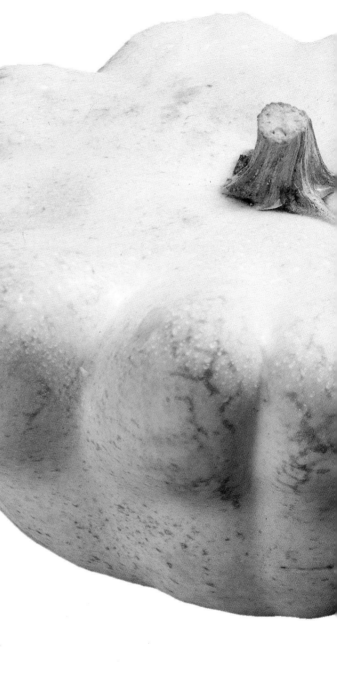

KÜRBIS

Reich an Ballaststoffen und arm an Kalorien – das trifft auf viele Gemüse zu. Wenn es aber auch noch um gigantische Ausmaße und große Artenvielfalt geht, dann kann es sich nur um den Kürbis handeln. Die Indios in Amerika nutzten seit jeher neben seinem Fruchtfleisch auch die ölhaltigen und heilbringenden Samen. In Europa ißt man Kürbisse gekocht, gebacken oder sie werden süß-sauer eingelegt und als pikante Beilage gereicht. Ein eher bescheiden wirkender Sprößling der Familie erfreut sich in den letzten Jahren besonders Aufmerksamkeit: Ganzjährig erhältlich sind Zucchinis ein Hansdampf in allen Kochtöpfen und Schüsseln. Sie schmecken mit und ohne Schale, blanchiert, geschmort, gebraten oder fritiert.

KÜRBISSTEW

1 kg Kürbis	schälen, die Kerne entfernen, das Fruchtfleisch in Stifte schneiden
2 EL Weizenmehl	mit
½ TL Cayennepfeffer	vermischen, über den Kürbis sieben, solange vermengen, bis das Mehl aufgenommen ist
150 g mageren durchwachsenen Speck	in Würfel schneiden, mit
30 g Butter	in einem großen Schmortopf langsam auslassen, Kürbis dazugeben, bei schwacher Hitze unter gelegentlichem Wenden etwa 15 Minuten braten
2 Knoblauchzehen	schälen, darüber pressen, mit
Salz	
frisch gemahlenem Pfeffer	würzen
½ TL gerebelten Thymian	
1 Lorbeerblatt	hinzufügen, etwa 2 Minuten weiterbraten
etwa 250 ml (¼ l) Apfelsaft (ohne Zucker)	nach und nach dazugießen, den Topf knapp zudecken, alles so lange schmoren lassen, bis der Kürbis weich und die Sauce dicklich geworden ist (etwa 30 Minuten), mit
1 - 2 EL Essig	abschmecken.
Hinweis:	Schmeckt gut zu Braten und Geflügel.

Im Herbst

319

DICKE BOHNEN-RAGOUT

600 g ausgepulte Dicke Bohnen	waschen, in
500 ml (½ l) kochendes Salzwasser	geben, zum Kochen bringen, 10-12 Minuten kochen lassen, abgießen, die Kochflüssigkeit auffangen
1 Brötchen	in kaltem Wasser einweichen, gut ausdrücken
1 Zwiebel	abziehen, fein würfeln
250 g Thüringer Mett	
250 g Gehacktes (halb Rind-, halb Schweinefleisch)	mit dem Brötchen, den Zwiebelwürfeln,
1 Ei	gut vermengen, mit
Salz	
frisch gemahlenem Pfeffer	
Paprika edelsüß	würzen

aus der Hackmasse kleine Klößchen formen
das Bohnenwasser zum Kochen bringen, die
Fleischklößchen hineingeben, zum Kochen bringen,
in 5-7 Minuten gar ziehen lassen
die Fleischklößchen herausnehmen, die Brühe mit
Wasser auf 500 ml (½ l) auffüllen.

Für die Sauce

50 g durchwachsenen Speck	in feine Würfel schneiden
1 EL Speiseöl	erhitzen, die Speckwürfel darin ausbraten
1 Zwiebel	abziehen, würfeln, in dem Speckfett andünsten
300 g Tomaten	waschen, grob zerkleinern, hinzufügen, mitdünsten lassen

die aufgefüllte Brühe hinzufügen, gut verrühren,
zum Kochen bringen, etwa 5 Minuten kochen
lassen, durch ein Sieb streichen, mit

Salz, Pfeffer	
Paprika edelsüß	würzen
2 EL Tomatenmark	
2 Ecken Sahne-Schmelzkäse	hinzufügen, die Sauce erhitzen, gut verrühren, bis der Käse geschmolzen ist

Dicke Bohnen und Fleischklößchen in die Sauce geben, erhitzen

200 g Tomaten waschen, (evtl. enthäuten), halbieren, entkernen, die Stengelansätze herausschneiden, das Tomatenfleisch in Würfel schneiden, in das Ragout geben, miterhitzen

Garzeit: etwa 25 Minuten.

MAISTOPF

500 g Gulaschfleisch
(halb Rind-, halb
Schweinefleisch
40 g Margarine erhitzen, das Fleisch gut darin anbraten
1 Zwiebel abziehen, würfeln
1 rote und 1 grüne
Paprikaschote halbieren, entstielen, entkernen,
die weißen Scheidewände entfernen, die Schoten waschen, in feine Streifen schneiden, Zwiebelwürfel und Paprikastreifen zu dem Fleisch geben, mitschmoren lassen, mit

Salz
frisch gemahlenem Pfeffer
Chayennepfeffer würzen
250 ml (¼ l) Wasser hinzugießen, gar schmoren lassen
250 g gekochte Erbsen
etwa 275 g Mais
(aus der Dose)

beide Zutaten mit der Flüssigkeit kurz vor Beendigung der Garzeit zu dem Fleisch geben, miterhitzen
den Maistopf mit Salz, Pfeffer abschmecken, mit

2 EL gehackter Petersilie bestreuen
Garzeit: 1-1½ Stunden.

BUNTER EINTOPF (Foto)

500 g Gulaschfleisch (halb Rind-, halb Schweinefleisch)	waschen, abtrocknen, in etwa 1 ½ cm große Würfel schneiden
3 EL Speiseöl	erhitzen, die Fleischwürfel darin von allen Seiten etwa 10 Minuten anbraten
2 große Zwiebeln	abziehen, würfeln, hinzufügen, durchdünsten lassen das Fleisch mit
Salz frisch gemahlenem Pfeffer Paprika edelsüß	würzen
750 ml (¾ l) Fleischbrühe	hinzugießen, verrühren, das Fleisch zum Kochen bringen
500 g Kartoffeln	schälen, waschen, in Würfel schneiden
500 g Grüne Bohnen	abfädeln, waschen, in Stücke schneiden oder brechen
1 kleine rote Paprikaschote	halbieren, entstielen, entkernen, die weißen Scheidewände entfernen, die Schoten waschen, in Streifen schneiden
3 - 4 Bohnenkrautzweige	vorsichtig abspülen, trockentupfen
250 g Champignons	putzen, waschen, abtropfen lassen, in Stücke schneiden

wenn das Fleisch etwa 30 Minuten gekocht hat, die Kartoffelwürfel hinzufügen, zum Kochen bringen, etwa 5 Minuten kochen lassen Bohnen, Paprika, Bohnenkraut in die Suppe geben, zum Kochen bringen, etwa 10 Minuten kochen lassen.

BOLOGNESER REISTOPF

2 EL Speiseöl	im Schnellkochtopf erhitzen
375 g Gehacktes (halb Rind-, halb Schweinefleisch)	darin anbraten, dabei die Fleischklümpchen zerdrücken
4 - 5 Zwiebeln	abziehen, würfeln, zu dem Gehackten geben, durchdünsten lassen, mit
Salz frisch gemahlenem Pfeffer Paprika edelsüß gerebeltem Basilikum gerebeltem Oregano	würzen
250 g Langkornreis	mit
gut 750 ml (¾ l) Fleischbrühe	
70 g Tomatenmark	hinzufügen den Schnellkochtopf schließen den Kochregler erst dann auf Stufe II schieben, wenn reichlich Dampf entwichen ist (nach etwa 1 Minute) nach Erscheinen des 2. Ringes den Reis-Topf 7 - 8 Minuten garen lassen den Topf von der Kochstelle nehmen den Kochregler langsam stufenweise zurückziehen und den Topf öffnen den Reistopf etwas abdämpfen lassen
300 g gedünstete Erbsen	hinzufügen
etwas Instant-Fleischbrühe	unterrühren, erhitzen den Reistopf evtl. mit Salz, Pfeffer, Paprika abschmecken
Garzeit:	etwa 10 Minuten.

FENCHEL

In Italien zählt der Gemüsefenchel zu den ganz alltäglichen Vitaminspendern auf dem Eßtisch. Bei uns setzt er sich als Gericht erst langsam durch. Gemüse- oder Knollenfenchel verfügt wie der aus einer heilbringenden Wildpflanze entwickelte Samenfenchel über ätherische Öle, Mineral- und Ballaststoffe sowie viele Vitamine.

Die würzigen, leicht nach Anis schmeckenden Knollen lassen sich sowohl roh als auch gekocht servieren. Als frischer Salat oder gesunde Beilage sorgen sie während des gesamten Winterhalbjahres für Abwechslung. Denn Fenchel ist von August bis April frisch auf dem Markt erhältlich.

FISCH IM FENCHELBETT

2 Fenchelknollen	putzen, evtl. die äußere welke Blattschicht entfernen, die Knollen waschen, das zarte Blattgrün abschneiden und beiseite stellen die Knollen halbieren, mit der Schnittfläche nach unten auf die Arbeitsfläche legen und quer in dünne Scheiben schneiden
4 Steinbutt-Koteletts (je etwa 200 g)	unter fließendem kaltem Wasser abspülen, trockentupfen, mit
Salz	bestreuen, mit
Zitronensaft	beträufeln, etwa 10 Minuten ziehen lassen
20 g Butter	mit
2 EL Olivenöl	in einem Schmortopf erhitzen, die Fenchelscheiben hineingeben und bei schwacher Hitze etwa 3 Minuten andünsten
1 Fleischtomate	kurze Zeit in kochendes Wasser legen (nicht kochen lassen), in kaltem Wasser abschrecken,

	enthäuten, halbieren, den Stengelansatz herausschneiden, die Tomaten entkernen, in kleine Würfel schneiden und zum Fenchel geben die Fischkoteletts nebeneinander daraufsetzen, mit
frisch gemahlenem weißen Pfeffer	bestreuen, mit
2 cl Anis-Aperitif	beträufeln
1 Orange	auspressen, den Saft zu dem Fisch geben und alles zugedeckt bei schwacher Hitze in etwa 20 Minuten gar dünsten zum Servieren Gemüse und Fisch auf einer vorgewärmten Platte anrichten den Sud im offenen Topf um die Hälfte einkochen
150 g Crème fraîche	unterrühren, mit Salz,
Cayennepfeffer	abschmecken die Sauce über Fisch und Gemüse verteilen
1 Granatapfel	halbieren, die Kernchen mit einem kleinen Löffel herauslösen und über dem Fisch verteilen das zurückgelassene Fenchelgrün feinhacken und darüber streuen.
Hinweis:	Butterreis und Grünen Salat mit Orangenfilets dazu servieren.

GRÜNER AAL AUF THYMIAN

1 kg küchenfertigen Grünen Aal	unter fließendem kaltem Wasser abspülen, trockentupfen, in Portionsstücke schneiden, mit
Salz frisch gemahlenem Pfeffer	würzen den Rost von einem Grill mit
Speiseöl	bestreichen, mit
Thymianzweigen	belegen die Fischstücke auf den Rost legen, von jeder Seite etwa 15 Minuten grillen.
Beilage:	Bauernbrot, gemischter Salat.

Barsch Clothide

4 Barsche (je 250 - 300 g)	schuppen, ausnehmen, filetieren, unter fließendem kaltem Wasser abspülen, trockentupfen, nach Belieben mit dem
Saft von 2 Zitronen	beträufeln, etwa 15 Minuten stehenlassen, trockentupfen, mit
Salz	würzen
50 g Butter oder Margarine	zerlassen, die Fischfilets von beiden Seiten darin anbraten
300 g Champignons (aus der Dose)	abtropfen lassen, die Flüssigkeit auffangen die Champignons in Scheiben schneiden, mit
200 g Krabbenfleisch (frisch oder aus der Dose) 1 Bund gemischten, feingehackten Kräutern	zu dem Fisch geben
125 ml (⅛ l) Weißwein 125 ml (⅛ l) Champignonflüssigkeit	hinzugießen, den Fisch gar dünsten lassen, auf einer vorgewärmten Platte anrichten, warm stellen
1 Eigelb	mit
3 EL Schlagsahne oder Crème fraîche	verschlagen, die Champignon-Krabben-Sauce damit abziehen, mit Salz,
frisch gemahlenem Pfeffer	abschmecken, über die Fischfilets gießen.
Garzeit:	10 - 12 Minuten.
Beilage:	Folienkartoffeln.

Eingelegte Döbel-Bratlinge

4 - 6 Döbel (je 250 - 300 g)	schuppen, ausnehmen, Kopf und Schwanz entfernen die Fische unter fließendem kaltem Wasser abspülen, nach Belieben mit
Zitronensaft	beträufeln, etwa 15 Minuten stehenlassen,

	trockentupfen, in
Weizenmehl	wenden
3 - 4 EL Speiseöl	erhitzen, die Fische von beiden Seiten darin braten, abkühlen lassen.

Für die Marinade

750 ml (¾ l) erkaltete Fleischbrühe	mit
250 ml (¼ l) Weißwein	
3 EL Essig-Essenz (25%)	mischen
3 - 4 Zwiebeln	abziehen, in Ringe schneiden
1 - 2 Möhren	putzen, schälen, waschen, in dünne Scheiben schneiden die beiden Zutaten mit den Fischen
6 - 8 Pfefferkörnern	
2 Lorbeerblättern	
Senfkörnern oder Fischgewürz	
1 - 2 Nelken	
Salz	
frisch gemahlenem Pfeffer	
Zucker	in die Flüssigkeit geben, 2 - 3 Tage darin ziehen lassen.
Bratzeit:	6 - 10 Minuten.
Beilage:	Pellkartoffeln.

FILET SCHÖNE GÄRTNERIN

800 g Kabeljaufilet	unter fließendem kaltem Wasser abspülen, trockentupfen, mit
Zitronensaft	beträufeln, etwa 15 Minuten stehenlassen
3 - 4 Zwiebeln	abziehen, in Ringe schneiden
2 EL Butter	in einer länglichen, feuerfesten Form zerlassen, die Zwiebelringe darin glasig dünsten lassen
etwa 250 g Grüne Bohnen (aus der Dose)	
etwa 250 g Champignons (aus der Dose)	
	beide Zutaten abtropfen lassen, zu den Zwiebelringen geben, mit
Salz	

frisch gemahlenem Pfeffer	würzen, durchdünsten lassen
125 ml (⅛ l) Weißwein	hinzugießen, das Gemüse etwa 10 Minuten dünsten lassen
	das Fischfilet mit Salz, Pfeffer würzen, auf das Gemüse legen, die Form mit einem Deckel verschließen, den Fisch dünsten lassen
	den garen Fisch auf einer vorgewärmten Platte anrichten
125 ml (⅛ l) Weißwein	an das Gemüse gießen
1 Becher (150 g) Crème fraîche	vorsichtig unterrühren, erhitzen, mit Salz, Pfeffer abschmecken, das Gemüse um das Kabeljaufilet geben, sofort servieren.
Dünstzeit:	etwa 35 Minuten.
Beilage:	Dillkartoffeln, Tomatensalat.

FISCHSCHASCHLIK MIT KETCHUPSAUCE (Foto)

Für die Ketchupsauce

6-8 EL Tomatenketchup	mit
Salz	
frisch gemahlenem Pfeffer	
Paprika edelsüß	pikant abschmecken
500 g Goldbarschfilet	unter fließendem kaltem Wasser abspülen, trockentupfen, in etwa 2 x 2 cm große Würfel schneiden, mit
Zitronensaft	beträufeln, etwa 15 Minuten stehenlassen, trockentupfen, mit Salz, Pfeffer, Paprika würzen
2 mittelgroße Gewürzgurken	in Scheiben schneiden
5 Scheiben durchwachsener Speck (etwa ½ cm dick)	jede Speckscheiben in 5 Stücke schneiden
2 mittelgroßeZwiebeln	abziehen, vierteln, die Zwiebelwürfel auseinandertrennen
	alle Zutaten abwechselnd auf 4-6 Spieße stecken

328

50 g Butter oder
Margarine in einer Bratpfanne zerlassen, die Fischspieße
von allen Seiten darin braten, auf einer
vorgewärmten Platte anrichten, mit
Petersilie garnieren, die Ketchupsauce dazureichen.
Bratzeit: etwa 8 Minuten.
Beilage: Reis, Grüner Salat, Tomatensalat,
Endiviensalat.

GEBACKENE SEEZUNGE

4 küchenfertige Seezungen
(je etwa 250 g) unter fließendem kaltem Wasser abspülen,
trockentupfen, auf einer Seite entlang der
Mittelgräte aufschneiden, die Filets auf dieser
Seite nach außen klappen, die Fische mit
Zitronensaft beträufeln, mit
Salz
frisch gemahlenem Pfeffer würzen, mit
2 EL Weizenmehl bestäuben
2 Eier verschlagen, die Seezungen zunächst darin, dann
in
200 g Semmelbröseln wenden
250 ml (¼ l) Speiseöl
200 g Butter

beide Zutaten erhitzen, die Seezungen darin bei
mittlerer Hitze 15-20 Minuten braten.

Für die Kräuterbutter

250 g Butter mit
4 EL Weizenmehl
2 Eigelb vermengen
2 Bund Kräuter
(Petersilie, Dill, Majoran,
Basilikum, Thymian) unter fließendem kaltem Wasser abspülen,
trockentupfen, fein hacken, unter die Butter
rühren, mit Salz, Pfeffer würzen
die Kräuterbutter in die Fischöffnungen geben,
kurz im Backofen überbacken.
Hinweis: Mit Sahne überbackenes Kartoffelpüree
dazureichen.

Im Herbst

329

GRÜNE HERINGE (Foto)

4 küchenfertige grüne Heringe	unter fließendem kaltem Wasser abspülen, trockentupfen, mit
4 EL Zitronensaft	beträufeln, etwa 15 Minuten ziehen lassen, innen und außen mit
Salz	einreiben die Hälfte von
100 g Kräuterbutter	erhitzen, die Heringe innen und außen damit bestreichen, mit
Weizenmehl	bestäuben, unter den vorgeheizten Grill schieben, 10-15 Minuten grillen, dabei nach der Hälfte der Zeit einmal wenden die restliche Kräuterbutter erhitzen, die Fische vor dem Servieren damit begießen.
Hinweis:	Folienkartoffeln oder Reis mit buntem Blattsalat dazureichen.

HEILBUTT MIT SAUCE HOLLANDAISE

Fisch

4 Heilbuttscheiben (etwa 800 g)	unter fließendem kaltem Wasser abspülen, trockentupfen, mit
Zitronensaft	beträufeln, etwa 5 Minuten stehenlassen, trockentupfen, mit
Salz, Pfeffer	würzen, in
2 EL Semmelbröseln	wenden
40 g Butter oder Margarine	zerlassen, den Fisch von beiden Seiten darin braten, auf einer vorgewärmten Platte anrichten, warm stellen.

Für die Sauce hollandaise

2 Eigelb	
1 TL Wein-Essig-Essenz (25%)	
2 EL Wasser	und Salz, Pfeffer im Wasserbad oder auf der Automatikplatte schaumig schlagen, nach und nach

330

100 g zerlassene, abgekühlte Butter	unterschlagen
1 gehäuften TL gehackte Petersilie	dazugeben, mit Salz, Pfeffer
Zitronensaft	
Worcestersauce	abschmecken
	die Heilbuttscheiben mit
Petersilie	garnieren, die Sauce dazureichen.
Bratzeit für den Fisch:	etwa 15 Minuten
Zubereitungszeit für die Sauce:	5-10 Minuten.
Beilage:	Petersilienkartoffeln, gemischter Salat.

HEILBUTT, AMERIKANISCH

4 Heilbuttscheiben (etwa 800 g)	unter fließendem kaltem Wasser abspülen, trockentupfen, mit
Zitronensaft	beträufeln, etwa 15 Minuten stehenlassen, trockentupfen, mit
Salz	
frisch gemahlenem Pfeffer	würzen
300 g Maiskörner (aus der Dose)	in der Flüssigkeit erhitzen, abtropfen lassen
1 EL Butter	zerlassen, die Maiskörner kurz darin andünsten, mit Salz würzen, auf einer vorgewärmten Platte anrichten, warm stellen
50 g Butter	zerlassen, die Fischscheiben von beiden Seiten darin braten, auf den Maiskörnern anrichten, warm stellen
etwa 70 g Krabbenfleisch (aus der Dose)	abtropfen lassen, in
Weizenmehl	wenden, kurz in dem Bratfett braten, über die Fischscheiben verteilen
	die Heilbuttscheiben mit
Tomatenachteln	
Petersilie	garnieren.
Bratzeit:	5-6 Minuten
Beilage:	Röstkartoffeln, Grüner Salat.

HEILBUTTSPIESSE

Etwa 600 g Heilbuttfilet	unter fließendem kaltem Wasser abspülen, trockentupfen, in etwa 3 cm große Würfel schneiden, mit
Zitronensaft	beträufeln, etwa 15 Minuten stehenlassen, trockentupfen, mit
Salz	
frisch gemahlenem Pfeffer	würzen
2 Zucchini (etwa 250 g)	waschen, evtl. schälen, halbieren, entkernen, in etwa 3 cm große Stücke schneiden
200 g Gouda	in etwa 3 cm große Würfel schneiden
	die 3 Zutaten abwechselnd auf Spieße stecken
2 - 3 EL Weizenmehl	mit Salz, Pfeffer vermengen
2 - 3 Eier	verschlagen
	die Fischspieße zuerst in dem Mehl, dann in den verschlagenen Eiern wenden
2 EL Butter	in einer großen Pfanne erhitzen, die Spieße von allen Seiten darin braten, auf einer vorgewärmten Platte anrichten, mit
Zitronenachteln	
Petersilie	garnieren.
Bratzeit:	etwa 10 Minuten.
Beilage:	Vollkornbrot, Butter.

KABELJAU IN BUTTERSAUCE (Foto)

4 Scheiben Kabeljau (je etwa 200 g)	unter fließendem kaltem Wasser abspülen, trockentupfen, mit
Zitronensaft	beträufeln
2 Möhren	putzen, schälen, waschen
100 g Sellerie	schälen, waschen
1 Zwiebel	abziehen
1 kleine Stange Lauch	putzen, gründlich waschen
	das Gemüse in Streifen schneiden, eine feuerfeste Form mit Butter ausstreichen, das Gemüse hineingeben, den Fisch darauf legen, die Form auf dem Rost in den vorgeheizten Backofen schieben, etwa 20 Minuten garen

Fisch

Ober-/Unterhitze:	etwa 175 °C (vorgeheizt)
Heißluft:	etwa 150 °C (nicht vorgeheizt)
Gas:	etwa Stufe 2 (vorgeheizt)
	den Fischsud in einen Topf gießen, zum Kochen bringen, etwas einkochen lassen
80 g Butter	in Flöckchen unterschlagen, bis eine sämige Sauce entstanden ist, die Sauce mit
Salz	
frisch gemahlenem Pfeffer	
Zitronensaft	abschmecken.
Hinweis:	Reis oder Nudeln dazureichen.

KARPFEN MIT ORANGEN-MEERRETTICH-SAHNE

1 Karpfen (1 ½ - 2 kg)	ausnehmen, unter fließendem kaltem Wasser abspülen, innen mit
Salz	würzen
500 ml (½ l) Wasser	mit
2 EL Essig-Essenz (25 %)	erhitzen, den Fisch damit übergießen, etwa 5 Minuten der Zugluft aussetzen, bis sich der Fisch blau färbt, in Portionsstücke schneiden, etwas von dem Essigwasser in die Fettfangschale des Backofens gießen, die Fischstücke darauf geben, etwa 5 Minuten vor Beendigung der Dünstzeit mit
50 g zerlassener Butter	übergießen.

Für die Orangen-Meerrettich-Sahne

250 ml (¼ l) Schlagsahne	½ Minute schlagen
1 Päckchen Sahnesteif	einstreuen, die Sahne steif schlagen
2 EL Orangensaft	
abgeriebene Schale einer Orange (ungespritzt)	
1 - 2 EL geriebenen Meerrettich (aus dem Glas)	vorsichtig unter die Sahne heben, mit

Im Herbst

Zitronensaft	abschmecken, den Karpfen mit
Orangenscheiben	garnieren, die Orangen-Meerrettich-Sahne dazureichen
Ober-/Unterhitze:	200-225 °C (vorgeheizt)
Heißluft:	180-200 °C (nicht vorgeheizt)
Gas:	Stufe 4-5 (5 Minuten vorheizen)
Dünstzeit:	60-70 Minuten.
Beilage:	Petersilienkartoffeln, Grüner Salat.

KRABBEN, FRIESISCH

100 g Spargelstücke (aus der Dose)	abtropfen lassen, 5-6 Eßlöffel von dem Spargelwasser abmessen
1 Zwiebel	abziehen, würfeln
2 EL Butter	zerlassen, die Zwiebelwürfel darin glasig dünsten lassen, mit
½ TL Weizenmehl	bestäuben, das abgemessene Spargelwasser hinzugießen, unter Rühren zum Kochen bringen, 1-2 Minuten kochen lassen, die kleingeschnittenen Spargelstücke,
100 g Nordsee-Krabben (gepult) 2-3 EL Crème fraîche (Sauerrahm)	hinzufügen, unter Rühren etwas einkochen lassen, mit
Salz frisch gemahlenem Pfeffer	abschmecken die Krabben auf einer vorgewärmten Platte anrichten, mit
gehackter Petersilie	bestreuen.
Kochzeit:	etwa 5 Minuten.
Beilage:	Toast oder Stangenweißbrot, Rührei mit Schnittlauch.

Lotte in Safransauce (Foto)

40 g getrocknete Morcheln in	
150 ml Wasser	1-2 Stunden einweichen
4 Scheiben Lotte (je etwa 200 g)	unter fließendem kaltem Wasser abspülen, trockentupfen
2 Schalotten	abziehen, in feine Streifen schneiden
50 g Butter	zerlassen, Schalotten darin andünsten, den Fisch darauf geben
100 ml trockenen Weißwein	
100 ml trockenen Wermut	mit etwas gefiltertem Morchelsud hinzugießen, den Fisch darin 15-20 Minuten garen
120 g Prinzeßböhnchen	putzen, waschen
2 kleine Möhren	putzen, schälen, waschen, in feine Streifen schneiden, Böhnchen und Möhren in
kochendes Salzwasser	geben, 8 Minuten garen, auf einem Sieb abtropfen lassen, den Fisch aus dem Topf nehmen, mit dem Gemüse warm stellen, die Morcheln in den Sud geben, einkochen lassen
100 g Butter	in Flöckchen unterschlagen, die Sauce mit
Salz	
frisch gemahlenem Pfeffer	
0,2 g Safranpulver (2 Tütchen)	abschmecken, mit
1 EL Crème fraîche	verfeinern.
Beilage:	Reis oder junge Kartoffeln.

GEGRILLTE DORADE MIT FENCHEL (Foto)

2 küchenfertige Doraden (je etwa 600 g)	unter fließendem kaltem Wasser abspülen, trockentupfen, innen und außen mit
Zitronensaft	beträufeln, mit
Salz	
Pfeffer	würzen
2 Fenchelknollen	putzen, gründlich waschen, in längliche Stücke schneiden, die Doraden mit dem Fenchel füllen, auf ein Backblech legen, mit
4 EL Speiseöl	bestreichen, das Blech unter den Grill schieben, die Fische 25-30 Minuten grillen die Doraden auf einer Platte anrichten, mit
150 ml heißem Pernod	übergießen und flambieren.
Beilage:	Petersilienkartoffeln oder Kartoffelgratin.

GEMISCHTER FISCH, FRITIERT

4 kleine vorbereitete Tintenfische (etwa 500 g)	
500 g vorbereitete Sardinen	unter fließendem kaltem Wasser abspülen, trockentupfen, bei größeren Tintenfischen Beutel und Fangarme in Ringe schneiden, kleinere ganz lassen
32 Scampi (mit Schale)	aus der Schale lösen, nacheinander Tintenfische, Scampi, Sardinen in
Weizenmehl	wenden, in
Olivenöl	goldbraun fritieren, auf Haushaltspapier abtropfen lassen, mit
Salz	würzen, auf
gewaschenen Salatblättern	anrichten, mit
2 in Spalten geschnittenen Zitronen	garnieren.

Fisch

336

Schleien in Weisswein

4 küchenfertige Schleien
(je etwa 200 g) unter fließendem kaltem Wasser abspülen,
trockentupfen, den schwarzen Streifen am
Rückgrat mit dem Daumennagel herausschälen

250 ml (¼ l) Weißwein mit
125 ml (⅛ l) Wasser
1 Lorbeerblatt
1 Messerspitze Thymian
1 gehäuften TL Salz
10 Pfefferkörnern zum Kochen bringen, die Fische hineingeben, zum
Kochen bringen, gar ziehen lassen, die Flossen
und Kiemen herausziehen, die Fische auf einer
vorgewärmten Platte anrichten, warm stellen.

Für die Sauce
die Fischbrühe durch ein Sieb gießen,
¼ l (250 ml) davon abmessen, zum Kochen
bringen

1 - 2 EL Weizenmehl mit
125 ml (⅛ l)
saurer Sahne anrühren, unter die Fischbrühe rühren, zum
Kochen bringen, etwa 5 Minuten kochen lassen
1 Eigelb verschlagen, die Sauce damit abziehen
40 g Butter dazugeben, mit
frisch gemahlenem Pfeffer
Zucker abschmecken, die Sauce über die Schleien geben,
mit
gehackter Petersilie bestreuen, mit
Tomatenachteln
Petersilie garnieren.
Garzeit für den Fisch: etwa 20 Minuten
Kochzeit für die Sauce: etwa 5 Minuten.
Beilage: Petersilienkartoffeln oder Reis, Salate.

SEEZUNGENRÖLLCHEN

8 Seezungenfilets
(etwa 600 g) unter fließendem kaltem Wasser abspülen, trockentupfen, mit

4 EL Zitronensaft beträufeln, aufrollen, mit Holzspießchen fest zusammenstecken

200 ml Weißwein mit
200 ml Fischfond
10 g Butter
1 TL Salz zum Kochen bringen, die Seezungenröllchen darin etwa 12 Minuten bei mittlerer Hitze dünsten kurz vor Beendigung der Garzeit

100 g Tiefsee-
Krabbenfleisch hinzufügen, miterhitzen
Fisch und Krabbenfleisch herausnehmen, warm stellen
den Fischsud um $\frac{1}{3}$ reduzieren

125 ml ($\frac{1}{8}$ l) Schlagsahne hinzufügen, kurz aufkochen lassen, die Sauce mit

2 Eigelb legieren, nicht mehr kochen lassen, mit
Salz
frisch gemahlenem
weißem Pfeffer abschmecken
die Weißweinsahne mit Seezungenröllchen und Krabben servieren.
Zubereitungszeit: etwa 20 Minuten.

ZANDERFILET IN MOHNSAUCE

4 Zanderfilets
(je etwa 200 g) unter fließendem kaltem Wasser abspülen, trockentupfen, mit dem

Saft von 1 Zitrone beträufeln, mit
Salz
frisch gemahlenem
weißem Pfeffer würzen, in
Weizenmehl wenden
50 g Butter in einer Pfanne zerlassen, die Filets darin etwa 10 Minuten goldbraun braten.

Für die Sauce

	von
125 ml (⅛ l) Weißwein	2 Eßlöffel abnehmen, den restlichen Wein aufkochen, über
2 EL gemahlenen Mohn	gießen, quellen lassen
200 g Butter	zerlassen
3 Eigelb	mit dem restlichen Weißwein im Wasserbad schaumig aufschlagen, die Butter in dünnem Strahl zugießen, dabei weiterschlagen, bis eine sämige Sauce entstanden ist, den
Saft von ½ Zitrone	hinzufügen, die Sauce vom Herd nehmen, den Mohn unterrühren, mit Salz, Pfeffer abschmecken, die Zanderfilets mit der Sauce servieren.
Hinweis:	Petersilienkartoffeln und Salat dazureichen.

ZWIEBEL-FISCH

4 Rotbarschfilets (je 150-175 g)	unter fließendem kaltem Wasser abspülen, trockentupfen, mit
2 EL Zitronensaft	beträufeln, etwa 15 Minuten stehenlassen
600 g Gemüsezwiebeln	abziehen, vierteln, in Streifen schneiden
100 g durchwachsenen Speck	in Würfel schneiden
1 EL Butter	erhitzen, die Speckwürfel darin ausbraten, die Zwiebelstreifen hinzufügen, gut darin andünsten, mit
Salz frisch gemahlenem Pfeffer Paprika edelsüß	würzen, im geschlossenen Topf etwa 5 Minuten dünsten lassen
1 Becher (150 g) Crème fraîche	unterrühren, mit Salz, Pfeffer, Paprika abschmecken die Fischfilets trockentupfen, mit
Salz frisch gemahlenem Pfeffer Paprika edelsüß	bestreuen, auf das Zwiebelgemüse legen, im geschlossenen Topf 7-8 Minuten dünsten lassen die Fischfilets nach etwa der Hälfte der Garzeit wenden.
Dünstzeit:	etwa 15 Minuten.

MAN NEHME

PFEFFER

Es war der Pfeffer, der Kolumbus zum Endecker machte. Denn der wagemutige Seefahrer wollte, um das venezianische Gewürzmonopol zu brechen, unbedingt dorthin, wo der Pfeffer wächst. Und das war nach Meinung der Spanier Indien. Indes wächst Pfeffer überall in den Tropen, entweder an Sträuchern oder an Kletterpflanzen. Seine Beeren sind seit Jahrhunderten so begehrt, daß sie zum wichtigsten Welthandelsgewürz wurden. Bei·uns sind sie als ganze Körner, gemahlen oder gestoßen erhältlich. Schwarzer Pfeffer stammt von ungeschälten, unreifen Beeren und schmeckt würzig scharf. Weißer Pfeffer entsteht aus dem Kern der reifen Beeren, er ist zwar scharf, aber fein im Aroma. Ausgesprochen mild ist der grüne Pfeffer, der aus unreifen, konservierten Beeren gewonnen wird.

BRATEN MIT KARTOFFELKRUSTE

1 ½ kg Schinkenbraten	unter fließendem kaltem Wasser abspülen, trockentupfen, mit
Salz	
frisch gemahlenem Pfeffer	einreiben, in eine Rostbratpfanne legen, mit
2 EL erhitztem Speiseöl	übergießen, in den Backofen schieben sobald der Bratensatz bräunt, etwas
heißes Wasser	hinzugießen, das Fleisch ab und zu mit dem Bratensatz begießen, verdampfte Flüssigkeit nach und nach ersetzen.

Für die Kruste

1 kg Kartoffeln	schälen, waschen, in
Salzwasser	zum Kochen bringen, gar kochen lassen, abgießen, abdämpfen, erkalten lassen, durch die feine Scheibe des Fleischwolfs drehen, mit
250 g saurer Sahne	
40 g Weizenmehl	
2 EL Butter	vermengen, mit Salz abschmecken den Braten aus dem Backofen nehmen, die Kartoffelmasse gleichmäßig darauf streichen, mit
1 EL zerlassener Butter	beträufeln
1 EL Semmelbrösel	darüber streuen den Braten wieder in den Backofen schieben, so lange erhitzen, bis die Kruste knusprig ist den garen Braten auf einer vorgewärmten Platte anrichten, warm stellen den Bratensatz mit Wasser loskochen, durch ein Sieb gießen
150 ml trockenen Weißwein	hinzugießen, zum Kochen bringen
1 - 2 TL Speisestärke	mit
1 EL Wasser	anrühren, den Bratensatz damit binden, nach Belieben mit Salz, Pfeffer abschmecken die Sauce zu dem Fleisch reichen
Ober-/Unterhitze:	200 - 225 °C (vorgeheizt)
Heißluft:	180 - 200 °C (nicht vorgeheizt)
Gas:	Stufe 3 - 4 (vorgeheizt)
Bratzeit:	etwa 2 Stunden.

Im Herbst

FILETSTEAK MIT AUSTERNPILZEN

1 - 2 EL Butter	in einer Flambierpfanne erhitzen
4 Filetsteaks	
(je etwa 175 g)	darin von beiden Seiten braten, mit
Salz	
frisch gemahlenem	
schwarzen Pfeffer	bestreuen, mit
6 EL Weinbrand	flambieren
	die Filetsteaks auf einer vorgewärmten Platte mit Alufolie abgedeckt warm stellen
	den Bratensatz in ein Töpfchen geben, warm stellen
1 Schalotte	
1 Knoblauchzehe	
	beide Zutaten abziehen, fein würfeln
1 EL Butter	in der Flambierpfanne erhitzen
	Schalotten- und Knoblauchwürfel darin andünsten
250 g Austernpilze	putzen, vorsichtig waschen, trockentupfen, in Streifen schneiden, in die Flambierpfanne geben, mit
Salz	
frisch gemahlenem Pfeffer	würzen, 4 - 5 Minuten dünsten lassen
	den Bratensatz,
1 Becher (150 g)	
Crème fraîche	
1 TL zerdrückte	
grüne Pfefferkörner	hinzufügen, 1 - 2 Minuten kochen lassen, mit
Pilz-Sojasauce	abschmecken
	die Austernpilze mit den Filetsteaks auf vorgewärmten Tellern anrichten, sofort servieren
Bratzeit:	10 - 15 Minuten
Dünstzeit:	4 - 5 Minuten.

Geschmortes Kaninchen

250 g Backpflaumen (ohne Stein)	in
etwa 8 cl Armagnac	einlegen, etwa 48 Stunden einweichen
1 Kaninchen (etwa 2 kg)	enthäuten, in Portionsstücke zerteilen, unter fließendem kaltem Wasser abspülen, trockentupfen das Fleisch mit
Salz	
frisch gemahlenem Pfeffer	einreiben
100 g geräucherten mageren Speck	in Würfel schneiden, in einem großen Schmortopf glasig braten lassen
2 EL Butter	hinzufügen, zerlassen, die Kaninchenstücke portionsweise darin von allen Seiten anbraten
3 mittelgroße Zwiebeln	abziehen, würfeln, in das Bratfett geben, glasig braten lassen
150 g Schweinemett	hinzufügen, mitbraten lassen, dabei die Fleischklümpchen mit einer Gabel zerdrücken
250 g rosa Champignons	putzen, waschen, grob zerkleinern
2 Knoblauchzehen	abziehen, zerdrücken
150 g gekochten Schinken	in Würfel schneiden Kaninchenfleisch, Champignonstücke, zerdrückten Knoblauch, Schinkenwürfel und Backpflaumen in den Schmortopf schichten den Armagnac,
4 Spritzer Worcestersauce	hinzufügen den Schmortopf gut verschließen den Topf auf dem Rost in den vorgeheizten Backofen schieben
Ober-/Unterhitze:	etwa 175 °C (vorgeheizt)
Heißluft:	etwa 155 °C (nicht vorgeheizt)
Gas:	etwa Stufe 2 (vorgeheizt)
Bratzeit:	etwa 2 Stunden.
Beilage:	Frisch gebackenes Knoblauch-Baguette und Grüner Salat mit Sahnesauce.

Im Herbst

GULASCH, PIKANT (Foto)

500 g schieres Rindfleisch (Wadenstück)	waschen, abtrocknen, in etwa 2 cm große Würfel schneiden,
100 g Schweineschmalz	erhitzen, die Gulaschwürfel darin gut anbraten dünsten lassen (Foto 1)
400 g Zwiebeln	abziehen, in Scheiben schneiden, mitbräunen lassen (Foto 2)
2 - 3 EL Tomatenmark	unterrühren (Foto 3), so lange rühren, bis eine weiche Masse entstanden ist, mit
2 gestrichenen TL Paprika edelsüß 3 EL Weißwein Salz frisch gemahlenem Pfeffer	würzen, etwa 50 Minuten schmoren lassen
500 ml (½ l) Fleischbrühe	hinzugießen (Foto 4), das Fleisch gar schmoren lassen das Gulasch mit Salz, Pfeffer
Paprika edelsüß Weiß- oder Rotwein	abschmecken nach Belieben
etwas Weizenmehl kaltem Wasser	mit anrühren das Gulasch damit binden
Schmorzeit:	etwa 80 Minuten.
Veränderung:	Eine Gurke schälen, halbieren, entkernen, in fingerdicke Stücke schneiden, etwa 20 Minuten vor Beendigung der Schmorzeit zu dem Gulasch geben, 1 kleine Dose (etwa 200 g) Tomaten mit dem Saft etwa 10 Minuten vor Beendigung der Schmorzeit hinzufügen.

HIRSCHSTEAKS MIT PORTWEINSAUCE

Für die Portweinsauce

75 g fetten Speck	in Würfel schneiden, ausbraten
500 g Wildknochen	unter fließendem kaltem Wasser abspülen, trockentupfen, in dem Speckfett von allen Seiten gut anbraten
1 Bund Suppengrün	putzen, waschen, kleinschneiden
1 Zwiebel	abziehen, vierteln
	beide Zutaten zu den Knochen geben, kurze Zeit mitbraten lassen
250 g Pfifferlinge (aus der Dose)	abtropfen lassen, die Pilzflüssigkeit auffangen, mit
Wasser	auf 250 ml (¼ l) Flüssigkeit auffüllen, mit
125 ml (⅛ l) Portwein 2 zerdrückten Wachholderbeeren	zu den Knochen geben, mit
Salz frisch gemahlenem Pfeffer gerebeltem Thymian	würzen, zugedeckt etwa 1 Stunde kochen lassen, die Knochen entfernen die Flüssigkeit mit Suppengrün und Zwiebel durch ein Sieb rühren die Flüssigkeit auf 200 ml einkochen lassen
knapp 125 ml (⅛ l) Portwein	hinzugießen
1 TL Johannisbeer-Gelee 1 Msp. Senf gemahlenen Zimt	hinzufügen, nochmals auf etwa 200 ml einkochen lassen
1 Becher (150 g) Crème fraîche	unterrühren, erhitzen, die Sauce mit Salz, Pfeffer abschmecken
4 Hirschsteaks (je etwa 150 g)	unter fließendem kaltem Wasser abspülen, trockentupfen
2 EL Butter	in einer Flambierpfanne auf dem Rechaud erhitzen

	die Hirschsteaks von beiden Seiten darin braten, mit
Salz	
frisch gemahlenem Pfeffer	
gerebeltem Thymian	würzen, herausnehmen, zugedeckt warm stellen
1 EL Butter	in das Bratfett geben
1 gewürfelte Schalotte	darin glasig dünsten lassen, die Pfifferlinge hineingeben, mit
Salz	
frisch gemahlenem Pfeffer	würzen, dünsten lassen, herausnehmen, warm stellen
2 kleine Äpfel	schälen, das Kerngehäuse mit einem Apfelausstecher herausstechen, die Äpfel in etwa 1 cm dicke Scheiben schneiden
2 EL Butter	in der Flambierpfanne auf dem Rechaud erhitzen, die Apfelscheiben von beiden Seiten darin braten, herausnehmen die Hirschsteaks wieder in die Flambierpfanne geben, die Pfifferlinge darauf und rundherum verteilen, darauf die Apfelscheiben geben, mit
6 EL Calvados	flambieren sofort mit der Portweinsauce servieren
Kochzeit für die Sauce:	etwa 1 ½ Stunden
Bratzeit für die Hirschsteaks:	etwa 15 Minuten
Dünstzeit für die Pfifferlinge:	etwa 4 Minuten
Bratzeit für die Apfelscheiben:	3 - 5 Minuten.
Beilage:	Kartoffel-Quark-Kroketten.

BRATWURST

30 g Pflanzenfett	erhitzen
4 vorgebrühte Bratwürste	von beiden Seiten bei schwacher Hitze darin braun braten
Bratzeit:	etwa 10 Minuten.
Veränderung:	Feine Kalbsbratwurst vor dem Braten überbrühen.
Beilage:	Senf oder Tomaten-Ketchup, geröstete Zwiebeln, Pommes frites, Salat.

HIRSCHSTEAKS MIT SAUCE BÉARNAISE

Für die Sauce Béarnaise

100 g Butter	zerlassen, abschäumen, etwas abkühlen lassen
1 kleine Zwiebel	abziehen, fein würfeln, mit
1 EL gehackten Estragonblättchen	
1 EL gehackten Basilikumblättchen	
frisch gemahlenem schwarzem Pfeffer	
1 TL Weinessig	

2 EL Weißwein	zum Kochen bringen, etwa 5 Minuten kochen, etwas abkühlen lassen, mit
2 Eigelb	im Wasserbad unter ständigem Schlagen erhitzen, bis die Masse dicklich ist, den Topf von der Kochstelle nehmen, nach und nach die Butter unterschlagen, dabei die sich am Boden des Topfes abgesetzte Molke der Butter zurücklassen die Sauce mit
Salz, Pfeffer Zucker	abschmecken, bis zum Verzehr warm halten, damit sie nicht gerinnt
4 Scheiben Ananas (aus der Dose)	abtropfen lassen
600 g Hirschrücken	unter fließendem kaltem Wasser abspülen, trockentupfen, enthäuten, in etwa 3 cm dicke Scheiben schneiden, leicht flachdrücken, mit
Senf	bestreichen
3 EL Speiseöl	erhitzen, die Steaks von beiden Seiten je 6 Minuten darin braun braten, mit Salz, Pfeffer bestreuen, warm stellen
etwas Butter	zerlassen, die Ananasscheiben darin goldbraun braten, auf eine vorgewärmte Platte legen, die Steaks darauf legen, mit der Sauce Béarnaise bedecken, mit
Petersilie	garnieren.
Beilage:	Broccoli mit Erdnußsauce.

KOTELETTS MIT PFIFFERLINGEN

4 Schweinekoteletts	unter fließendem kaltem Wasser abspülen, trockentupfen, mit
Salz	
Paprika	
geschrotetem Pfeffer	bestreuen
2 - 3 EL Margarine	erhitzen, die Koteletts von einer Seite darin braten, wenden
etwa 125 g gedünstete Pfifferlinge	hinzufügen, mit
1 - 2 EL gehackter Petersilie	bestreuen die Koteletts mit
etwas Weinbrand	beträufeln nach Belieben
3 EL Crème fraîche	unterrühren
Bratzeit:	etwa 15 Minuten.
Beilage:	Salzkartoffeln, Gurkensalat.

KANINCHEN IN SENFSAHNE

4 Kaninchenkeulen	enthäuten, unter fließendem kaltem Wasser abspülen, trockentupfen, mit
etwas Weizenmehl	bestäuben
1 EL Speiseöl	
1 EL Butter	in einem Schmortopf zerlassen, die Kaninchenkeulen von allen Seiten darin an-braten
2 Möhren	putzen, schälen, waschen, in Stifte schneiden
5 kleine Zwiebeln	
3 Knoblauchzehen	beide Zutaten abziehen, mit den Möhrenstiften zu dem Fleisch geben, zugedeckt bei schwacher Hitze etwa 15 Minuten schmoren lassen, mit
4 EL Essig	ablöschen
125 ml (⅛ l) Hühnerbrühe	hinzugießen
2 EL Dijon-Senf	
1 EL Tomatenmark	in die Schmorflüssigkeit rühren das Fleisch zugedeckt etwa 1 ½ Stunden

schmoren lassen
die Keulen herausnehmen, auf einer vorgewärmten
Platte anrichten, warmstellen
die Schmorflüssigkeit einkochen lassen

1 Becher (150 g)
Crème fraiche unterrühren, mit
Salz
frisch gemahlenem Pfeffer abschmecken
die Senfsahne über die Kaninchenkeulen geben,
sofort servieren.

KRÄUTER-FRIKADELLEN

1 Brötchen (vom Vortage) einweichen (Foto 1), gut ausdrücken (Foto 2)
1 Zwiebel abziehen, würfeln
die beiden Zutaten mit

375 g Gehacktem
(halb Rind-, halb
Schweinefleisch)
2 EL gemischten,
gehackten Kräutern
(Petersilie, Dill,
Schnittlauch, Estragon) vermengen (Foto 3), mit
Salz
frisch gemahlenem Pfeffer
Paprika edelsüß würzen
aus der Masse mit nassen Händen Frikadellen
formen (Foto 4)
Pfanne erhitzen
die Frikadellen hineinlegen, von beiden Seiten
darin braten
Bratzeit: etwa 15 Minuten.

Rehmedaillons mit Brombeersauce

Für die Brombeersauce

250 g Brombeeren	verlesen, waschen, entstielen, in wenig Wasser kurze Zeit erhitzen, durch ein feines Sieb streichen, unter das Brombeermus
100 ml Rotwein (Burgunder)	mit
1 EL Zucker	
½ TL Senfpulver	
abgeriebener Schale von ¼ Orange (unbehandelt)	
gemahlenem Piment	rühren, erhitzen (nicht kochen lassen) die Sauce mit
Weinbrand	
Angostura bitter	abschmecken, warm stellen
8 Rehmedaillons (je etwa 70 g)	
8 Scheiben fetter Speck	um jedes Rehmedaillon eine Scheibe Speck legen, mit Küchengarn zusammenhalten, das Fleisch mit
Salz, Pfeffer	bestreuen
Butterschmalz	erhitzen, die Medaillons darin von jeder Seite etwa 2 Minuten braten lassen das Küchengarn entfernen die Medaillons mit
Brombeeren	
Orangenschalenstreifen (unbehandelt)	garnieren, die Sauce dazureichen.
Bratzeit:	etwa 4 Minuten.

RINDERFILET „WELLINGTON"

Für die Füllung

1 kg Rinderfilet waschen, abtrocknen, enthäuten
1 EL Margarine erhitzen, das Fleisch von allen Seiten kurz
darin anbraten, mit

Salz
frisch gemahlenem Pfeffer würzen, aus der Pfanne nehmen, abkühlen lassen
125 g Schinkenspeck
2 abgezogene Zwiebeln in Würfel schneiden, den Speck zu dem Bratfett
geben, auslassen, die Zwiebelwürfel hinzufügen,
glasig dünsten lassen

100 g Champignons
(aus der Dose) abtropfen lassen, kleinschneiden, hinzufügen,
die Masse mit Salz, Pfeffer abschmecken, kalt
stellen.

Für den Teig

1 Packung (300 g)
tiefgekühlten Blätterteig bei Zimmertemperatur auftauen lassen, zu einer
länglichen Platte in der doppelten Größe des
Filets ausrollen (nach Belieben etwas Teig zum
Garnieren zurücklassen)
etwas von der Zwiebel-Champignon-Masse in der
Länge des Filets in die Mitte des Teiges geben,
das Filet darauf legen, mit der restlichen
Zwiebel-Champignon-Masse bedecken, den Teig um
das Fleisch schlagen, auf ein mit Wasser
abgespültes Backblech legen (glatte Teigseite
nach oben), mit dem zurückgelassenen Teig
garnieren, über die Teigoberseite verteilt
3 etwa pfenniggroße Löcher ausstechen
½ Eigelb mit
1 TL Milch verschlagen, die Teigoberfläche damit
bestreichen
Ober-/Unterhitze: 200-225 °C (vorgeheizt)
Heißluft: 180-200 °C (nicht vorgeheizt)
Gas: Stufe 3-4 (vorgeheizt)
Backzeit: 40-50 Minuten.
Beilage: Kräuter-Sahne-Sauce, Stangenweißbrot.

Im Herbst

351

WILDMEDAILLONS MIT MANGOMUS

(8 Stück)

Etwa 300 g ausgelösten Rehrücken	quer zur Fleischfaser in acht Stücke schneiden, flachklopfen (etwa 1 ½ cm dick)
4 EL Traubenkernöl	mit
1 zerdrückten Lorbeerblatt	
1 abgezogenen, zerdrückten Knoblauchzehe	
1 TL Kräuter der Provence	verrühren, mit
Currypulver	
frisch gemahlenem Pfeffer	würzen, das Fleisch darin wenden und so schichten, daß alle Stücke mit Marinade bedeckt sind, über Nacht durchziehen lassen
2 EL Speiseöl	mit
2 EL Butter	in einer Pfanne erhitzen Medaillons aus der Marinade nehmen, abtupfen, Kräuter entfernen, die Medaillons von jeder Seite etwa 2 Minuten gut anbraten, mit
Salz	bestreuen, das Fleisch in der heißen Pfanne ohne Hitzezufuhr etwa 5 Minuten nachgaren, abkühlen lassen.

Für das Mangomus

2 Blatt weiße Gelatine	in
kaltem Wasser	10 Minuten einweichen, ausdrücken, in
1 EL Campari	
1 EL Zitronensaft	vorsichtig im heißen Wasserbad erwärmen, bis sich die Gelatine gelöst hat
100 g Mangos (Dose)	abtropfen lassen, pürieren, durch ein Sieb streichen, die Gelatine unterrühren, mit
Pfeffer, Salz	würzen das Mus gelieren lassen.

Für die Glasur

½ TL Fleischextrakt	mit
1 TL Mangosaft	
50 ml Wasser	verrühren
1 Blatt weiße Gelatine	in kaltem Wasser 10 Minuten einweichen, ausdrücken, in der Brühe auflösen, die warme Flüssigkeit mit einem Pinsel auf die Medaillons streichen, den Vorgang mehrmals wiederholen, das fast steife Mangomus auf die Medaillons spritzen.

ZWIEBELKOTELETTS MIT SENFCREME

4 Schweinekoteletts	unter fließendem kaltem Wasser abspülen, trockentupfen, mit
Salz, Pfeffer	bestreuen, dünn mit
Dijon-Senf	bestreichen
3 - 4 mittelgroße Zwiebeln	
2 Knoblauchzehen	
	beide Zutaten abziehen, in kleine Würfel schneiden, auf den Koteletts auf einer Platte anrichten, mit
Petersilie	garnieren, warm oder kalt servieren.

Für die Senfcreme

1 Becher (150 g) Crème fraîche	mit
1 ½ - 2 TL Dijon-Senf	verrühren, mit Salz,
Currypulver	abschmecken, zu den Koteletts reichen.

PUTE MIT KASTANIENFÜLLUNG

1 küchenfertige Pute
(etwa 3,5 kg)   unter fließendem kaltem Wasser abspülen, trockentupfen.

Für die Füllung

Leber der Pute
125 g Schweineleber

beide Zutaten unter fließendem kaltem Wasser abspülen, trockentupfen, in Würfel schneiden

300 g Eßkastanien
(Maronen, aus der Dose)   abtropfen lassen, mit den Leberwürfeln,
250 g Thüringer Mett   verrühren, mit
Salz
frisch gemahlenem Pfeffer   würzen

die Pute innen mit Salz würzen, mit der Kastanienmasse füllen, zunähen, außen mit Salz, Pfeffer einreiben
die Putenbrust mit

4 - 5 Scheiben fettem Speck   belegen, mit Küchengarn umwickeln
weiche Butter   in Flöckchen auf der Pute verteilen

einen großen Bratentopf mit Wasser ausspülen, die Pute mit der Brust nach oben hineinlegen

Herz, Magen, Hals der Pute   unter fließendem kaltem Wasser abspülen
1 Bund Suppengrün   putzen, waschen, in Stücke schneiden
die Zutaten um die Pute legen
den Bratentopf auf dem Rost in den Backofen schieben
sobald der Bratensatz zu bräunen beginnt, etwas

heißes Wasser   hinzugießen, die Pute ab und zu mit dem Bratensaft begießen, verdampfte Flüssigkeit nach und nach ersetzen
die Pute etwa 20 Minuten vor Beendigung der Bratzeit mit

Salzwasser   bestreichen
die gare Pute vom Küchengarn befreien, in Portionsstücke schneiden, auf einer vorgewärmten Platte anrichten
die Füllung getrennt zu dem Fleisch reichen.

Für die Sauce

den Bratensatz mit Wasser loskochen, mit dem
Gemüse durch ein Sieb streichen, evtl. mit
Wasser aufkochen, zum Kochen bringen
nach Belieben

2 EL Weizenmehl	mit
3 EL kaltem Wasser	anrühren, den Bratensaft damit binden
	die Sauce mit Salz, Pfeffer,
Weinbrand	abschmecken
Ober-/Unterhitze:	225-250 °C (vorgeheizt)
Heißluft:	200-220 °C (nicht vorgeheizt)
Gas:	Stufe 5 - 6 (vorgeheizt)
Bratzeit:	2 ½-3 Stunden.
Beilage:	Buchweizenklöße, Rosenkohl.

Gänseschenkel
in Schmorkraut

2 Gänseschenkel	unter fließendem kaltem Wasser abspülen, trockentupfen, mit
Salz	einreiben
2 kg Weißkohl	von den äußeren Blättern befreien, den Kohl vierteln, den Strunk herausschneiden, den Kohl waschen, fein hobeln
2 große Zwiebeln	abziehen, würfeln
30 g Gänseschmalz	zerlassen, die Gänseschenkel von allen Seiten gut darin anbraten, die Zwiebelwürfel hinzufügen, mitbraten lassen
250 ml (¼ l) heißes Wasser	hinzugießen, den Kohl dazugeben, mit Salz würzen, im geschlossenen Topf gar schmoren lassen
	das Fleisch von den Knochen lösen, in eine vorgewärmte Schüssel legen
	den Kohl mit Salz,
Zucker	
Essig	abschmecken, zu dem Fleisch geben
Schmorzeit:	etwa 2 Stunden.

Hühnerbrust
mit Pfeffersauce

4 Hühnerbrustfilets	unter fließendem kaltem Wasser abspülen, trockentupfen, mit
Salz, Pfeffer	
Paprika edelsüß	bestreuen
4 Scheiben Schinkenspeck (etwa 50 g)	in Streifen schneiden
2 EL Butter	in einer Pfanne erhitzen
	die Hühnerbrustfilets von beiden Seiten darin anbraten
	die Schinkenspeck-Scheiben hinzufügen, kurze Zeit mitbraten lassen, mit

4 EL Whisky	flambieren
	die Filets aus der Pfanne nehmen, warm stellen
1 Becher (150 g) Crème fraîche	
1 TL zerdrückte und 1 TL ganze schwarze Pfefferkörner	in das Bratfett geben, verrühren, zum Kochen bringen, die Sauce etwas einkochen lassen, mit
Pilz-Sojasauce	abschmecken
	die Hühnerbrustfilets in der Pfeffersauce erhitzen, sofort servieren
Bratzeit für die Hühnerbrustfilets:	etwa 10 Minuten.

SALBEI-HÄHNCHEN

(Für 2 Personen)

1 küchenfertiges Hähnchen	unter fließendem kaltem Wasser abspülen, trockentupfen
3 Knoblauchzehen	abziehen, würfeln
15 Salbeiblättchen	abspülen, trockentupfen, fein hacken
	das Hähnchen innen und außen mit
Salz	einreiben
frisch gemahlenen Pfeffer	mit Knoblauch und Salbei vermengen, in das Hähnchen geben
	das Hähnchen in einen gewässerten Tontopf geben, mit
100 g Bacon (in Scheiben)	belegen
	den Tontopf schließen, auf dem Rost in den kalten Backofen schieben
Ober-/Unterhitze:	etwa 200 °C (vorgeheizt)
Heißluft:	etwa 180 °C (nicht vorgeheizt)
Gas:	etwa Stufe 3 (vorgeheizt)
Backzeit:	etwa 70 Minuten
	das gare Hähnchen in Viertel schneiden, den Bratensatz entfetten, dazureichen.

Im Herbst

KARTOFFELN

Unverwüstlich ist sie, diese tolle Knolle, die im 16. Jahrhundert aus Peru nach Europa kam. Anfangs mißtrauisch beäugt und als „Teufelswurzel" verdammt, hat sie sich nach und nach zu einem echten Grundnahrungsmittel gemausert. Die Kartoffel gehört einfach dazu, ein Leben lang. Mit ihr wird Babys erstes Püree angerührt, mit ihr trifft man sich als Teenager zum trauten Treff an der Pommesbude, mit ihr als fein gehobelter, leicht überbackener Köstlichkeit diniert man bei Kerzenlicht und festlicher Stimmung und mit ihr in Mutters Eintopf wird man garantiert satt. Ob festkochend oder mehlig, zur Kartoffel kann man nur ein gutes Verhältnis haben – und sei´s ein Bratkartoffelverhältnis.

Kartoffelrouladen

500 g mehligkochende Kartoffeln Salzwasser	schälen, waschen, in Stücke schneiden, in zum Kochen bringen, in etwa 20 Minuten gar kochen lassen, abgießen, etwas abkühlen lassen, fein hacken oder reiben, mit
100 g Weizenmehl 50 g Speisestärke 50 g Grieß 2 Eigelb 25 g zerlassener Butter Salz	zu einem glatten Teig verarbeiten.

Für die Füllung

250 g durchwachsenen Speck 1 Zwiebel	in kleine Würfel schneiden, auslassen abziehen, fein würfeln, zu dem Speck geben, so lange erhitzen, bis sie goldbraun ist
1 EL gehackte Petersilie ½ TL frische, gehackte Majoranblätter	unterrühren, abkühlen lassen den Kartoffelteig auf einer mit
Weizenmehl	bestreuten Tischplatte zu einem Rechteck ausrollen, gleichmäßig mit der Füllung bestreichen, aufrollen
1 Stoffserviette Butter	gut mit bestreichen, die Kartoffelroulade darin einrollen, die Enden mit Küchengarn zubinden, in kochendes Salzwasser geben, zum Kochen bringen, gar ziehen lassen, herausnehmen, kurz in kaltes Wasser tauchen, Fäden entfernen, auswickeln, die Roulade in Scheiben schneiden, mit
20 g zerlassener Butter gehackter Petersilie Garzeit:	beträufeln, mit bestreut servieren. 30-35 Minuten.

Im Herbst

SCHWEIZER RÖSTI (Foto)

1 kg festkochende Kartoffeln	waschen, in so viel
Wasser	zum Kochen bringen, daß die Kartoffeln bedeckt sind, gar kochen lassen, abgießen, abdämpfen, heiß pellen, erkalten lassen auf einer großen Reibe (Röstiraffel) grob reiben (raffeln)
2 Zwiebeln	abziehen, würfeln
100 g Butter	in einer großen Bratpfanne zerlassen, die Zwiebelwürfel darin andünsten, die Kartoffeln hinzufügen, mit
Salz frisch gemahlenem Pfeffer	würzen, unter mehrmaligem Wenden hellbraun braten die Kartoffeln in der Pfanne glattstreichen,

etwas festdrücken, noch einige Minuten braten
lassen, auf vorgewärmte Teller stürzen

Kochzeit: etwa 25 Minuten
Bratzeit: etwa 10 Minuten.

WINZER KARTOFFELPLATTE

1 kg Kartoffeln	schälen, waschen, in Scheiben schneiden
4 - 5 mittelgroße Zwiebeln	abziehen, würfeln
50 g Butter	zerlassen, Kartoffelscheiben, Zwiebelwürfel hineingeben, mit
Salz frisch gemahlenem Pfeffer	würzen, hellbraun braten etwas von
125 - 250 ml ($\frac{1}{8}$ - $\frac{1}{4}$ l) Weißwein	hinzugießen, in 20 - 30 Minuten gar dünsten lassen verdampfte Flüssigkeit nach und nach ersetzen Kartoffeln sollen zuletzt fast ohne Flüssigkeit sein.
Beilage:	Bunter Salatteller.

STREICHHOLZKARTOFFELN (KARTOFFELSTICKS)

1 kg Kartoffeln	schälen, waschen, in gleichmäßig lange, etwa streichholzgroße Stäbchen schneiden, eine Zeitlang in kaltes Wasser legen, gut abtropfen lassen
Fritierfett	in einer Friteuse auf 180 °C erhitzen, die Kartoffelstäbchen darin protionsweise in 3 - 5 Minuten goldgelb fritieren, auf Haushaltspapier abtropfen lassen, die Streichholzkartoffeln mit
feinem Salz	bestreut servieren.

BAUERNFRÜHSTÜCK (Foto)

750 g Salatkartoffeln	waschen, in Wasser zum Kochen bringen, garkochen lassen, abgießen, heiß pellen, erkalten lassen, in Scheiben schneiden
4 Zwiebeln	abziehen, würfeln
75 g durchwachsenen Speck	in Würfel schneiden, auslassen
30 g Margarine	hinzufügen, zerlassen, die Zwiebeln darin glasig dünsten, die Kartoffeln darin braun braten
3 Eier	mit
3 EL Milch	
Salz	
frisch gemahlenem Pfeffer	
Paprika	
geriebener Muskatnuß	verschlagen
125 g Schinkenspeck	in Würfel schneiden
2 EL feingeschnittener Schnittlauch	
	die Zutaten zu der Eiermilch geben, über die Kartoffeln gießen, stocken lassen, evtl. einmal wenden
Kochzeit:	20-25 Minuten
Bratzeit:	etwa 10 Minuten.

BECHAMELKARTOFFELN

750 g kleine Kartoffeln	in so viel
Wasser	zum Kochen bringen, daß die Kartoffeln bedeckt sind, in 20-25 Minuten gar kochen lassen, abgießen, mit kaltem Wasser übergießen, pellen
75 g durchwachsenen Speck	in Würfel schneiden
1 EL Butter	zerlassen, die Speckwürfel darin ausbraten
1 Zwiebel	abziehen, würfeln, darin andünsten, mit
25 g Weizenmehl	bestäuben, kurz miterhitzen
250 ml (¼ l) Fleischbrühe	
125 ml (⅛ l) Milch	
125 ml (⅛ l) Schlagsahne	hinzugießen, mit einem Schneebesen durchschlagen, darauf achten, daß keine Klumpen entstehen, die Sauce zum Kochen bringen, etwa 5 Minuten kochen lassen, mit
Salz, Pfeffer geriebener Muskatnuß	würzen
	die lauwarmen Kartoffeln in die Sauce schneiden, unter vorsichtigem Umrühren darin erhitzen
2 EL gehackte Petersilie	unterrühren.

KARTOFFEL-SPATZEN

750 g Kartoffeln	schälen, waschen, in Stücke schneiden, in
Salzwasser	zum Kochen bringen, in etwa 20 Minuten gar kochen lassen, abgießen, heiß durch die Kartoffelpresse geben
3-4 Zwiebeln	abziehen, fein würfeln
150 g durchwachsenen Speck	in kleine Würfel schneiden, auslassen, die Zwiebelwürfel darin glasig dünsten lassen, mit
1 Bund feingeschnittenem Schnittlauch	
3 Eigelb	zu dem Kartoffelbrei geben, alle Zutaten zu einem glatten Teig verkneten, kalt stellen aus dem Teig fingerdicke Würstchen formen
Butter oder Margarine	zerlassen, die Kartoffel-Spatzen darin portionsweise in 3-5 Minuten goldbraun backen.

FENCHELSALAT (Foto)

2 Fenchelknollen	putzen, waschen, halbieren, das zarte Blattgrün kleinhacken und beiseite stellen die Knollen in feine Scheiben schneiden
2 Orangen	bis zum Fleisch schälen und das Fruchtfleisch zwischen den Trennhäuten herausschneiden (dabei den Saft auffangen)
1 rote Zwiebel	abziehen, in sehr feine Ringe schneiden die Salatzutaten vorsichtig vermengen.

Für die Sauce

Saft von ½ Zitrone	mit dem aufgegangenen Orangensaft,
1 EL Balsam Essig	
Zucker	
Salz	verrühren
4 EL Walnußöl	darunterschlagen, mit den Zutaten vermengen
30 g Walnußkerne	hacken, darübergeben, mit dem Fenchelgrün bestreuen.

Salat mit pochierten Eiern

Für den Salat

½ Friséesalat	putzen, waschen, trockentupfen, auf vier Tellern anrichten
150 g durchwachsenen Speck	in dünne Scheiben schneiden
1 EL Olivenöl	erhitzen, den Speck darin ausbraten, herausnehmen
250 g Austernpilze	putzen, waschen, trockentupfen, im Speckfett etwa 5 Minuten dünsten
1 Knoblauchzehe	abziehen, durchpressen, dazugeben, die Pilze mit
schwarzem Pfeffer	würzen, mit
3 EL Weinessig	ablöschen
	Speck und Pilze auf dem Friséesalat verteilen.

Für die pochierten Eier

750 ml (¾ l) Salzwasser	mit
4 EL Essig	zum Kochen bringen
4 Eier	einzeln in einer Kelle aufschlagen (Foto 1), vorsichtig in das Wasser geben, etwa 4 Minuten garen, mit einer Schaumkelle herausnehmen (Foto 2), evtl. glattschneiden (Foto 3), anrichten (Foto 4), sofort servieren.

Im Herbst

KÜRBISAUFLAUF MIT SCHAFSKÄSE

750 g Kürbisfleisch	schälen, die Kerne auskratzen
500 g Kartoffeln	schälen, waschen
	beide Zutaten in Scheiben schneiden, mit etwas
Salz	bestreuen, zugedeckt stehen lassen
500 g gehacktes Lammfleisch	mit Salz,
frisch gemahlenem Pfeffer	würzen
1 Knoblauchzehe	abziehen, zerdrücken, unter das Hack kneten
4 - 5 EL Sonnenblumenöl	erhitzen, das Hackfleisch darin unter Rühren anbraten
2 Zwiebeln	abziehen, würfeln, zu dem Hack geben, mitschmoren lassen
	Kürbis- und Kartoffelscheiben in
Weizenmehl	wenden
Sonnenblumenöl	erhitzen, die beiden Zutaten portionsweise darin schnell von beiden Seiten braun anbraten
400 g Schafskäse	grob zerkrümeln
	eine gefettete Auflaufform mit der Hälfte der Kartoffel- und Kürbisscheiben auslegen, die Hackfleischmasse daraufgeben, die Hälfte des Käses darüber verteilen, mit den restlichen Kartoffeln und Kürbis bedecken, den restlichen Käse darüber streuen
2 Eier	mit
125 ml (⅛ l) Schlagsahne	verschlagen, mit Salz, Pfeffer,
geriebener Muskatnuß	würzen
1 Bund glatte Petersilie	abspülen, trockentupfen, fein hacken, unterrühren, die Masse über den Auflauf gießen, die Form auf dem Rost in den vorgeheizten Backofen schieben
Ober-/Unterhitze:	etwa 225 °C (vorgeheizt)
Heißluft:	etwa 200 °C (nicht vorgeheizt)
Gas:	etwa Stufe 5 (vorgeheizt)
Backzeit:	etwa 40 Minuten.

Im Herbst

366

KÜRBIS-CHUTNEY

1 kg Kürbisfleisch
(vorbereitet gewogen)

vorbereiten: den Kürbis schälen, waschen, das
Mark mit einem Löffel herauskratzen
das Kürbisfleisch in kleine Würfel schneiden

750 g säuerliche Äpfel schälen, vierteln, entkernen, in Würfel schneiden
250 g Zwiebeln
2 - 3 Knoblauchzehen

beide Zutaten abziehen, würfeln
die Zutaten vermengen

125 g Rosinen verlesen
250 g Rohrzucker mit
250 ml (¼ l)
Weißwein-Essig verrühren, mit
½ TL gemahlenem Zimt
½ TL gemahlenen Nelken
½ TL Currypulver
½ TL gemahlenem Ingwer
½ TL Kurkuma
1 TL Salz
1 Messerspitze
Cayennepfeffer in einen Topf geben, die übrigen Zutaten
hinzufügen, zum Kochen bringen, etwa
1 Stunde im offenen Topf kochen lassen,
ab und zu durchrühren
sollte zu viel Flüssigkeit verdampfen
etwas Weißwein hinzugießen, das Chutney mit
Salz abschmecken, sofort kochendheiß randvoll in
sorgfältig gespülte Gläser mit Schraubverschluß
geben
die Gläser sofort verschließen, etwa 5 Minuten
auf dem Deckel stehenlassen
die Gläser kühl (Keller) aufbewahren.

LAUCHKUCHEN

250 g Weizenmehl	auf die Tischplatte sieben
125 g kalte Butter	in Stücke schneiden, mit
½ TL Salz	
Zucker	zu dem Mehl geben, alles schnell zu einem glatten Teig verkneten, etwa 30 Minuten kalt stellen
	den Teig auf dem Boden einer gefetteten Springform (Ø 28 cm) ausrollen, am Rand etwa 2 cm hochdrücken
	die Form auf dem Rost in den vorgeheizten Backofen schieben
Ober-/Unterhitze:	etwa 250 °C (vorgeheizt)
Heißluft:	etwa 220 °C (nicht vorgeheizt)
Gas:	etwa Stufe 5 (vorgeheizt)
Backzeit:	etwa 10 Minuten.

Für den Belag

100 g durchwachsenen Speck	in Würfel schneiden, auslassen
1 kg Lauch	putzen, das dunkle Grün bis auf etwa 10 cm entfernen
	den Lauch in dünne Scheiben schneiden, gründlich waschen, abtropfen lassen, in dem Speckfett etwa 15 Minuten dünsten lassen, mit
Salz frisch gemahlenem Pfeffer	würzen, abkühlen lassen
1 Packung (200 g) Frühlings-Quark	mit
3 Eiern	unter den Lauch rühren
	die Masse auf den vorgebackenen Boden geben, glattstreichen
	die Form auf dem Rost in den vorgeheizten Backofen schieben
Ober-/Unterhitze:	etwa 200 °C (vorgeheizt)
Heißluft:	etwa 180 °C (nicht vorgeheizt)
Gas:	etwa Stufe 4 (vorgeheizt)
Backzeit:	etwa 40 Minuten
	den Lauchkuchen heiß servieren.

Im Herbst

MARINIERTER LAUCH (Foto)

1 kg Lauch (10 dünne Stangen)	putzen, das dunkle Grün bis auf etwa 10 cm entfernen die Lauchstangen längs einschneiden, gründlich waschen, mit Küchengarn zu kleinen Bündeln zusammenbinden
125 ml (⅛ l) Wasser	mit
125 ml (⅛ l) Weißwein	
5 - 6 EL Zitronensaft	
6 EL Olivenöl	vermengen
3 - 4 Thymianzweige	
10 Zweige glatte Petersilie	die Kräuter vorsichtig abspülen, abtropfen lassen, mit
1 EL Korianderkörnern	
6 Lorbeerblättern	
Salz	
frisch gemahlenem Pfeffer	in die Flüssigkeit geben, zum Kochen bringen, etwa 10 Minuten kochen die Lauchbündel hineingeben, zum Kochen bringen, in etwa 30 Minuten gar kochen lassen, in der Flüssigkeit erkalten lassen, mit einem Schaumlöffel herausnehmen das Küchengarn entfernen, die Lauchstangen auf einer Platte anrichten, mit etwas von der erkalteten Flüssigkeit übergießen.
Kochzeit:	etwa 40 Minuten.

369

Patate al Forno

10 große, mehligkochende
Kartoffeln gründlich unter fließendem kaltem Wasser
waschen, einen Deckel abschneiden, die
Schnittfläche leicht mit

Salz bestreuen
die Kartoffeln auf ein gefettetes Backblech
setzen, in den vorgeheizten Backofen schieben,
backen lassen

Ober-/Unterhitze: 175-200 °C (vorgeheizt)
Heißluft: 150-170 °C (nicht vorgeheizt)
Gas: Stufe 2-3 (vorgeheizt)
Backzeit: etwa 40 Minuten
die Kartoffeln vorsichtig aushöhlen, damit die
Schale nicht verletzt wird.

Für die Füllung
die Kartoffelmasse mit

125 ml (⅛ l) heißer Milch
125 ml (⅛ l) Schlagsahne zu einem glatten Püree verarbeiten
die Masse mit einem Spritzbeutel in die ausgehöhlten
Kartoffeln füllen, gleichmäßig mit

50 g geriebenen
Emmentaler Käse bestreuen
50 g Butter zerlassen, so lange erhitzen, bis sie hellbraun ist
die Kartoffeln damit beträufeln
die gefüllten Kartoffeln wieder auf das
Backblech setzen, im Backofen so lange
überbacken, bis sich eine Kruste bildet

Ober-/Unterhitze: 200-225 °C (vorgeheizt)
Heißluft: 180-200 °C (nicht vorgeheizt)
Gas: Stufe 3-4 (vorgeheizt)
Backzeit: etwa 20 Minuten.
Hinweis: 3-4 Eßlöffel feingehackte Kräuter (z.B. glatte
Petersilie, Estragon, Dill oder Basilikum, Kerbel oder
Schnittlauch) unter die Kartoffelmasse mengen.
Steaks oder Lammkoteletts und frische Salate dazu
reichen.

Im Herbst

PILZSALAT MIT BASILIKUM-MAYONNAISE (Foto)

15 g getrocknete Steinpilze in	in
125 ml (⅛ l) lauwarmen Wasser	einweichen
250 g Champignons oder Pfifferlinge	putzen, waschen, gut abtropfen lassen (größere Pilze in Scheiben schneiden oder halbieren)
200 g Hähnchenbrustfilet	abspülen, trockentupfen
2 EL Speiseöl	erhitzen, das Hähnchenbrustfilet darin von jeder Seite in 2-3 Minuten goldbraun braten, mit
Salz, Pfeffer	würzen, aus der Pfanne nehmen, erkalten lassen, in Streifen schneiden die Pilze in dem Bratfett anbraten, mit Salz, Pfeffer würzen, die Steinpilze mit dem Einweichwasser hinzufügen, etwa 5 Minuten schmoren, erkalten lassen
1 Bund Frühlingszwiebeln	putzen, das dunkle Grün bis auf etwa 15 cm entfernen, die Knollen evtl. abziehen, waschen, in dünne Ringe schneiden die Salatzutaten in eine Salatschüssel geben, vorsichtig vermengen.

Für die Basilikum-Mayonnaise

1 Eigelb	mit Salz
1 TL Senf	
1 EL Essig oder Zitronensaft	
1 TL Zucker	zu einer dicklichen Masse schlagen
125 ml (⅛ l) Salatöl	nach und nach unterschlagen
2 EL Crème fraîche	
3 EL gehackte Basilikumblättchen	unterrühren, mit Salz, Pfeffer würzen, über die Salatzutaten geben den Salat gut durchziehen lassen.

TINTENFISCHSALAT (Foto)

500 g Tintenfisch (tiefgekühlt) Salzwasser	auftauen lassen, in zum Kochen bringen, etwa 15 Minuten kochen lassen, abgießen, etwas abkühlen lassen, in Ringe schneiden.

Für die Marinade

1 Knoblauchzehe	abziehen, zerdrücken, mit dem
Saft von 1 Zitrone	
1 TL Senf	verrühren, mit
Salz	
frisch gemahlenem Pfeffer	würzen
4 EL kaltgepreßtes Olivenöl	darunterschlagen den noch warmen Tintenfisch in die Marinade geben, durchziehen lassen
2 enthäutete Fleischtomaten	vierteln (die Stengelansätze herausschneiden)
1 rote Zwiebel	abziehen, in Scheiben schneiden beide Zutaten unter den Tintenfisch heben, den Salat auf Portionstellern anrichten, mit
100 g grünen Oliven	und
glatter Petersilie	garnieren.

Spaghettikürbis-Gratin

1 großen Spaghettikürbis	waschen, trockenreiben, auf dem Rost in den vorgeheizten Backofen schieben, so lange backen, bis die Schale beim Einstechen leicht nachgibt (nach etwa 1 Stunde bei etwa 180 °C, Gas Stufe 2) den Kürbis aus dem Ofen nehmen, etwas abkühlen lassen, danach der Länge nach halbieren, das Innere mit einer Gabel auflockern und herauskratzen und in eine feuerfeste gefettete Form geben
2 Knoblauchzehen	abziehen, zerdrücken, darüber geben
60 g Butter	in Flöckchen darauf setzen, mit
Salz, Pfeffer	würzen
100 g Parmesan-Käse	reiben, darüber verteilen, die Form auf dem Rost in den Backofen schieben
Ober-/Unterhitze:	etwa 180 °C (vorgeheizt)
Heißluft:	etwa 160 °C (nicht vorgeheizt)
Gas:	etwa Stufe 2 (vorgeheizt)
Backzeit:	etwa 10 Minuten.

Spaghettisalat

400 g Spaghetti	in fingerlange Stücke brechen, in
3 - 4 l kochendes Salzwasser	geben, zum Kochen bringen, ab und zu umrühren, in etwa 10 Minuten garkochen lassen, die Spaghetti auf ein Sieb geben, mit kaltem Wasser übergießen, abtropfen lassen
350 g grobe Salami	enthäuten, in Würfel schneiden
etwa 500 g Erbsen und Karotten (aus der Dose)	abtropfen lassen, die Flüssigkeit auffangen, die Karotten in Würfel schneiden.

Für die Salatsauce

125 ml (⅛ l) Gemüsebrühe	mit
3 EL Speiseöl, 5 EL Essig	
1 TL Paprika edelsüß	verrühren, mit
Salz, Pfeffer	abschmecken
etwas gerebelten Thymian	unterrühren, mit den Salatzutaten vermengen, gut durchziehen lassen.

Rote-Bete-Salat

2 Knollen gekochte Rote Bete	abziehen
2 Äpfel	schälen, halbieren, entkernen
4 Pellkartoffeln	pellen
2 Gewürzgurken	
5 Matjesfilets	
	die fünf Zutaten in Würfel schneiden
1 Packung (200 g) Meerrettich-Quark	mit
1 Becher (150 g) saurer Sahne	verrühren, mit
Salz	
frisch gemahlenem Pfeffer	
Meerrettich (aus dem Glas)	würzen, mit den Salatzutaten vermengen eine Salatschüssel mit
gewaschenen Salatblättern	auslegen, den Rote-Bete-Salat darauf anrichten.

Sauerkrautsalat

Im Herbst

Etwa 200 g Sauerkraut (aus der Dose)	evtl. abspülen, ausdrücken das Sauerkraut kleinschneiden
2 Möhren	putzen, schälen, waschen, raspeln
1 Paprikaschote	halbieren, entstielen, entkernen, die weißen Scheidewände entfernen, die Schote waschen, in kleine Würfel schneiden
etwa 200 g Ananasfleisch (von 1 kleinen Ananas)	in kleine Stücke schneiden
1 Packung (200 g) Grünen Pfeffer-Quark	mit
4 EL Schlagsahne	verrühren, mit den Salatzutaten vermengen, mit
Salz, Pfeffer	abschmecken eine Salatschüssel mit
gewaschenen Salatblättern	auslegen, den Salat darauf anrichten, mit
1 EL gehackter Petersilie	bestreuen.

WIRSING-MÖHREN-GEMÜSE (Foto)

50 g fetten Speck	in Würfel schneiden, auslassen
2 Zwiebeln	abziehen, halbieren, in Scheiben schneiden
375 g Möhren	putzen, schälen, waschen, in dünne Scheiben schneiden
	von
500 g Wirsing	die äußeren Blätter entfernen, den Kohl vierteln, den Strunk herausschneiden, den Kohl waschen, in Streifen schneiden Zwiebelscheiben und Gemüse zu dem Speck geben, gut darin andünsten, mit
Salz	
frisch gemahlenem Pfeffer	würzen
125 ml (⅛ l) Wasser	hinzugießen, das Gemüse gar dünsten
Dünstzeit:	etwa 30 Minuten.

KONFITÜRE

Was wäre ein Frühstück
ohne süßen Brotaufstrich?
Sicher nur der halbe Spaß.
Also her mit dem Konfitü-
renglas und ran an den
hoffentlich selbstgemach-
ten Obstgenuß. Das ist gar
nicht so schwer. Mischen
Sie Obst nach Ihrer Wahl –
immer der Saison ent-
sprechend – fügen Sie fein
dosierte Gewürze hinzu
oder geben Sie mal einen
Löffel Kirschwasser, Him-
beergeist, Whisky oder Gin
in die gelierende Masse.
Das sorgt für Überraschun-
gen, nicht nur auf dem
Frühstücksbrötchen. Konfi-
türen „mit Schuß" eignen
sich auch als Zugabe
zum Dessert, als delikate
Kuchenfüllung, als pikante
Saucenzutat oder als raffinierte Begleiter zu Wild.

Aprikosen-Mousse

(Für 6 Personen)

3 EL Aprikosen-Konfitüre	durch ein Sieb streichen
250 ml (¼ l) Schlagsahne	mit
1 Päckchen Sahnesteif	steif schlagen, Konfitüre unterschlagen
200 g Aprikosen (aus dem Glas)	abtropfen lassen, pürieren, unter die Sahne ziehen, 1 Stunde kalt stellen.

Kefir-Schmand mit Preiselbeeren

500 g Kefir	mit
200 g Schmand	cremig rühren, mit
250 g Preiselbeer-Konfitüre	
2 EL Wodka	verrühren
200 g Borkenschokolade	zwischen den Fingern zerbröseln, mit
3 EL Instant-Kakaopulver	vermischen, abwechselnd Preiselbeercreme und Schokolade in eine Glasschüssel geben.

Kulleraprikose in Kefir

4 reife, große Aprikosen (300 g)	waschen, abtrocknen, rundherum einstechen jede Aprikose in eine Sekt- oder Dessertschale legen
4 TL Honig (40 g)	auf die Aprikosen verteilen
375 ml (⅜ l) Kefir	darübergießen, bis die Aprikosen bedeckt sind bei Zimmertemperatur über Nacht stehen lassen, erst 1 Stunde vor dem Servieren kalt stellen.

Im Herbst

COINTREAU AUF INGWER-BANANEN (Foto)

(Für 4 - 6 Personen)

3 Bananen	schälen, längs halbieren, in Scheiben schneiden
3 Ingwerpflaumen (aus dem Glas)	in kleine Würfel schneiden, mit den Bananenscheiben,
3 - 4 EL Orangensaft	
2 - 3 EL Cointreau	vermengen, gut durchziehen lassen.

Für die Cointreau-Creme

1 gehäuften TL Gelatine gemahlen, weiß	mit
2 EL kaltem Wasser	anrühren, 10 Minuten zum Quellen stehenlassen
125 ml (⅛ l) Milch	zum Kochen bringen
½ Vanilleschote	aufritzen, das Mark herausschaben, Vanilleschote und -mark in die Milch geben, aufkochen lassen, die Milch etwas abkühlen lassen, in den Topf geben
2 Eigelb	mit
1 EL Zucker	hinzufügen, unter Rühren erhitzen, bis die Masse dicklich wird
	die angerührte Gelatine hinzufügen, unter Rühren darin auflösen
	den Topf mit der Vanille-Masse in kaltes Wasser stellen, die Masse ab und zu durchschlagen sobald die Masse dicklich wird,
3 EL Cointreau	unterrühren
250 ml (¼ l) Schlagsahne	steif schlagen, unter die Cointreau-Masse heben die Ingwer-Bananen auf Gläser verteilen, die Creme darüber geben, kalt stellen, mit
Borkenschokolade	garnieren.
Erhitzungszeit:	6 - 7 Minuten.

FEIGENSORBET (Foto)

100 g Zucker	mit
250 ml (¼ l) Weißwein	
1 Vanilleschote	verrühren, einen Sirup daraus kochen, Vanilleschote aufschlitzen, das Mark herauskratzen, in den Sirup geben, abkühlen lassen
4 frische Feigen	halbieren, das Fruchtfleisch herauslösen, mit dem Sirup pürieren
	das Mus in einen Behälter geben, in das Gefrierfach stellen
	sobald sich Eiskristalle bilden (nach etwa 30 Minuten),
2 Eiweiß	mit
100 g Zucker	steif schlagen, unter das Halbgefrorene ziehen, wieder in das Gefrierfach stellen
	alle 30 Minuten mit einem Schneebesen durchschlagen, bis sich festes Eis gebildet hat, mit einem Eis-Portionierer Kugeln abstechen, in Schalen servieren.

Apfel-Quark-Auflauf

100 g Butter	mit
150 g Zucker	geschmeidig rühren, nach und nach
4 Eigelb	
3 Becher (je 200 g) Speisequark, Magerstufe	
4 EL Grieß	unterrühren
4 Eiweiß	steif schlagen, unterheben
750 g säuerliche Äpfel	schälen, achteln, entkernen die Apfelachtel in eine gefettete feuerfeste Form geben, mit
2 EL Zucker	bestreuen, die Quarkmasse darauf verteilen die Form auf dem Rost in den vorgeheizten Backofen schieben
Ober-/Unterhitze:	etwa 200 °C (vorgeheizt)
Heißluft:	etwa 180 °C (nicht vorgeheizt)
Gas:	etwa Stufe 3 (vorgeheizt)
Backzeit:	etwa 50 Minuten.

Sauerkirschen in Mandelsahne

(Für etwa 6 Personen)

500 g Sauerkirschen	waschen, entstielen, entkernen
oder 450 g Sauerkirschen (aus dem Glas)	abtropfen lassen
30 g Butter	in einer Pfanne erhitzen
2 EL Zucker	darin hell karamelisieren lassen die Kirschen mit
40 g abgezogenen, gehobelten Mandeln	in die Pfanne geben, unter Rühren erhitzen, mit
4 - 5 EL Kirschwasser	flambieren
2 EL Crème fraîche	unterrühren, zum Kochen bringen
Vanille- oder Schokoladeneis	auf sechs Tellern anrichten, die Kirschen darüber verteilen.

ÜBERBACKENE ÄPFEL IN QUARKSCHNEE

Für den Quarkschnee

50 g Butter	geschmeidig rühren, nach und nach
1 EL Zucker	
2 EL Honig	
1 - 2 EL Zitronensaft	
2 Eigelb	
500 g Magerquark	
1 EL Grieß	
50 g abgezogene, gemahlene Mandeln	unterrühren, die Masse in eine gefettete Gratinform geben
6 kleine, säuerliche Äpfel	schälen, das Kerngehäuse mit einem Apfelausstecher herausstechen, die Äpfel in die Quarkmasse setzen, mit
Korinthen	füllen, die Form auf dem Rost in den vorgeheizten Backofen schieben etwa 5 Minuten vor Beendigung der Garzeit
2 Eiweiß	mit
50 g Zucker	steif schlagen, den Eischnee in einen Spritzbeutel füllen, auf die Äpfel spritzen, überbacken lassen
Ober-/Unterhitze:	200 - 225 °C (vorgeheizt)
Heißluft:	180 - 200 °C (nicht vorgeheizt)
Gas:	Stufe 3 - 4 (vorgeheizt)
Backzeit:	etwa 35 Minuten.

Im Herbst

381

APPFEL-SOUFFLÉ (Foto)

1 kg Boskop	waschen, in Alufolie - blanke Seite nach innen - hüllen, auf dem Rost auf der mittleren Schiene in den vorgeheizten Backofen schieben
Ober-/Unterhitze:	etwa 200 °C (vorgeheizt)
Heißluft:	etwa 180 °C (nicht vorgeheizt)
Gas:	etwa Stufe 3 (vorgeheizt)
Bratzeit:	etwa 30 Minuten
	die Äpfel aus der Folie nehmen, abkühlen lassen, mit einem Löffel das Apfelmark aus der Schale kratzen, pürieren
4 Eigelb	mit
50 g Zucker	schaumig schlagen
50 g abgezogene, gemahlene Mandeln	
1 EL Speisestärke	mit dem Apfelmark unterrühren
4 Eiweiß	mit
2 EL Zucker	steif schlagen, unter die Apfelmasse ziehen eine runde, nicht zu große Auflaufform mit
weicher Butter	ausfetten, die Masse hineingeben
	die Form auf dem Rost auf der mittleren Schiene in den vorgeheizten Backofen schieben
Ober-/Unterhitze:	etwa 200 °C (vorgeheizt)
Heißluft:	etwa 180 °C (nicht vorgeheizt)
Gas:	etwa Stufe 3 (vorgeheizt)
Backzeit:	etwa 40 Minuten.

Für die Sauce

125 ml (⅛ l) Schlagsahne	mit
1 EL Zucker	steif schlagen, mit
1 EL Calvados	
2 EL Crème fraîche	verrühren
	Soufflé sofort mit der Sauce servieren, da es schnell zusammenfällt.

APFELSCHNEE

(Für 4 - 6 Personen)

800 g Boskop	waschen, Äpfel in Alufolie wickeln, auf dem Rost in den vorgeheizten Backofen schieben
Ober-/Unterhitze:	etwa 200 °C (vorgeheizt)
Heißluft:	etwa 180 °C (nicht vorgeheizt)
Gas:	etwa Stufe 3 (vorgeheizt)
Bratzeit:	etwa 30 Minuten (je nach Größe) Äpfel auskühlen lassen, mit einem Löffel das Fruchtmark aus der Schale kratzen das Fruchtmark pürieren, kalt stellen
2 Eiweiß	mit
1 TL Zitronensaft	sehr steif schlagen, unter weiterem Rühren
70 g feinen Zucker	zugeben, nach und nach unter ständigem Schlagen löffelweise das kalte Apfelmark zugeben, Apfelschnee in eine Schale füllen, kalt stellen.

APFEL-MOUSSE

(Für 4 - 6 Personen)

Etwa 700 ml Apfelmus	mit
100 g Rum-Rosinen (Fertigprodukt)	verrühren
250 ml (¼ l) Schlagsahne	steif schlagen, mit
1 TL Zimt	unter das Mus ziehen.

BIRNE HELENE

125 ml (⅛ l) Schlagsahne	mit
etwas Vanillin- Zucker	steif schlagen, kalt stellen.

Für die Schokoladensauce

75 g zartbittere Schokolade	in kleine Stücke brechen, mit
100 ml Wasser	in einem Topf erhitzen, unter Rühren etwas sämig einkochen
30 g Butter	in einer Pfanne erhitzen
2 EL Zucker	darin hell karamelisieren lassen
8 gedünstete Williams-Birnenhälften	darin erhitzen, mit
5 EL Birnengeist	flambieren
4 Kugeln Vanille-Eis	
4 Kugeln Schokoladen-Eis	auf vier Dessertteller geben jede Portion mit 2 Birnenhälften bedecken, die Flüssigkeit darüber verteilen über jede Portion etwas von der Schokoladensauce geben, die Schlagsahne dazureichen.
Garzeit für die Schokoladensauce:	6 - 8 Minuten.

QUARKPLINSEN

500 g Kartoffeln	waschen, schälen, größere Kartoffeln ein- oder zweimal durchschneiden, in
250 ml (¼ l) Salzwasser	geben, zum Kochen bringen, in etwa 25 Minuten gar kochen lassen, abgießen, abdämpfen, noch heiß durch die Kartoffelpresse geben oder zerstampfen, die Kartoffel-Masse mit
1 Packung (200 g) Speisequark	
2 Eiern, 2 EL Zucker	
100 g verlesenen Rosinen	
2 EL Rum	vermengen, aus der Masse gleichmäßig große, flache Plätzchen formen
Speiseöl	in einer großen Pfanne erhitzen, die Plätzchen von beiden Seiten darin goldgelb backen.
Beilage:	Apfelmus.

GEEISTE WEINTRAUBEN AUF SEKTSCHNEE (Foto)

250 ml (¼ l) trockenen Sekt	einfrieren, im Mixer zerkleinern, nochmals einfrieren
300 g Weintrauben	in vier kleine Trauben teilen, waschen, 15-20 Minuten im Gefrierfach anfrieren lassen, Sektschnee auf vier Schalen verteilen, die Trauben daraufgeben.

Rossumada

2 Eiweiß	steif schlagen
5 Eigelb	mit
120 g Zucker	
1 Prise gemahlenem Zimt	im Wasserbad schaumig schlagen
300 ml Rotwein	unter ständigem Rühren in dünnem Strahl hinzugießen, weiterschlagen, bis eine cremige Masse entstanden ist, den Eischnee hinzufügen, etwa 1 Minute weiterschlagen
	sobald die Creme fest zu werden beginnt, in Gläser füllen, kalt stellen,
	vor dem Servieren mit
geraspelter Schokolade	bestreuen.

Weincreme

(Für 6 Personen)

500 ml (½ l) Weißwein	mit
125 g Zucker	
5 Eiern	verrühren
1 gehäuften EL Speisestärke	mit
3 EL Zitronensaft	verrühren, zum Wein geben, alles in einen Topf gießen, bei kleiner Hitze schlagen, bis die Creme einmal aufkocht, sofort in das kalte Wasserbad stellen, weiterschlagen, bis die Creme abgekühlt ist
	einige Stunden kalt stellen, dann servieren.
Hinweis:	Wird die Weincreme am Vortag hergestellt, so gibt man in die noch heiße Creme 4 Blatt eingeweichte weiße Gelatine.

MONT BLANC

(Für 6 - 8 Personen)

1 kg Maronen	kreuzweise einschneiden, mit
1 TL Salz	in
kochendes Wasser	geben, zum Kochen bringen, etwa 10 Minuten kochen lassen, abgießen, schälen
	500 g Maronen abwiegen, mit
400 ml Milch	bedecken, mit
70 g Zucker	
1 Vanilleschote	vermengen, zum Kochen bringen, etwa 1 Stunde leicht kochen lassen, Maronen abtropfen lassen, etwa 75 ml Milch abmessen, Maronen pürieren, mit
etwa 75 ml heißer Milch	cremig rühren, mit
2 EL Butter	
2 Eigelb	verrühren, mit
2 EL Nußlikör	aromatisieren, durch eine Kartoffelpresse auf eine Platte drücken,
300 g Crème fraîche	mit
50 g Zucker	schaumig schlagen, über den Maronenberg geben.
Hinweis:	Bei Maronen aus der Dose entfällt das Kochen in Wasser. Ganz einfach wird das Rezept, wenn Sie Maronenpüree aus der Dose nehmen und mit etwas Milch und Nußlikör cremig rühren.

MOUSSE AU CHOCOLAT

(Für 4 - 6 Personen)

1 Vollmilch-Schokolade	
1 Zartbitter-Schokolade	
	die Schokolade im heißen Wasserbad schmelzen lassen
3 Eigelb	mit
2 EL Puderzucker	mit einem Handrührgerät mit Rührbesen schlagen, bis eine hellgelbe Creme entstanden ist die geschmolzene Schokolade mit einem Schneebesen gleichmäßig unter die Creme ziehen

3 Eiweiß	mit
2 EL Puderzucker	sehr steif schlagen, unter die Schokoladencreme ziehen
200 ml Schlagsahne	steif schlagen, vorsichtig unter die Creme heben die Mousse in eine Schale oder Gläser füllen, mindestens 3 Stunden in den Kühlschrank stellen Mousse au chocolat mit
Schlagsahne geraspelter Schokolade	verzieren.
Hinweis:	Mousse au chocolat können Sie mit Weinbrand, Nußlikör oder Orangenlikör aromatisieren.

Hirse-Gratin mit Pflaumen und Aprikosen

(Für 6 Personen)

250 g Aprikosen 250 g Pflaumen	
	die Früchte waschen, halbieren, entsteinen, in eine mit
20 g Butter oder Margarine	ausgefettete Form legen
150 g Hirse	in
30 g Butter	10 Minuten braten, mit
250 ml (¼ l) Milch	verrühren, in etwa 15 Minuten ausquellen lassen, abkühlen lassen, mit
4 Eigelb 100 g Marzipan-Rohmasse	verrühren
4 Eiweiß	steif schlagen, unter die Hirsemasse ziehen, auf die Früchte geben, glattstreichen, auf dem Rost in den vorgeheizten Backofen schieben
Ober-/Unterhitze:	etwa 200 °C (vorgeheizt)
Heißluft:	etwa 180 °C (nicht vorgeheizt)
Gas:	etwa Stufe 3 (vorgeheizt)
Backzeit:	etwa 40 Minuten.

KAISERSCHMARREN (Foto)

(Für 4 - 6 Personen)

3 Eigelb	mit
20 g Zucker	schaumig schlagen, mit
1 Prise Salz	
100 g gesiebtem Weizenmehl	
½ TL abgeriebener Zitronenschale (unbehandelt)	
125 ml (⅛ l) Schlagsahne	verrühren
3 Eiweiß	steif schlagen, mit
3 EL Rosinen	unter den Teig ziehen
	in einer Kasserolle
30 g Butter	zerlassen, den Teig hineingeben, auf der mittleren Schiene in den vorgeheizten Backofen schieben
Ober-/Unterhitze:	etwa 200 °C (vorgeheizt)
Heißluft:	etwa 180 °C (nicht vorgeheizt)
Gas:	etwa Stufe 3 (vorgeheizt)
Backzeit:	etwa 12 Minuten den Kaiserschmarren mit einer Gabel in mehrere Stücke reißen, mit
3 EL gesiebtem Puderzucker	bestreuen, servieren.
Hinweis:	Dazu paßt Zwetschgenröster (Pflaumenkompott).

Im Herbst

Brombeer-Mascarpone auf Butterbirne

2 saftige, reife Butterbirnen	schälen, halbieren, Kerngehäuse herausschneiden, mit
4 EL Zitronensaft	beträufeln
	die Birnenhälften auf vier Teller geben
etwa 250 g Brombeeren (aus dem Gals)	abtropfen lassen, den Saft auffangen
	4 EL Brombeersaft mit
1 EL Brombeerlikör	
200 g Mascarpone (italienischer Weichkäse)	verrühren, die Brombeeren vorsichtig unterheben, über die Birnenhälften geben.
Hinweis:	Für dieses Rezept sollte Mascarpone ohne Blauschimmel verwendet werden. Als Alternative empfiehlt sich Crème double oder Crème fraîche.

Blaubeerhippen

(Für 10 Stück)

3 Eiweiß	im warmen Wasserbad erwärmen
100 g weiche Butter	mit
100 g Zucker	schaumig rühren, mit dem Eiweiß,
3 Tropfen Vanillin-Aroma	vorsichtig verrühren
100 g Weizenmehl	sieben, unterziehen
	auf ein mit Back-Trennpapier ausgelegtes Backblech für jede Hippe einen Eßlöffel Teig setzen, zu Kreisen von etwa 10 cm Durchmesser verstreichen
	das Blech auf der mittleren Schiene in den vorgeheizten Backofen schieben

Ober-/Unterhitze: etwa 170 °C (vorgeheizt)
Heißluft: etwa 150 °C (nicht vorgeheizt)
Gas: etwa Stufe 1-2 (vorgeheizt)
Backzeit: etwa 10 Minuten
Hippen sofort nach dem Backen um eine Rolle von 3 cm Durchmesser wickeln, Rolle herausziehen, Hippe erkalten lassen.

Für die Füllung

250 ml (¼ l) Schlagsahne steif schlagen
1 Päckchen
Vanillin-Zucker
3 EL Zucker
1 EL Crème de Cassis
200 g vorbereitete
Heidelbeeren unterziehen, die Heidelbeersahne mit einem Spritzbeutel in die Hippen füllen, schnell servieren, bevor die Hippen weich werden.

AMBROSIA

(Für 6 Personen)

200 g Honig mit
4 Eigelb schaumig schlagen, im heißen Wasserbad weiterschlagen, bis die Creme dicklich wird, im kalten Wasserbad rühren, bis die Creme abgekühlt ist
4 Eiweiß steif schlagen, die Creme nach und nach unter weiterem Schlagen hinzufügen, 30 Minuten kalt stellen, nochmals durchschlagen, servieren.

Im Herbst

391

QUARKKLÖSSE

70 g Margarine geschmeidig rühren, nach und nach
40 g Zucker
3 Eier
Salz
500 g Magerquark
50 g Semmelbrösel unterrühren
200 g Weizenmehl mit
1 TL Backpulver mischen, sieben, die Hälfte davon unterrühren, den Rest unterkneten
aus der Masse mit bemehlten Händen
12-14 Klöße formen, in
kochendes Salzwasser geben, zum Kochen bringen, die Quarkklöße gar ziehen lassen, die garen Klöße abtropfen lassen
40-50 g Butter zerlassen, bräunen lassen, mit
Zucker und Zimt zu den Quarkklößchen reichen.
Garzeit: etwa 20 Minuten.

POWIDL-TASCHERLN (Foto)

Für den Teig

300 g gesiebtes Weizenmehl	mit
150 g Butter	
150 g ausgedrücktem Speisequark	
1 Prise Salz	verkneten, gut durcharbeiten, kühl ruhen lassen den Teig etwa 5 mm dick ausrollen, Quadrate von 10 cm Kantenlänge schneiden, mit jeweils 1 Teelöffel von
150 g Powidl (Pflaumenmus)	füllen, zu Dreiecken zusammenklappen, die Ränder zusammendrücken, Taschen auf ein mit Back-Trennpapier ausgelegtes Backblech legen, mit
1 verschlagenen Ei	bestreichen, einmal mit einer Gabel einstechen, das Blech auf der mittleren Schiene in den vorgeheizten Backofen schieben
Ober-/Unterhitze:	etwa 180 °C (vorgeheizt)
Heißluft:	etwa 160 °C (nicht vorgeheizt)
Gas:	etwa Stufe 2 (vorgeheizt)
Backzeit:	etwa 20 Minuten die Taschen abkühlen lassen, mit
Schlagsahne oder gesüßtem Schmand	servieren.

Im Herbst

Rohrnudeln mit Mohnfüllung

Für die Füllung

2 EL Rosinen	verlesen, in
1 EL Rum	einweichen
125 ml (⅛ l) Milch	zum Kochen bringen
125 g gemahlenen Mohn	hineingeben, zum Kochen bringen, bei schwacher Hitze unter Rühren etwa 5 Minuten quellen lassen, die Rum-Rosinen mit
abgeriebener Schale von ½ Zitrone (unbehandelt) 60 g Blütenzarten Haferflocken 75 g Zucker 1 EL Honig ½ TL gemahlenem Zimt 1 - 2 Tropfen Backöl Bittermandel	
1 Ei	in die Mohnmasse geben, unter Rühren etwa 5 Minuten kochen lassen.

Für den Teig

500 g Weizenmehl	in eine Schüssel sieben, mit
1 Päckchen Trocken-Backhefe	sorgfältig vermischen
2 gestrichene EL Zucker Salz 80 g zerlassene, abgekühlte Butter 2 Eier 250 ml (¼ l) lauwarme Milch	hinzufügen, alles mit einem elektrischen Handrührgerät mit Knethaken in etwa 5 Minuten zu einem Teig verarbeiten Teig an einem warmen Ort so lange stehenlassen, bis er etwa doppelt so hoch ist, ihn dann auf der höchsten Stufe nochmals gut durchkneten den Teig zu einer Platte von 20 x 50 cm ausrollen, in 10-12 Stücke schneiden, die Mohnfüllung

darauf verteilen, gleichmäßige Knödel formen,
in eine gefettete, mit

Blütenzarten Haferflocken ausgestreute Auflaufform mit Deckel dicht
nebeneinander setzen, an einem warmen Ort so
lange stehenlassen, bis sie etwa doppelt so hoch sind
die Auflaufform mit dem Deckel verschließen, auf
dem Rost in den vorgeheizten Backofen schieben

Ober-/Unterhitze: 175-200 °C (vorgeheizt)
Heißluft: 150-170 °C (nicht vorgeheizt)
Gas: Stufe 3-4 (vorgeheizt)
Backzeit: 30-40 Minuten.

ARME RITTER

(Für 6 Personen)

300 ml Milch mit
3 Eigelb
3 EL Mandellikör
2 EL Zucker verrühren
6 dicke Scheiben
altbackenes
Kastenweißbrot in eine Schale legen, mit der Eiermilch übergießen,
einweichen lassen, bis die Milch aufgesogen ist

3 Eiweiß mit einer Gabel leicht anschlagen
die Brotscheiben im Eiweiß, dann in

75 g geriebenen
Mandeln wenden
etwa 50 g Butter zerlassen, die Brotscheiben darin von beiden
Seiten knusprig braun braten, heiß servieren.
Hinweis: Dazu paßt Zwetschenkompott oder Apfelmus.

NÜSSE

Früchtchen ganz besonderer Art – und immer fein in Schale – sind die Nüsse. Ob Erd-, Hasel-, Wal-, Para- oder Pekannuß, als kleine Knabberei zwischendurch sind sie erstklassige Energielieferanten. Leider aber auch gewichtige Kalorienbomben. So schlagen 100 g Pekannüsse mit 700 Kalorien zu Buche. Der relativ hohe Fettanteil hat indes nicht nur Nachteile. Ihm ist es immerhin zu verdanken, daß sich beispielsweise aus der Walnuß ein ganz hervorragendes Speiseöl gewinnen läßt. Wer Nüsse zum Backen braucht, sollte darauf achten, möglichst frische Ware zu bekommen, da Nüsse bei zu langer Lagerung ranzig werden. Vakuumverpackte, geschälte oder gar gemahlene Sorten sind denkbare Alternativen.

MANDELTÖRTCHEN MIT EIS

(8-10 Stück)

200 g Mandeln	in Wasser aufkochen, abkühlen lassen, Haut abziehen, Kerne fein mahlen, mit
200 g Zucker	
4 Eiweiß	
1 Prise gemahlenem Zimt	verrühren, im Topf bei kleiner Hitze weiterrühren, bis die Masse kaum noch klebt
	8-10 Tortelettförmchen mit
2 EL zerlassener Butter	ausfetten, Mandelmasse hineindrücken, auf dem Rost in den vorgeheizten Backofen schieben
Ober-/Unterhitze:	etwa 150 °C (vorgeheizt)
Heißluft:	etwa 130 °C (nicht vorgeheizt)
Gas:	etwa Stufe 1 (vorgeheizt)

Backzeit:	20-30 Minuten
	Törtchen stürzen, abkühlen lassen
4 Eigelb	mit
80 g Zucker	
abgeriebener Schale	
von 1 Zitrone	
(unbehandelt)	schaumig schlagen, mit dem
Saft von 2 Zitronen	verrühren
500 ml (½ l) Schlagsahne	steif schlagen, unter die Eicreme ziehen, in einen Behälter geben, einfrieren
	nach etwa 4 Stunden vom Eis mit einem Portionierer Kugeln abstechen, auf die Torteletts verteilen, mit
Zitronenscheiben	verzieren.
Hinweis:	Dazu paßt Schlagsahne.

GESTÜRZTER PFLAUMENKUCHEN

100 g Zucker	mit
100 g geriebenen Haselnußkernen	vermischen, auf ein mit gefetteter Alufolie - blanke Seite nach oben - ausgelegtes Backblech streuen, in den vorgeheizten Backofen schieben
Ober-/Unterhizte:	etwa 225 °C (vorgeheizt)
Heißluft:	etwa 200 °C (nicht vorgeheizt)
Gas:	Stufe 4-5 (vorgeheizt)
Backzeit:	etwa 10 Minuten
750 g Pflaumen	waschen, halbieren, entsteinen, jede Hälfte einkerben, flachdrücken, mit der Innenfläche auf die Nüsse legen
300 g tiefgekühlten Blätterteig	nach Packungsvorschrift auftauen lassen, auf Blechgröße ausrollen, auf die Pflaumen legen Blech auf der mittleren Schiene in den vorgeheizten Backofen schieben
Ober-/Unterhitze:	etwa 225 °C (vorgeheizt)
Heißluft:	etwa 200 °C (nicht vorgeheizt)
Gas:	Stufe 4-5 (vorgeheizt)
Backzeit:	etwa 40 Minuten
	vor dem Servieren - möglichst noch heiß - auf ein zweites Blech stürzen, in Stücke schneiden.

Im Herbst

MIRABELLENGRÜTZE IM KROKANTKÖRBCHEN

(Für 6 Personen)

50 g Butter	in einer Pfanne erhitzen, mit
100 g Haferflocken	vermischen, kurz rösten, mit
100 g Rohrzucker	verrühren, bis der Zucker karamelisiert ist, nach und nach
125 ml (⅛ l) Schlagsahne	unterrühren, zum Kochen bringen, kochen lassen, bis die Masse fest wird
	sechs Briocheförmchen mit Alufolie, - blanke Seite nach innen -, auslegen, Haferflockenteig hineingeben, die Masse mit einem Löffel an den Wänden zu einem Körbchen hochdrücken, auf dem Rost auf der mittleren Schiene in den vorgeheizten Backofen schieben
Ober-/Unterhitze:	etwa 200 °C (vorgeheizt)
Heißluft:	etwa 180 °C (nicht vorgeheizt)
Gas:	etwa Stufe 3 (vorgeheizt)
Backzeit:	etwa 15 Minuten
	das Gebäck abkühlen lassen, erst vor dem Füllen aus der Form nehmen.

Für die Grütze

500 g Mirabellen	waschen, entsteinen, mit
100 ml Aprikosensaft	zum Kochen bringen, mit
30 g Perlsago	verrühren, zum Kochen bringen, in etwa 10 Minuten ausquellen lassen, kalt stellen die Körbchen erst vor dem Servieren mit Grütze füllen, mit
Schlagsahne	verzieren.

TARTE TARTIN

Für den Teig

200 g gesiebtes Weizenmehl	mit
150 g kalten Butterflöckchen	
1 Eigelb	
1 Prise Salz	verkneten, bei Zimmertemperatur 1 - 2 Stunden ruhen lassen.

Für den Belag

600 g Boskop	waschen, schälen, vierteln, das Kerngehäuse entfernen
	eine runde, flache Metallform (am besten Kupfer) mit
40 g Butter	ausstreichen, mit
80 g Zucker	ausstreuen, Apfelviertel dicht an dicht mit der Rundung nach unten in die Form geben
20 g zerlassene Butter	
20 g Zucker	darübergeben
	den Mürbeteig in der Größe der Form ausrollen, auf die Äpfel legen
	die Form auf der unteren Schiene in den vorgeheizten Backofen schieben
Ober-/Unterhitze:	etwa 200 °C (vorgeheizt)
Heißluft:	etwa 180 °C (nicht vorgeheizt)
Gas:	etwa Stufe 4 (vorgeheizt)
Backzeit:	etwa 35 Minuten
	den Kuchen auf eine Platte stürzen, heiß oder kalt servieren.
Hinweis:	Dazu paßt angeschlagene Sahne.

KARTOFFELTORTE

250 g Kartoffeln	waschen, in
Salzwasser	zum Kochen bringen, zugedeckt etwa 30 Minuten kochen lassen, abgießen, abdämpfen, etwas abkühlen lassen, noch warm pellen, die Kartoffeln zugedeckt in einer Schüssel etwa 12 Stunden stehenlassen, fein reiben
50 g Rosinen	verlesen, in eine Schüssel geben, mit
4 cl (2 Glas) Rum	beträufeln, etwa 1 Stunde ziehen lassen
6 Eigelb	schaumig schlagen, nach und nach
150 g Zucker	
Salz	
abgeriebene Schale von 1 Zitrone (unbehandelt)	
50 g feingewürfeltes Zitronat (Sukkade)	dazugeben, die geriebenen Kartoffeln, die gut abgetropften Rosinen unterrühren
6 Eiweiß	steif schlagen, vorsichtig unterheben den Teig in eine gefettete, mit
Semmelbröseln	ausgestreute Springform (Durchmesser etwa 24 cm) füllen, glattstreichen die Form auf dem Rost in die Mitte des vorgeheizten Backofen schieben
Ober-/Unterhitze:	180-200 °C (vorgeheizt)
Heißluft:	160-180 °C (nicht vorgeheizt)
Gas:	Stufe 3-4 (vorgeheizt)
Backzeit:	etwa 1 Stunde nach dem Backen die Torte etwa 5 Minuten in der Form stehenlassen, den Rand mit einem Messer lösen, die Torte auf ein Kuchenrost stürzen, den Boden der Form abheben, die Torte mit
Puderzucker	bestäuben.

BABA AU RUM

4 Eier	mit
4 Eigelb	
65 g Zucker	schaumig schlagen, mit
250 g gesiebtem Weizenmehl	
1 Prise Salz	
1 Prise geriebener Muskatnuß	
1 Prise gemahlenem Zimt	verrühren
20 g Hefe	in
80 ml lauwarmer Milch	auflösen, mit dem Teig verrühren, bis er Blasen wirft
	eine Babaform mit
1 EL Butter	ausfetten, den Teig einfüllen, an einem warmen Ort gehen lassen, bis er die Form ausfüllt, auf der mittleren Schiene in den vorgeheizten Backofen schieben
Ober-/Unterhizte:	etwa 200 °C (vorgeheizt)
Heißluft:	etwa 180 °C (nicht vorgeheizt)
Gas:	etwa Stufe 3 (vorgeheizt)
Backzeit:	etwa 40 Minuten
	Form etwas abkühlen lassen, Baba stürzen
250 ml (¼ l) Wasser	mit
100 g Rohrzucker	zum Sirup kochen, mit
50 ml Rum	verrühren, Baba damit tränken
120 g Aprikosen- oder Pfirsich-Konfitüre	mit
4 EL Orangenlikör	verrühren, durch ein Sieb streichen, Baba damit überziehen, kaltstellen, mit
Schlagsahne	verzieren.

TEE

Tee weckt alle guten Geister.
Ob das am Coffein des Tees
liegt oder an seinen anderen
Wirkstoffen, die direkt auf
das Zentralnervensystem
einwirken – darüber streiten
sich die Geister. Gepflückt
werden von dem in tropi-
schen Gebieten beheimate-
ten Teesträuchern nur die
Blattknospen und die ersten
zwei bis drei Blätter der
frischen Triebe. Das Anbau-
gebiet, seine Höhenlage
und das dort herrschende
Klima bestimmen den spezi-
fischen Geschmack des Tees.

TEEPUNSCH MIT ROTWEIN

1 l Wasser	zum Kochen bringen
2 EL schwarzen Tee	damit aufbrühen, 4 Minuten ziehen lassen, Tee abgießen, mit
500 ml (½ l) Rotwein	
100 ml Rum	
2 EL Kandis	
abgeriebene Schale und Saft von 2 Zitronen (unbehandelt)	erhitzen, aber nicht kochen lassen, Tee zum Rotwein geben, Punsch bei geringer Hitze ziehen lassen, in Gläser geben, mit
Spiralen von Zitronenschale (unbehandelt)	servieren.

WHIST

500 ml (½ l) Wasser	zum Kochen bringen
1 EL schwarzen Tee	damit aufbrühen, 4 Minuten ziehen lassen, Tee abgießen, mit
1,5 l Bordeaux-Wein	
Saft von 6 Zitronen	
300 g Zucker	erhitzen, aber nicht kochen lassen, heiß servieren.

INDISCHER TEEPUNSCH

1 l Wasser	zum Kochen bringen
7 EL Assam-Tee	damit aufbrühen, 4 Minuten ziehen lassen, Tee in eine vorgewärmte Kanne abgießen, warmhalten
250 ml (¼ l) Milch	mit
2 EL Kandis	
2 EL Honig	
1 TL Zimt	
geriebener Muskatnuß	
gemahlenem Kardamom	in einem Topf erhitzen, aber nicht kochen lassen
2 Eigelb	mit
2 EL Puderzucker	in einer Schüssel verrühren, nach und nach unter Rühren heiße Milch zugießen, Tee unterrühren und mit dem Schneebesen schaumig schlagen in Tassen oder Gläsern servieren.

Die Oma hat's gewußt: Wenn der Abend-
himmel über den Advents- und Weih-
nachtsmärkten feuerrot erstrahlt, dann
backen die Engel in den Wolken Plätz-
chen. Und zu Hause gehen nicht nur
Kinderherzen sondern auch Christstol-
len auf, kommen Zimtsterne und
Lebkuchen aus dem Backofen. Vorbe-
reitungen für das große Weihnachtsfest,
dessen kulinarischer Mittelpunkt längst
nicht mehr der üppige Gänsebraten ist.
Feines Rinderfilet oder edler Fisch
bieten sich als leichtere Alternativen an
und sind viel schneller zubereitet.
Man spart Zeit, Stunden, die man nutzen
kann – für sich und andere – Zeit zum
Träumen, Entspannen, Miteinanderreden
und Miteinandergenießen. Wunderbare
Winterzeit!

MAN NEHME
SHERRY

Der Sherry verdankt seinen Namen den Engländern. Sie hatten Probleme mit der Aussprache jenes Städtenamens, der weltweit zum Synonym des perfekten Aperitifs wurde: Jerez de la Frontera. Der spanische Ort, nordöstlich von Cadiz gelegen, ist das Herstellungs- und Handelszentrum des Originalgetränks. Nur hier in Südspanien werden die beiden Traubensorten Palomino blanco und Pedro Ximenes für den echten Sherry gekeltert. Trocken, hell und herb sind der „Fino" und „Amontillado", eher süß dagegen der „Oloroso", der mitunter auch gern als Dessertwein gereicht wird.

RED BALLOON (Foto)

	Ein Ballonglas zur Hälfte mit
fein zerstoßenem Eis	füllen
Saft von ½ Zitrone	
4 cl Arrak	
2 cl Rum	
1 cl Grenadine-Sirup	hinzufügen und rühren
2 Bananenscheiben	
3 Cocktailkirschen	
1 Zweig Zitronenmelisse	auf einen Sticker spießen und auf das Glas legen.

MANETTI

1 cl Gin	
1 cl Calvados	
1 cl Cointreau	
je 1 Spritzer Grenadine	
und Zitronensaft	
2 cl Schlagsahne	mit
2 - 3 Eiswürfeln	in einen Shaker geben, gut schütteln, in ein Cocktailglas absieben.

ANITA

6 cl Orangensaft	
2 cl Zitronensaft	
3 Spritzer	
Angostura bitter	mit
3 - 4 Eiswürfeln	in einen Shaker geben, gut schütteln, in ein Longdrinkglas absieben, mit
etwa 125 ml (⅛ l)	
Mineralwasser	auffüllen
	das Glas mit
1 Zitronenscheibe	
1 Orangenscheibe	dekorieren.

BLUE ANGEL

1 cl Curaçao blue
2 cl Parfait d'amour
1 cl Kirschwasser
2 cl Schlagsahne mit
3 Eiswürfeln in einen Shaker geben, gut schütteln
in ein Cocktailglas absieben.

GEISHA

2 cl Wermut, weiß
2 cl Kirschlikör
1 cl Gin mit
3 Eiswürfeln in einen Shaker geben, gut schütteln
ein Cocktailglas zuerst in
Zitronensaft danach in
Zucker tauchen, Crustardrand trocknen lassen
den Drink in das Glas sieben, mit
1 geviertelten
Ananasscheibe dekorieren.

FLAMINGO (Foto)

Eine Sektschale mit dem Rand zuerst in
Zitronensaft dann in
rosa Zucker tauchen
4 - 5 Eiswürfel in einen Shaker geben
4 cl Gin
2 cl Apricot Brandy
2 cl Zitronensaft
1 Barlöffel Grenadinesirup hinzufügen, schütteln und in die Sektschale
absieben.

Olympic

2 cl Weinbrand	
2 cl Curaçao orange	
2 cl Orangensaft	mit
2 - 3 Eiswürfeln	in einen Shaker geben, in ein Cocktailglas sieben, mit
1 Orangen-Schnitze (mit Schale)	servieren.

Princess Margret

5 Erdbeeren	waschen, entstielen
1 Scheibe Ananas (aus der Dose)	abtropfen lassen, grob zerkleinern beide Zutaten im Mixer pürieren, mit
2 cl Ananassaft	
2 cl Bananensaft	
Saft von ½ Orange	
1 zerstoßenen Eiswürfel	in einen Shaker geben, gut schütteln
	den Rand eines Glases in
Ananassaft	tauchen, abtropfen lassen, dann in
roten Einmachzucker	tauchen
	den Drink vorsichtig einfüllen
	das Glas mit
1 Erdbeere	dekorieren.

Ritz

Pro Person

2 cl Cointreau	
1 cl Orangensaft	
1 cl Orangensirup	mit
2 - 3 Eiswürfeln	in einen Shaker geben, gut schütteln, in ein Sektglas absieben, mit
etwa 100 ml Asti Spumante	auffüllen.

Rotweinpunsch

500 ml (½ l) heißen, starken Tee	durch ein Sieb auf
75 g Zucker	gießen
250 ml (¼ l) Rotwein	mit
125 ml (⅛ l) Arrak oder Rum	
Saft von 1 Orange	hinzufügen, fast bis zum Kochen erhitzen, den Rotweinpunsch mit
Zucker	abschmecken, in vier Gläser füllen je eine von
4 Zimtstangen	zum Umrühren hineingeben.

Salute

Pro Person

4 cl Wermut, weiß	
2 cl Wermut, rot	
1 cl Gin	
1 cl Campari	
1 cl schwarzer Johannisbeersiurp	mit
4 Eiswürfeln	in einen Shaker geben, gut schütteln
3 Eiswürfel	in ein Cocktailglas geben, den Drink in das Glas absieben mit
4 cl Sodawasser	auffüllen nach Wunsch mit
Maracujasaft	aufgießen das Glas mit
1 Orangenscheibe	
1 Zitronenscheibe	
1 Limettenscheibe	dekorieren.

Aperitif

SHINING

4 cl weißen Rum	
2 cl Cointreau	
2 cl Calvados	
4 cl Ananassaft	
6 TL Kokosnußcreme	mit
4 - 5 Eiswürfeln	in einen Shaker geben, gut schütteln den Rand eines Longdrinkglases in
Ananassaft	tauchen, abtropfen lassen, dann in
Kokosraspel	tauchen
	den Drink vorsichtig in das Glas absieben, mit
Ananassaft	auffüllen.

THEODORE

2 cl weißen Rum	
1 cl Apricot Brandy	
2 cl Eierlikör	
2 cl Orangensaft	
4 cl Milch	
½ TL Zucker	
2 cl Schlagsahne	mit
4 - 5 Eiswürfeln	in einen Shaker geben, gut schütteln, in ein Cocktailglas absieben, das Glas nach Wunsch mit
½ Orangenscheibe	dekorieren.

CAMPARI ORANGE (Foto)

3 Eiswürfel	in ein Longdrinkglas geben
5 cl Campari	hinzufügen, mit Orangensaft auffüllen und rühren, mit
½ Orangenscheibe	garnieren.

DATTELN

Was lange währt, wird endlich gut: Wenn die Dattelpalme nach etwa zehn Jahren zum ersten Mal Früchte trägt, dann ist das der Fall. Datteln sind honigsüße Energiespender, reich an leicht verdaulichen Zuckerarten, Mineralsalzen und Vitaminen. Als Trockenfrüchte kommen sie aus Algerien, Tunesien, Marokko, dem Iran und Irak, aber auch aus Kalifornien zu uns.

Gehandelt werden sowohl Naturdatteln als auch bearbeitete, das heißt pasteurisierte Datteln, die gegen Ungeziefer begast, sortiert, gewaschen und mit Heißluft behandelt werden.

Als Frischfruchtlieferant hat sich ganzjährig Israel etabliert. Dort werden die Datteln noch vor ihrer Reife geerntet und tiefgefroren nach Europa verschifft.

GEFÜLLTE DATTELN

250 g Frischkäse	mit
125 ml (⅛ l) Schlagsahne	cremig rühren
4-5 EL Mango-Chutney	
1 TL Currypulver	unterrühren
etwa 500 g Datteln	
(frisch oder getrocknet)	entsteinen, abspülen oder enthäuten, die Käsecreme in einen Spritzbeutel mit feiner Stern- oder Lochtülle füllen, in die Datteln spritzen.
Hinweis:	Gefüllte Datteln als Garnitur für Braten und Reissalate beim kalten Büffet verwenden.

Vorspeisen

AVOCADOPASTE

1 Bund glatte Petersilie	abspülen, trockentupfen, grob zerhacken
1 Schalotte	abziehen, mit der Petersilie im Mixer feinhacken
1 weiche Avocado	schälen, halbieren, entkernen
1 hartgekochtes Ei	pellen, halbieren, ½ Eigelb beiseite legen beide Zutaten mit
1 EL Crème double	
Saft von 1 Zitrone	in den Mixer zu Petersilie und Schalotte geben und zu einer geschmeidigen, glatten Paste pürieren, mit
Salz	
Cayennepfeffer	abschmecken
30 g Kapern	abtropfen daruntermischen, das zurückgelassene Eigelb hacken, darübergeben.
Hinweis:	Die Creme mit würzigen Cräckern, Staudensellerie, Chicoréeblättern, Fenchel oder Möhrenstreifen servieren.

AVOCADO-KRABBEN-TOAST

1 reife Avocado	halbieren, den Kern herauslösen, die Avocado schälen, in Scheiben schneiden, mit
1 EL Zitronensaft	beträufeln
8 Scheiben Weißbrot	toasten, mit
Butter	bestreichen, mit den Avocadoscheiben belegen
80 g geschälte Krabben oder Shrimps	mit Zitronensaft,
Salz, Pfeffer Paprika edelsüß gehackten Thymianblättchen	würzen, mit
geschabtem Mönchskopf-Käse oder Gruyère-Käse	auf den Toasts anrichten, mit
hellen Weintrauben Radieschen Feldsalatblättchen	garniert servieren.

413

Avocadomus mit Käsecreme

Für die Käsecreme

100 g Doppelrahm-Frischkäse	und
50 g Edelpilzkäse	durch ein feines Sieb streichen
1 Schalotte	abziehen, über dem Käse auspressen
Saft von ½ Zitrone	
125 ml (⅛ l) Tomatensaft	nach und nach darunterrühren, mit
frisch gemahlenem Pfeffer	
Salz	abschmecken, die Käsecreme in das Gefrierfach des Kühlschranks stellen
1 Eiweiß	steif schlagen, unter die angefrorene Creme ziehen
	die Creme etwa 2 Stunden einfrieren.

Für das Avocadomus

1 weiche Avocado	halbieren, schälen, entkernen
1 kleinen Apfel	schälen, vierteln, entkernen, mit Avocado,
Saft von ½ Zitrone	im Mixer pürieren, mit Salz,
Cayennepfeffer	würzen, mit der Käsecreme servieren.
Hinweis:	Dazu geröstetes Rosinenbrot reichen.

Avocadotörtchen

1 Avocado	halbieren, entsteinen, das Fruchtfleisch mit einem Löffel aus der Schale lösen, pürieren, mit
2 EL gemischten, gehackten Kräutern (Petersilie, Dill, Schnittlauch)	vermengen, mit
Zitronensaft	
Tabasco	
Salz, Pfeffer	abschmecken
	die Creme in einen Spritzbeutel füllen, auf
etwa 20 Kräcker	spritzen
einige grüne Oliven, mit Paprika gefüllt	in Scheiben schneiden, die Avocadotörtchen damit garnieren.

Arme Ritter im Festkleid

125 g Baguettebrot	in 1½ - 2 cm dicke Scheiben schneiden, nebeneinander auf eine Platte legen
knapp 200 ml Milch	mit
3 Eiern	
Salz	
Paprika edelsüß	
geriebener Muskatnuß	verschlagen, über die Baguettescheiben gießen, gut durchziehen lassen die Brotscheiben zwei- bis dreimal wenden, die Hälfte von
30 g Butterschmalz	erhitzen, die Hälfte der Brotscheiben langsam von einer Seite darin hellbraun braten, wenden, die gebratene Seite mit der Hälfte von
150 g geriebenen Gouda-Käse	bestreuen
3 Scheiben gekochten Schinken	in Viertel schneiden, die Hälfte der Schinkenviertel mit in die Pfanne legen die Pfanne mit dem Deckel schließen, braten, bis der Käse zerlaufen ist die Brotscheiben auf einer vorgewärmten Platte anrichten, die Schinkenviertel darauf legen die restlichen Baguettescheiben auf die gleiche Weise zubereiten.
Bratzeit:	etwa 10 Minuten.

Camembert in Cognac

1 Camembert (etwa 200 g)	in ein gut verschließbares Glas geben
6 Backpflaumen	entsteinen, mit
1 Stückchen kandierten Ingwer	
6 Walnußkernhälften	
4 Pimentkörnern	
10 Pfefferkörnern	hinzufügen
200 ml Cognac	hinzufügen, das Glas verschließen, mindestens 2 Tage durchziehen lassen.

415

Eier mit Senfsauce

	4 feuerfeste Förmchen gut ausfetten, von
8 Eiern	jeweils 2 Eier in jedes Förmchen aufschlagen
75 g durchwachsenen Speck	in Würfel schneiden, über die Eier geben, mit
Salz	
frisch gemahlenem Pfeffer	bestreuen
2 EL feingeschnittenen Schnittlauch	auf die Förmchen verteilen, auf dem Rost in den vorgeheizten Backofen schieben
Ober-/Unterhitze:	etwa 200 °C (vorgeheizt)
Heißluft:	etwa 180 °C (nicht vorgeheizt)
Gas:	etwa Stufe 3 (vorgeheizt)
Garzeit:	etwa 25 Minuten.

Für die Senfsauce

250 ml (¼ l) Schlagsahne	in einem Topf auf die Hälfte einkochen lassen, mit Salz,
2 schwach gehäuften TL Senf	verrühren
	die Eier vom Rand der Förmchen lösen, auf eine Platte heben, mit
Petersilie	garnieren, die Sauce dazureichen.
Hinweis:	Eier in Senfsauce eignen sich für 8 Personen als Vorspeise oder für 4 Personen als Hauptgericht mit Petersilienkartoffeln und Salat.

Lauch-Eier-Ragout

1 kg Lauch	putzen, der Länge nach aufschneiden, gründlich waschen, abtropfen lassen, in Scheiben schneiden
3 EL Butter	zerlassen, den Lauch hineingeben, etwas andünsten
250 ml (¼ l) Hühnerbrühe	hinzugießen
1 Becher (150 g) Crème fraîche	unterrühren
	das Gemüse zugedeckt bei mittlerer Hitze in etwa 15 Minuten gar dünsten
3 EL trockenen Weißwein	unterrühren, mit

Salz, Pfeffer	
geriebener Muskatnuß	
Worcestersauce	
Zitronensaft	würzen
8 hartgekochte Eier	pellen, vierteln, vorsichtig unter das Lauchgemüse heben, kurz mit erhitzen.

WÜRZEIER IN ROTWEIN

12 Eier	in
kochendes Wasser	geben, in 10 Minuten hartkochen, abschrecken, pellen, auskühlen lassen
2 Schalotten	
3 Knoblauchzehen	beide Zutaten schälen, vierteln, mit
1 Zweig Rosmarin	
½ TL Oregano	
1 EL Pfefferkörnern	
1 EL Salz	
1 getrockneten Chilischote	in einen Topf geben
250 ml (¼ l) trockener Rotwein	
250 ml (¼ l) Rotweinessig	dazugießen, 10 Minuten kochen lassen, die Eier in ein Glas geben, mit dem heißen Sud übergießen, ganz abkühlen lassen
125 ml (⅛ l) Speiseöl	hinzugießen, das Glas luftdicht verschlossen 2 Wochen an einem kühlen Ort stehen lassen.

SÜSS-SAURE SOLEIER

8 Eier	in
kochendem Salzwasser	7 Minuten kochen, abschrecken
400 ml Wasser	mit
2 EL Salz	
2 EL Senfkörnern	
100 ml Obstessig	
2 EL Rohrzucker	
10 weißen Pfefferkörnern	zum Kochen bringen, die Schalen der Eier rundherum eindrücken und die Eier mindestens 24 Stunden in der Marinade ziehen lassen.

KARTOFFELSPIRALEN

1 kg Kartoffeln	schälen, waschen, mit einem Sparschäler oder Spargelschäler von der Spitze her sehr dünne, aber breite, lange Spiralen abschälen, sofort in kaltes Wasser geben, herausnehmen, auf einem Küchentuch gut abtrocknen
Pflanzenfett	in einer Friteuse auf 180 Grad erhitzen, die Kartoffel-Spiralen darin portionsweise in 3-5 Minuten knusprig braun fritieren
Salz	mit
Currypulver	
Paprika edelsüß	mischen, die Spiralen damit bestreuen, sofort servieren.
Hinweis:	Die Kartoffelspiralen in kleinen Portionen fritieren.

KARTOFFELNESTER

1 kg Kartoffeln	schälen, waschen, gut abtropfen lassen, auf einer großen Reibe raffeln
Fritierfett	in einer Friteuse auf 180 Grad erhitzen die Kartoffelscheiben in kleinen Portionen in eine, in das heiße Fett getauchte Spezialform (Kartoffelnestform) geben, die gefüllte Form schließen, die Kartoffelnester in dem heißen Fett in 3-5 Minuten goldgelb fritieren, aus der Form klopfen, auf ein Backblech setzen, kurz vor dem Anrichten das Backblech in den vorgeheizten Backofen schieben, die Nester nochmals erhitzen, mit
Salz	bestreuen.
Hinweis:	Kartoffelnester mit feinem Gemüse füllen.

KARTOFFELSOUFFLÉ (Foto)

750 g Kartoffeln	schälen, waschen, halbieren, in
Salzwasser	zum Kochen bringen, in etwa 20 Minuten gar kochen lassen, abgießen, abdämpfen, heiß durch die Kartoffelpresse geben, kalt stellen
60 g Butter	geschmeidig rühren, nach und nach den Kartoffelbrei,
3 Eigelb	
70 g geriebenen Käse	
Meersalz	
geriebene Muskatnuß	hinzufügen
3 Eiweiß	steif schlagen, unterheben die Masse in eine gefettete, mit
Vollkornsemmelbröseln	ausgestreute, feuerfeste Form füllen (sie darf höchstens zu $^3/_4$ gefüllt sein), mit
30 g geriebenem Käse	bestreuen
20 g Butter	in Flöckchen darauf setzen die Form auf dem Rost in den vorgeheizten Backofen schieben
Ober-/Unterhitze:	200-225 °C (vorgeheizt)
Heißluft:	180-200 °C (nicht vorgeheizt)
Gas:	Stufe 3-4 (vorgeheizt)
Backzeit:	1 Stunde.
Beilage:	Gewürzgurken.
Anmerkung:	Ein Soufflé herzustellen, ist nicht so schwierig, wie oft angenommen wird. Der steif geschlagene Eischnee, der zum Schluß vorsichtig untergehoben wird, sorgt für eine lockere Beschaffenheit des Soufflés und läßt es beim Backen aufgehen. Die Oberfläche wird dabei knusprig, während das Innere des Soufflés cremig bleibt. Ein Soufflé sollte so heiß wie möglich serviert werden, da es beim Abkühlen leicht zusammenfällt. Es empfiehlt sich daher, bei größeren Portionen, das Soufflé in kleinen Förmchen zu backen.

KNOBLAUCHERDNÜSSE

500 g Erdnüsse 2 abgezogene, zerdrückte Knoblauchzehen 1 TL Salz kochendes Wasser	in eine Schüssel geben, soviel darübergießen, daß die Erdnüsse gerade bedeckt sind, etwa 30 Minuten stehenlassen das Wasser abgießen, die Erdnüsse in der Schüssel mit Haushaltspapier trockenreiben
5 - 8 EL Speiseöl	in einer Pfanne erhitzen, die Nüsse unter Wenden 5 - 6 Minuten darin rösten, abkühlen lassen, in Dosen oder Gläser füllen.

KÄSEPFANNKUCHEN

300 g Weizenmehl	in eine Schüssel sieben, in die Mitte eine Vertiefung eindrücken
4 Eier, Salz 225 ml Milch weißem Pfeffer 80 g geriebenem Stilton-Käse	mit verschlagen, etwas davon in die Vertiefung geben, von der Mitte aus alles zu einem glatten Pfannkuchenteig verrühren
500 g Mais (aus der Dose) Butter	abtropfen lassen, unterrühren zerlassen, eine dünne Teiglage hineingeben, von beiden Seiten goldbraun braten aus dem restlichen Teig weitere kleine Pfannkuchen backen.

EINGELEGTE KÄSEKUGELN

	Mit einem Kartoffelausstecher aus
200 g Edamer 200 g Gouda 100 g kleine Champignons	kleine Kugeln ausstechen putzen, abspülen, trockentupfen die drei Zutaten mit
100 g gedünsteten Broccoliröschen	

80 g Möhrenscheiben	in ein großes Glas schichten
500 ml (½ l) Weißwein	mit
250 ml (¼ l) Olivenöl	
2 EL schwarzen Pfefferkörnern	
2 Lorbeerblättern	verrühren, über Käse und Gemüse gießen, das Glas fest verschließen, die Zutaten etwa 24 Stunden im Kühlschrank durchziehen lassen.

KÄSEWAFFELN

300 g Weizenmehl	in eine Schüssel sieben, in die Mitte eine Vertiefung eindrücken
8 EL geriebenen Käse (alter Gouda)	
4 Eigelb	
Salz	
250 g saure Schlagsahne	
Paprika edelsüß	hineingeben, von der Mitte aus die Zutaten zu einem glatten, dickflüssigen Teig verrühren
4 Eiweiß	steif schlagen, unter den Teig ziehen den Teig portionsweise in ein gut erhitztes, gefettetes Waffeleisen füllen, sofort verstreichen die Waffeln goldbraun backen, mit
frisch geriebenem Parmesan-Käse	bestreut servieren.
Hinweis:	Schichtkäse mit Preiselbeeren dazureichen.

OBATZER

1 mittelgroße Zwiebel	abziehen, fein würfeln
1 Bund Schnittlauch	abspülen, trockentupfen, fein schneiden
400 g reifen französischen Camembert	mit einer Gabel zerdrücken, Zwiebelwürfel, Schnittlauchröllchen,
75 g weiche Butter	
1 TL Kümmel	untermengen, mit
Rosenpaprika	abschmecken.
Hinweis:	Kräftiges Brot oder Kümmelstangen dazureichen.

FEINE LEBERPASTETCHEN (Foto)

Für den Teig

1 Packung (300 g)
tiefgekühlten Blätterteig · bei Zimmertemperatur auftauen lassen.

Für die Füllung

300 g Schweineleber · unter fließendem kaltem Wasser abspülen,
trockentupfen, enthäuten, durch die große
Scheibe des Fleischwolfes drehen

1 ½ Eier
2 gehäufte EL
Semmelbrösel · hinzufügen
2 Zwiebeln · abziehen, würfeln
1 EL Butter · zerlassen, die Zwiebelwürfel darin etwa
3 Minuten unter Rühren dünsten lassen, mit

1 EL gehackter Petersilie
gemahlenem Majoran
gemahlenem Salbei
1 EL Weinbrand · zu der Lebermasse geben, mit
Salz, Pfeffer · würzen

die drei Blätterteigplatten aufeinanderlegen,
zu einem Rechteck (30 x 40 cm) ausrollen
6 runde Teigplatten(Durchmesser etwa 12 cm) und
6 runde Teigplatten (Durchmesser etwa 10 cm)
ausschneiden
die größeren Teigplatten in gefettete
Tortelettförmchen legen, leicht andrücken, den
Boden mit einer Gabel mehrmals einstechen
etwa 2 EL der Lebermasse in jedes Förmchen
geben

½ Ei · verschlagen, die Teigränder damit bestreichen,
mit den kleineren Teigplatten bedecken
die Pastetenoberflächen mit verschlagenem Ei
bestreichen, mit den kleineren Teigplatten
bedecken
die Pasteten-Förmchen in den vorgeheizten
Backofen stellen

Ober-/Unterhitze: · 200 - 225 °C (vorgeheizt)
Heißluft: · 180 - 200 °C (nicht vorgeheizt)
Gas: · Stufe 4 - 5 (vorgeheizt)
Backzeit: · etwa 25 Minuten.

V o r s p e i s e n

Lamm-Bananen-Curry

4 Schalotten	schälen, kleinschneiden
750 g Lammfleisch (aus der Keule)	abspülen, trockentupfen, in große Würfel schneiden
20 g Butterschmalz	in einem Schmortopf zerlassen, das Lammfleisch darin rundherum kräftig anbraten, die Schalotten hinzufügen und glasig werden lassen
3 TL Currypulver	darüber stäuben und ganz kurz unter Wenden andünsten
125 ml (⅛ l) Wermuth, extra dry 125 ml (⅛ l) heiße Rindfleischbrühe	hinzugießen
2 Gemüsebananen	schälen, in fingerdicke Scheiben schneiden und zu dem Fleisch geben, den Topf schließen, alles in etwa 1 Stunde bei schwacher Hitze gar schmoren, das Curry mit
Zitronensaft Salz frisch gemahlenem Pfeffer	abschmecken
4 EL Crème fraîche	unterrühren.

Würstchen im Hemd

4 dicke Knackwürstchen	zu beiden Seiten der Länge nach bis auf einen etwa ½ cm breiten Steg einschneiden, die Wurst-Öffnungen mit
Senf	bestreichen
50 g Gouda-Käse (in Scheiben)	in Streifen schneiden, in die Wurst-Öffnungen geben jeweils 2 Scheiben von
8 Scheiben durchwachsenem Speck	um eine Knackwurst wickeln die Würstchen nebeneinander in die heiße Grillpfanne legen, goldbraun grillen, während des Grillens ab und zu wenden
Grillzeit:	etwa 8 Minuten.

Paprika mit Käsecreme

	Von
1 roten und 1 grünen Paprikaschote	den Stielansatz abschneiden, entkernen, die Scheidewände entfernen, die Schoten waschen, innen und außen trockentupfen
40 g weiche Butter	mit
300 g Doppelrahm-Frischkäse	
150 g Edelpilzkäse	zu einer geschmeidigen Creme verrühren
10 Oliven, mit Paprika gefüllt	
2 EL Kapern	beide Zutaten abtropfen lassen, fein hacken, mit
2 EL gehackter Petersilie	unter die Käsecreme rühren, mit
Salz	
Knoblauchpfeffer	abschmecken
	die Masse in die Paprikaschoten füllen, dabei dürfen keine Hohlräume entstehen, die Schoten in Alufolie wickeln, etwa 2 Stunden in den Kühlschrank legen
	mit einem scharfen Messer in Scheiben schneiden, mit
Olivenscheiben	garnieren.

Sardinen-Baguette

1 kleinen Kopf Radicchio	putzen, die Blätter auseinanderpflücken, waschen, trockentupfen
½ Salatgurke	waschen, abtrocknen, in Scheiben schneiden
etwa 180 g Sardinen (aus der Dose)	abtropfen lassen
4 Baguette-Brötchen	aufschneiden, mit
Knoblauch-Butter	bestreichen, im vorgeheizten Backofen (Ober-/Unterhitze etwa 200°, Gas etwa 4 - 5) 5 - 6 Minuten rösten, die Baguette-Brötchen zuerst mit Radicchioblättern, dann mit Gurkenscheiben, Sardinen und je zwei von

8 länglichen Scheiben
jungem Gouda · belegen, die Baguettes zusammenklappen
gefüllte grüne Oliven
Pfeffergürkchen · auf vier Partyspieße stecken, die Baguettes
damit garnieren.

TOPINAMBUR IN ZITRONENBUTTER

500 g Topinambur · schälen, in fingerdicke Stifte schneiden
30 g Butter · mit
Saft von 1 Zitrone · in einem Edelstahltopf aufkochen, die
Topinambur-Stifte hineingeben, zugedeckt etwa
10 Minuten dünsten
1 Bund Petersilie · waschen, feinhacken, dazu geben, mit
etwas Salz · abschmecken.
Hinweis: · Als Beilage zu Fleischgerichten reichen.

TOPINAMBUR ÜBERBACKEN

750 g Topinambur · schälen, in Stifte schneiden
20 g Butter · in einer Pfanne zerlassen, die Stifte
hineingeben und unter gelegentlichem Wenden bei
mittlerer Hitze etwa 10 Minuten dünsten, in
eine flache Auflaufform geben, mit

Salz
frisch gemahlenem Pfeffer · bestreuen
150 ml Schlagsahne · darüber gießen
30 g frisch geriebenen
Parmesankäse · mit
2 EL abgezogenen
gemahlenen Mandeln · mischen, über das Knollengemüse verteilen
20 g Butter · in Flöckchen darauf setzen, die Form auf dem
Rost in den Backofen schieben (mittlere Schiene)
Ober-/Unterhitze: · etwa 200 °C (vorgeheizt)
Heißluft: · etwa 180 °C (nicht vorgeheizt)
Gas: · etwa Stufe 3 (vorgeheizt)
Backzeit: · etwa 30 Minuten.

LINSEN

Was wäre die deutsche Küche ohne eine deftige Linsensuppe? Dabei sind die unscheinbaren, flachen Samen nicht einmal ein heimisches Gewächs. Linsen stammen aus Vorderasien, wo sie von europäischen Weltenbummlern des Mittelalters für die westliche Küche entdeckt wurden. Die getrockneten Früchte überstanden mühelos die langen Transportwege, ohne etwas von ihrem hohen Gehalt an Eiweiß und Stärke zu verlieren. Ob rot, grün, braun oder gelb, alle Linsenarten haben wie Erbsen und Bohnen eine sämige Kocheigenschaft und sind daher ideale Suppeneinlagen. Aber auch als Gemüse oder Salat erweisen sich die Hülsenfrüchte als interessante Abwechslung auf dem Speiseplan und gesunde Genußquelle.

LINSENSUPPE

200 g Linsen	waschen, in
1 ¼ - 1 ½ l Fleischbrühe	12 - 24 Stunden einweichen, mit der Einweichflüssigkeit zum Kochen bringen
1 Bund Suppengrün	putzen, waschen, kleinschneiden
1 Zwiebel	abziehen, würfeln
	beide Zutaten nach 45 Minuten Kochzeit mit in die Suppe geben, die garen Linsen (entweder alle oder nur die Hälfte) durch ein Sieb streichen, wieder zum Kochen bringen mit
Salz	
gerebeltem Thymian	abschmecken
2 - 3 Brühwürstchen	in Scheiben schneiden, miterhitzen, die Suppe mit
1 EL feingeschnittenem Schnittlauch	bestreuen
Kochzeit:	etwa 1 ½ Stunden.

WEISSE BOHNENSUPPE

250 g Weiße Bohnen	waschen, in
1 ½ l Wasser	12 - 24 Stunden einweichen
500 g Kasseler Nacken	unter fließendem kaltem Wasser abspülen
	Bohnen und Kasseler Nacken in dem
	Einweichwasser zum Kochen bringen, die Bohnen
	fast weich kochen lassen
	das gare Fleisch herausnehmen
375 g Kartoffeln	schälen, waschen, in Würfel schneiden
1 Stange Lauch (150 g)	putzen, halbieren, gründlich waschen
3 mittelgroße Möhren	putzen, schälen
1 Stück Sellerieknolle (75 g)	schälen
2 mittelgroße Zwiebeln	abziehen
	das Gemüse waschen, kleinschneiden, mit
125 g geräucherter Mettwurst	zu den Bohnen geben, mit
Salz	
frisch gemahlenem Pfeffer	würzen, zum Kochen bringen, gar kochen lassen
	die Suppe mit Salz, Pfeffer abschmecken
	das Fleisch kleingeschnitten in die Suppe geben
½ Bund Petersilie	waschen, trockentupfen, die Blättchen von
	den Stengeln zupfen, fein hacken, die Suppe damit
	bestreuen.
Garzeit:	etwa 1 ½ Stunden.

BORSCHTSCH (Foto)

1 kg Rote Bete	waschen, schälen, in Würfel schneiden, mit
Salz	bestreuen, einige Zeit stehenlassen
2 l Wasser	zum Kochen bringen
500 g Rindfleisch	waschen, mit
250 g durchwachsenem	
Speck	in das kochende Wasser geben, zum Kochen bringen, etwa 1 ½ Stunden kochen lassen
100 g Zwiebeln	abziehen
250 g Kartoffeln	schälen, waschen
250 g Sellerieknolle	putzen, schälen, waschen die drei Zutaten in kleine Würfel schneiden
250 g Wirsing	putzen, waschen, in kleine Stücke schneiden
1 Stange Lauch	putzen, halbieren, gründlich waschen, in Streifen schneiden, evtl. nochmals waschen nach 1 ½ Stunden Kochzeit das Fleisch aus der Brühe nehmen, in kleine Würfel schneiden, mit den übrigen Zutaten wieder in die Brühe geben, noch etwa 1 Stunde kochen lassen die Suppe mit
Salz, Pfeffer	
Speisewürze	
2 - 3 EL Essig	
Worcestersauce	abschmecken
1 Becher (150 g)	
saure Sahne	verrühren, auf die Suppe geben, nach Belieben mit
gehackter Petersilie	bestreuen
Kochzeit:	etwa 2 ½ Stunden.

ALTDEUTSCHE KARTOFFELSUPPE

700 g mehlig-kochende Kartoffeln	schälen, waschen
3 Möhren	putzen, schälen, waschen
1 Stück Sellerie	schälen, waschen
	die drei Zutaten in kleine Würfel schneiden
50 g Butter	zerlassen, Möhren- und Selleriewürfel darin kurz andünsten, mit den Kartoffelwürfeln in
1 ½ l Fleischbrühe	geben
1 Zwiebel	abziehen, mit
1 Lorbeerblatt	
1 Nelke	spicken, die Zwiebel in die Brühe geben, zum Kochen bringen, zugedeckt etwa 20 Minuten kochen lassen
1 Stange Lauch	putzen, gründlich waschen, in Scheiben schneiden, in die Suppe geben, etwa 10 Minuten mitkochen lassen
	die gespickte Zwiebel entfernen
	etwa ⅓ der Kartoffelwürfel aus der Suppe schöpfen, pürieren, mit
125 ml (⅛ l) Schlagsahne oder Crème fraîche	verrühren, wieder hineingeben, erhitzen
	die Suppe mit
Salz, Pfeffer gerebeltem Majoran geriebener Muskatnuß	würzen
200 g Pfifferlinge	putzen, waschen, gut abtropfen lassen, große Pilze evtl. halbieren
1 Zwiebel	abziehen, fein würfeln
50 g Butter	zerlassen, die Zwiebelwürfel darin goldgelb andünsten, die Pilze hinzufügen, etwa 5 Minuten dünsten lassen, in die Kartoffelsuppe geben, noch etwa 5 Minuten miterhitzen
½ Bund Schnittlauch	abspülen, trockentupfen, fein schneiden, über die Suppe streuen.
Garzeit:	etwa 20 Minuten.

Im Winter

429

GULASCH-SUPPE

200 g Zwiebeln	abziehen, in Scheiben schneiden
1 Knoblauchzehe	abziehen, fein würfeln
2 große Paprikaschoten (rot und grün, 400 g)	vierteln, entstielen, entkernen, die weißen Scheidewände entfernen, die Schoten waschen, in feine Streifen schneiden
3 mittelgroße Tomaten	kurze Zeit in kochendes Wasser legen (nicht kochen lassen), enthäuten, die Stengelansätze herausschneiden, die Tomaten vierteln
300 g Rindfleisch	unter fließendem kaltem Wasser abspülen, trockentupfen, in kleine Würfel schneiden
40 g Pflanzenfett	erhitzen, das Fleisch von allen Seiten gut darin anbraten, das Gemüse hinzufügen, kurz mitbraten lassen
3 schwach gehäufte EL Tomatenmark Salz frisch gemahlenen Pfeffer Paprika edelsüß Paprika extrascharf ½ TL Kümmel gerebelten Majoran 1 l Wasser	hinzufügen, etwa 45 Minuten kochen lassen die Suppe mit Salz, Pfeffer, Paprika,
Tabasco	abschmecken.
Garzeit:	etwa 45 Minuten.

ERBSENSUPPE MIT PÖKELFLEISCH (Foto)

350 g Erbsen	waschen, in
2 - 2 ½ l Wasser	12 - 24 Stunden einweichen
750 g gepökeltes Schweinefleisch (Ohr, Schnauze, Schwanz oder Nackenstück)	waschen
	Erbsen und Pökelfleisch in dem Einweichwasser fast weich kochen lassen
500 g Kartoffeln	schälen, waschen, in Würfel schneiden
1 Bund Suppengrün	putzen, waschen, kleinschneiden
	die Zutaten zu den Erbsen geben, mit
Salz frisch gemahlenem Pfeffer	würzen, zum Kochen bringen, gar kochen lassen die Suppe mit Salz abschmecken, mit
gehackten Majoranblättchen	bestreuen das Fleisch dazureichen oder kleingeschnitten in die Suppe geben.
Kochzeit:	etwa 2 Stunden.

HOLLÄNDISCHE MUSCHELSUPPE

(Foto)

1 ½ kg Miesmuscheln	in reichlich kaltes Wasser geben, einige Stunden darin liegen lassen, das Wasser ab und zu erneuern, die Muscheln anschließend gründlich bürsten, Bartbüschel entfernen, so lange spülen, bis das Wasser vollkommen klar bleibt Muscheln, die sich beim Wässern und anschließendem Bürsten öffnen, sind ungenießbar, nur geschlossene Muscheln verwenden
2 mittelgroße Zwiebeln	abziehen, fein würfeln
1 Bund Suppengrün	putzen, waschen, in kleine Würfel schneiden
500 ml (½ l) Wasser	mit
250 ml (¼ l) trockenem Weißwein	zum Kochen bringen, Zwiebel- und Gemüsewürfel hineingeben, mit
Salz frisch gemahlenem weißen Pfeffer	würzen, etwa 3 Minuten kochen lassen, die Muscheln hineingeben, zum Kochen bringen, im geschlossenen Topf etwa 10 Minuten kochen, bis sich die Schalen öffnen (Muscheln, die sich nach dem Garen nicht öffnen, sind ungenießbar) ein Sieb mit einem Küchentuch auslegen, den Muschelsud durchgießen, auffangen, das Muschelfleisch aus den Schalen lösen, beiseite stellen
1 Bund glatte Petersilie	abspülen, trockentupfen, fein hacken, mit
125 ml (⅛ l) Schlagsahne	unter den Muschelsud rühren
200 g alten Gouda	in feine Würfel schneiden, mit dem Muschelfleisch in die Suppe geben die Suppe kurz erhitzen (nicht kochen), mit Salz, frisch gemahlenem weißen Pfeffer abschmecken, sofort servieren.

CHAYOTE-CREME-SUPPE

1 Chayote (etwa 400 g)	schälen, in Stücke schneiden
1 Stange Lauch	putzen, waschen, fein schneiden
20 g Butter	zerlassen, Kürbis und Lauch darin weichdünsten
1 TL Weizenmehl	darüberstäuben, leicht andünsten, mit
1 l Hühnerbrühe	ablöschen, etwa 15 Minuten schwach kochen lassen, pürieren
250 ml (¼ l) Schlagsahne	unterrühren, die Suppe erhitzen
1 Bund Basilikum	abspülen, die Blättchen abzupfen, kleinschneiden, hinzufügen, die Suppe mit
Salz, Pfeffer Zitronensaft	abschmecken.
Hinweis:	Die Suppe mit Basilikum, rosa Pfeffer und in Butter gebratenen Brotwürfeln anrichten.

PAKSOI-SUPPE

400 g Schweinefilet	abspülen, trockentupfen, in
6 EL Sojasauce	1 Stunde marinieren
1 ½ l Hühnerbrühe	zum Kochen bringen, das Filet zusammen mit der Sojamarinade hineingeben, zugedeckt bei kleinster Hitze in etwa 30 Minuten garziehen lassen, herausnehmen
1 walnußgroßes Stück Ingwerwurzel	schälen, durch die Knoblauchpresse drücken, den Saft zur Brühe geben, mit
Zitronensaft Tabasco	abschmecken
300 g Paksoi	putzen, die Stielansätze abschneiden Stiele und Blätter waschen, kleinschneiden, in die Brühe geben, etwa 5 Minuten kochen das Filet in Streifen schneiden, in die Suppe geben, kurz miterhitzen
1 Ei	mit
1 EL Sojasauce	verschlagen, in eine heiße, beschichtete Pfanne geben und ein dünnes Omelett daraus backen Omelett zusammenrollen, schräg in Scheiben (Schnecken) schneiden, in die heiße Suppe geben, sofort servieren.

Im Winter

ROSENKOHLSUPPE (Foto)

500 g Rosenkohl	putzen, die Röschen am Strunk kreuzförmig einschneiden, den Rosenkohl waschen, in
¼ l kochendes Salzwasser	geben, zum Kochen bringen, etwa 10 Minuten kochen lassen kurz vor Beendigung der Garzeit etwa 10 Röschen herausnehmen, vierteln, beiseite stellen die restlichen Rosenkohlröschen in der Flüssigkeit pürieren
500 ml (½ l) heißes Wasser	
1 TL Fleischextrakt	hinzufügen, zum Kochen bringen
1 TL Speisestärke	mit
1 EL kaltem Wasser	anrühren
1 Eigelb	
1 EL Crème fraîche	unterrühren, unter die Rosenkohlsuppe schlagen, erhitzen
½-1 EL weiche Butter	hinzufügen, die Suppe mit
Salz	
Zucker	
Cayennepfeffer	abschmecken, die zurückgelassenen Rosenkohlviertel hinzufügen, miterhitzen, die Suppe mit
gehackter Petersilie	bestreuen
Kochzeit:	10-12 Minuten.

SAUERKRAUTSUPPE

2 große Zwiebeln	
3 Knoblauchzehen	
	beide Zutaten abziehen, fein würfeln
3 EL Speiseöl	erhitzen, Zwiebel- und Knoblauchwürfel darin glasig dünsten lassen
300 g Thüringer Mett	unter Rühren darin anbraten, dabei die Fleischklümpchen zerdrücken
2 EL Tomatenmark	mit
1 EL Paprika edelsüß	unterrühren
400 g Sauerkraut (aus der Dose)	kleinschneiden, mit
1,5 l Hühnerbrühe	unter die Fleisch-Zwiebel-Masse rühren, mit
Salz	
Cayennepfeffer	
Kümmel	würzen, zugedeckt etwa 15 Minuten bei schwacher Hitze kochen lassen die Sauerkrautsuppe in vier Suppentassen oder -teller füllen
1 Packung (200 g) Knoblauch-Quark	verrühren, auf der Sauerkrautsuppe verteilen
gehackte Petersilie	darüber streuen.
Beilage:	Bauernbrot.

DOPPELTE KRAFTBRÜHE

1 Suppenhuhn	
Herz, Magen, Hals des Suppenhuhns	
500 g Querrippe	
2 Fleischknochen	
2 - 3 Sandknochen	
	die Zutaten unter fließendem kaltem Wasser abspülen, mit
2 ½ l kaltem Salzwasser	in den Schnellkochtopf geben, zum Kochen bringen, abschäumen
1 Bund Suppengrün	putzen, waschen, grob zerkleinern, mit
1 kleinen Lorbeerblatt	
4 Pimentkörnern	

2 Pfefferkörnern	hinzufügen, den Schnellkochtopf schließen, die Brühe bei höchster Stufe etwa 45 Minuten kochen bei Verwendung eines normalen Topfes dauert es 2 - 2 ½ Stunden, dabei nach Bedarf die verdampfte Flüssigkeit durch Wasser ersetzen die Brühe durch ein Haarsieb gießen, mit
Salz frisch gemahlenem weißen Pfeffer Sherry (fino)	abschmecken.

SCHWÄBISCHE WURSTSUPPE

1 l Wasser	zum Kochen bringen
3 gestrichene EL Fleischsuppe	unterrühren
250 g Kartoffeln	schälen, waschen, in Würfel schneiden, mit
frischem Majoran	in die Fleischsuppe geben, zum Kochen bringen, gar kochen
150 - 200 g verschiedene Wurstsorten (Blutwurst, Fleischwurst, Schinkenwurst, Schwartemagen)	in kleine Stücke schneiden, in die Suppe geben, kurz miterhitzen, mit
frisch gemahlenem Pfeffer Streuwürze	abschmecken kurz vor dem Servieren
geröstete Zwiebelwürfel	über die Suppe verteilen.
Kochzeit:	etwa 30 Minuten.

Palmherzen-Suppe

1 walnußgroßes Stück Ingwer	schälen, mit
1 Sternanis	in
1 ½ l Rindfleischbrühe	geben, etwa 10 Minuten bei schwacher Hitze ziehen lassen
200 g Rinderfilet (aus der Spitze)	in sehr feine Streifen schneiden
220 g Palmherzen (aus der Dose)	abtropfen lassen, in Stifte schneiden
100 g Buchweizen-Spaghetti	in Stücke brechen, in
etwa 1 l kochendes Salzwasser	geben, in 7 - 8 Minuten „bißfest" kochen, abschrecken, abtropfen lassen
50 g Kerbel	waschen, feinhacken, mit Filet, Palmenherzen und Nudeln in eine Terrine geben, die kochendheiße Brühe darübergießen, mit
Zitronensaft Sojasauce	abschmecken, sofort servieren.

Pinkfarbene Suppe (Foto)

1 Zwiebel	abziehen
500 g gekochte Rote Bete	abziehen
1 Gewürzgurke	
	die drei Zutaten grob zerkleinern, pürieren, mit
1 Packung (200 g) Frühlings-Quark	
1 l Buttermilch	verrühren
1 Knoblauchzehe	abziehen, durch die Knoblauchpresse geben
1 Bund Petersilie	abspülen, trockentupfen, fein hacken beide Zutaten in die Suppe geben, mit
Salz frisch gemahlenem Pfeffer Tabasco	würzen, in vier Suppentassen füllen
4 TL Crème fraîche	darauf verteilen, mit
grünen Pfefferkörnern (aus dem Glas)	bestreuen.

CUMBERLANDSAUCE, PIKANT

1 Orange (unbehandelt)	
1 Zitrone (unbehandelt)	beide Zutaten heiß waschen, abtrocknen, hauchdünn schälen, die Schale in sehr feine Streifen schneiden, mit
1 abgezogenen, gewürfelten Schalotte oder kleine Zwiebel	in
3 EL Rotwein	zum Kochen bringen, kochen lassen, bis der Rotwein verkocht ist, erkalten lassen, mit
250 g rotem Johannisbeergelee	verrühren
1-2 TL Senf	mit
1 EL Portwein	
1 EL Orangensaft	verrühren, in die Sauce geben, mit
Ingwerpulver	
Salz	
Cayennepfeffer	würzen.

THOUSAND-ISLAND-SAUCE (Foto)

3 EL Salatmayonnaise	mit
½ TL Paprika edelsüß	
1 EL Essig	
2 Tropfen Tabasco	
3-4 EL Milch	
1-2 EL feingehackter roter Paprikaschote	verrühren, mit
feingeschnittenem Schnittlauch	bestreuen. Thousand-Island-Sauce eignet sich zu Blatt-Salaten, Spargel-, Wirsing-, Sellerie- und Champignon-Salaten.

VANILLE-SAHNE-SAUCE

1 Päckchen Saucenpulver Vanille-Geschmack	mit
2 gestrichenen EL Zucker	und 2 - 3 Eßlöffeln von
500 ml (½ l) Milch	anrühren die übrige Milch zum Kochen bringen, von der Kochstelle nehmen, das angerührte Saucenpulver unter Rühren hineingeben, kurz aufkochen lassen, die Sauce etwas abkühlen lassen, mehrmals umrühren
125 ml (⅛ l) Schlagsahne	steif schlagen, unter die Sauce ziehen.

FEINE ZITRONENSAUCE

70 g Butter	zerlassen, etwas abkühlen lassen
5 Eigelb	mit
abgeriebener Schale und Saft von 1 Zitrone (unbehandelt)	
2 EL Wasser	im Wasserbad so lange schlagen, bis die Masse dicklich ist, aus dem Wasserbad nehmen, die Butter nach und nach unterschlagen die Sauce mit
Salz frisch gemahlenem Pfeffer Tabasco	würzen, bis zum Verzehr im Wasserbad warm halten, damit sie nicht gerinnt.
Erhitzungszeit:	etwa 6 Minuten.
Empfehlung:	Zu Filetbohnen, Räucherlachs oder Filetsteaks reichen.

KNUSPERBUTTER

2 EL Sesamsamen	in einer Pfanne ohne Fett rösten, mit
2 EL backfertigem Mohn	
2 EL Erdnußflipbröseln	verrühren
100 g weiche Butter	unterrühren, mit
Salz geriebener Muskatnuß	abschmecken, die Knusperbutter kalt stellen.

439

KOHL

Kohl ist immer und überall präsent. Kein anderes Gemüse ist so vielseitig wei? vielfältig. Man verwendet seine Blätter (Weiß und Rotkohl), man nutz seine Blütenstände (Blumenkohl) man erntet die Triebsprossen und bringt sie als Röschen auf den Tisch (Rosenkohl). Exotisch anmutende Varianten wie Pak Choy, der chinesische Senfkohl, oder der mittlerweile sehr beliebte Chinakohl gehören ebenso zur Familie wie der aus Italien stammende blumenkohlähnliche Romanesco.

Ob im Frühling die ersten Kohlrabi -bitte immer mit den Blättern kaufen und verwenden, denn die enthalten noch mehr Eiweiß und Phosphor als die Knolle- oder im Winter der knackige Grünkohl, ob frisch als Salat oder eingelegt als Sauerkraut, Kohl hat immer Saison.

GRÜNKOHL, BREMER ART

	Von
1 ½ kg Grünkohl	die welken und fleckigen Blätter und die Rippen entfernen, den Grünkohl gründlich waschen, in
kochendes Salzwasser	geben, zum Kochen bringen, 1 - 2 Minuten kochen, abtropfen lassen, grob hacken
2 mittelgroße Zwiebeln	abziehen, würfeln

100 g Schweineschmalz	erhitzen, die Zwiebelwürfel darin glasig dünsten lassen, den Grünkohl hinzufügen
2 EL Haferflocken	unterrühren, erhitzen
500-750 g Kasseler Rippenspeer	waschen, den Knochen auslösen, das Fleisch mit dem Knochen zu dem Grünkohl geben
250 g durchwachsenen Speck 375 ml (³/₈ l) Wasser	hinzufügen, mit
Salz	würzen, zum Kochen bringen, etwa 30 Minuten kochen lassen
4 geräucherte Grützwürste (Pinkel)	zu dem Grünkohl geben, etwa 20 Minuten mitkochen lassen den Grünkohl mit Salz,
frisch gemahlenem Pfeffer geriebener Muskatnuß Zucker	abschmecken das Fleisch und den Speck in Scheiben schneiden, mit den Würsten und dem Grünkohl auf einer großen Platte anrichten.
Beilage:	Röstkartoffeln.

BADISCHER BOHNENTOPF

500 g Weiße Bohnen	waschen, 12-24 Stunden in
1 ½ l Wasser	einweichen, in dem Einweichwasser mit
500 g durchwachsenem Speck (in dicken Scheiben)	zum Kochen bringen, etwa 1 ½ Stunden kochen lassen
4 Möhren	putzen, schälen, waschen
2 Stangen Lauch	putzen, gründlich waschen beide Zutaten in Scheiben schneiden
1 kg Kartoffeln	schälen, waschen, in Würfel schneiden Gemüse und Kartoffeln zu den Bohnen geben, zum Kochen bringen, mit
Salz frisch gemahlenem Pfeffer	würzen, in etwa 30 Minuten gar kochen lassen
2 Zwiebeln	abziehen, fein würfeln
2 EL Butter	zerlassen, die Zwiebelwürfel darin andünsten
3 EL gehackte Petersilie	hinzufügen, kurz mitdünsten lassen, unter den garen Bohnentopf rühren.
Kochzeit:	etwa 2 Stunden.

Im Winter

CHILI CON CARNE (Foto)

500 g getrocknete Rote Bohnen	waschen, in
kaltem Wasser	12 - 24 Stunden einweichen
750 g schieres Rindfleisch (ohne Knochen)	unter fließendem kaltem Wasser abspülen, trockentupfen, in Würfel schneiden
3 EL Speiseöl	erhitzen, das Fleisch darin portionsweise von allen Seiten anbraten, beiseite stellen
4 mittelgroße Zwiebeln	abziehen, in Scheiben schneiden
4 Knoblauchzehen	abziehen, zerdrücken
1 rote und 1 grüne Paprikaschote	halbieren, entstielen, entkernen, die weißen Scheidewände entfernen, die Schoten waschen, in Würfel schneiden
2 EL Speiseöl	in dem Bratfett erhitzen, die drei Zutaten darin andünsten
4 Tomaten	kurze Zeit in kochendes Wasser legen (nicht kochen lassen), in kaltem Wasser abschrecken, enthäuten, die Stengelansätze herausschneiden, die Tomaten halbieren, entkernen, kleinschneiden, mitdünsten lassen
4 - 5 EL Tomatenmark	unterrühren, das Fleisch, die abgetropften Bohnen,
1 ½ l heiße Fleischbrühe	hinzufügen, zum Kochen bringen
1 - 2 getrocknete Chilischoten	entstielen, zerdrücken, in den Eintopf geben, mit
1 - 2 TL Chilipulver	
3 TL Paprika edelsüß Rosenpaprika Salz, Pfeffer	würzen, in 1 - 1 ¼ Stunden gar kochen lassen, mit Rosenpaprika scharf abschmecken.
Beilage:	Bauernbrot.

442

FLEISCH-GEMÜSE-TOPF

1 kg mageres, gepökeltes Rindfleisch (beim Fleischer eine Woche vorher bestellen)	gut mit Wasser bedeckt zum Kochen bringen, bei niedriger Hitze und leicht geöffnetem Topf in etwa 1 Stunde garköcheln, herausnehmen
je 500 g Bataten, Yamknollen und Kartoffeln	schälen, in Würfel oder Scheiben schneiden
250 g Zwiebeln	abziehen, in Scheiben schneiden
100 g frische Kokosnuß	in kleine Stücke brechen, mit
250 ml (¼ l) Schlagsahne	
1 TL Sambal Oelek	im Mixer pürieren, die Flüssigkeit durch ein Tuch abseihen und auspressen
2 grüne Gemüsebananen	in einen breiten Topf geben, mit Wasser bedecken, zum Kochen bringen, etwa 30 Minuten sprudelnd kochen lassen, die Bananen schälen und in etwa 3 cm dicke Scheiben schneiden, beiseite stellen
150 g geräucherten mageren Speck	in Würfel schneiden und in einem großen Schmortopf bei mittlerer Hitze ausbraten den Speck entfernen, das gekochte Rindfleisch in Würfel schneiden und im Speckfett rundherum braun braten, kurz herausnehmen, um im Fett die Zwiebeln glasig zu dünsten, dann das Fleisch zurück in den Topf geben
1 ½ l Rindfleischbrühe	hinzufügen, aufkochen lassen und zugedeckt etwa 30 Minuten sanft schmoren, nun das vorbereitete Gemüse (bis auf Bananenstücke und Kokossahne) zum Fleisch geben, im geschlossenen Topf etwa 15 Minuten köcheln, bis Fleisch und Gemüse gar sind. Bananen und Kokossahne dazu geben, miterhitzen, im Topf servieren.

CHINAKOHLEINTOPF

	Von
2 Stauden Chinakohl (etwa 750 g)	die welken Blätter entfernen, den Kopf halbieren, den Strunk herausschneiden, den Kohl waschen, in schmale Streifen schneiden
2 - 3 Zwiebeln (etwa 150 g)	abziehen, fein würfeln
250 g Tomaten	kurze Zeit in kochendes Wasser legen (nicht kochen lassen), in kaltem Wasser abschrecken, enthäuten, die Stengelansätze herausschneiden, die Tomaten in Scheiben schneiden
250 g Kartoffeln	schälen, waschen, in Würfel schneiden
40 g Butter oder Margarine	zerlassen, die Zwiebelwürfel darin goldgelb dünsten
375 g Gehacktes (halb Rind-, halb Schweinefleisch)	hinzufügen, kurze Zeit miterhitzen, mit
Salz frisch gemahlenem Pfeffer	würzen
	Chinakohlstreifen, Tomatenscheiben, Kartoffelwürfel,
250 ml (¼ l) Wasser	dazugeben, gar schmoren lassen den Eintopf mit Salz, Pfeffer,
etwa 2 EL Tomaten-Ketchup	abschmecken
Schmorzeit:	etwa 45 Minuten.

BUNTER EINTOPF

500 g Gulaschfleisch (halb Rind-, halb Schweinefleisch)	waschen, abtrocknen, in etwa 1 ½ cm große Würfel schneiden
3 EL Speiseöl	erhitzen, die Fleischwürfel darin von allen Seiten etwa 10 Minuten anbraten
2 große Zwiebeln	abziehen, würfeln, hinzufügen, durchdünsten lassen das Fleisch mit
Salz, Pfeffer Paprika edelsüß	würzen

444

750 ml (³/₄ l) Fleischbrühe	hinzugießen, verrühren, das Fleisch zum Kochen bringen
500 g Kartoffeln	schälen, waschen, in Würfel schneiden
500 g Grüne Bohnen	abfädeln, waschen, in Stücke brechen
1 kleine rote Paprikaschote	halbieren, entstielen, entkernen, die weißen Scheidewände entfernen, die Schoten waschen, in Streifen schneiden
3 - 4 Bohnenkrautzweige	vorsichtig abspülen, trockentupfen
250 g Champignons	putzen, waschen, abtropfen lassen, in Stücke schneiden
	wenn das Fleisch etwa 30 Minuten gekocht hat, die Kartoffelwürfel hinzufügen, zum Kochen bringen, etwa 5 Minuten kochen lassen
	Bohnen, Paprika, Bohnenkraut in die Suppe geben, zum Kochen bringen, etwa 10 Minuten kochen lassen.

GEFLÜGEL-BANANEN-EINTOPF

(Foto)

1 Hähnchen	in etwa 12 Stücke zerteilen, waschen, trockentupfen, mit
1 TL Cayennepfeffer	
1 EL Weizenmehl	bestäuben
4 - 6 EL Olivenöl	in einer großen Pfanne erhitzen und das Fleisch portionsweise darin rundherum goldbraun anbraten, in einen Schmortopf füllen
500 g Zwiebeln	abziehen, vierteln
3 reife Gemüsebananen	schälen, in fingerdicke Scheiben schneiden
	beides in der Pfanne im Bratfett andünsten
1 EL Currypulver	hinzufügen, gut durchdünsten, mit
250 ml (¹/₄ l) trockenem Wermuth	ablöschen
4 EL Mangochutney	einrühren, über das Fleisch geben
250 ml (¹/₄ l) heiße Hühnerbrühe	dazugießen, den Eintopf in etwa 1 Stunde gar schmoren, mit
Zitronensaft Salz	abschmecken.

OCHSENSCHWANZ MIT STAUDENSELLERIE (Foto)

Etwa 200 g durchwachsenen Speck	in Würfel schneiden, glasig braten
1 kg Ochsenschwanz (in etwa 3 cm dicke Scheiben geschnitten)	unter fließendem kaltem Wasser abspülen, trockentupfen, in dem heißen Speckfett anbraten, mit
Salz, Pfeffer	würzen, das Fleisch herausnehmen
4 Stangen Staudensellerie	putzen, waschen, in etwa 2 cm große Stücke schneiden
1 Zwiebel 1 Knoblauchzehe	beide Zutaten abziehen, fein würfeln Staudenselleriestücke, Zwiebel- und Knoblauchwürfel in dem Bratensatz andünsten
250 ml (¼ l) Weißwein	hinzugießen, durchdünsten lassen die Fleischstücke zu dem Gemüse geben
1 kg Tomaten (aus der Dose)	abtropfen lassen, vierteln, mit der Flüssigkeit zu dem Fleisch geben, das Fleisch im geschlossenen Topf schmoren lassen, von Zeit zu Zeit wenden, verdampfte Flüssigkeit durch
Fleischbrühe	ersetzen.
Schmorzeit:	etwa 2 Stunden.

PAPRIKA-KRAUT-TOPF

	Von
1 kg Weißkohl	die äußeren Blätter entfernen, den Kohl vierteln, den Strunk herausschneiden, den Kohl fein hobeln, waschen, abtropfen lassen
3 Zwiebeln	abziehen, würfeln
200 g durchwachsenen Speck	in feine Würfel schneiden, auslassen, die Zwiebelwürfel darin andünsten
2 EL Paprika edelsüß	unterrühren, den Weißkohl hinzufügen, mitdünsten lassen
500 ml (½ l) Fleischbrühe	hinzugießen
100 g Crème fraîche	
1 EL Tomatenmark	unterrühren, mit
Salz	
frisch gemahlenem Pfeffer	würzen, zum Kochen bringen, etwa 25 Minuten dünsten lassen
500 g Kartoffeln	schälen, waschen, in Würfel schneiden, in den Eintopf geben, in etwa 20 Minuten gar dünsten lassen.

Für die Fleischklößchen

1 Brötchen (vom Vortag)	in kaltem Wasser einweichen, ausdrücken
1 Zwiebel	abziehen, fein würfeln
	beide Zutaten mit
375 g Rinderhack	
1 Ei	gut vermengen, mit
Salz	
frisch gemahlenem Pfeffer	
Paprika edelsüß	würzen, aus der Masse Klößchen formen
2 EL Butterschmalz	zerlassen, die Klößchen darin von allen Seiten goldbraun braten, in den garen Eintopf geben
2-3 EL Crème fraîche	auf den Paprika-Kraut-Topf geben
2 EL gehackte Petersilie	darüber streuen.

RHEINISCHER SUPPENTOPF (Foto)

375 g Rindfleisch	unter fließendem kaltem Wasser abspülen, trockentupfen, in Würfel schneiden
4-5 EL Speiseöl	erhitzen, das Fleisch darin anbraten
1 ¼ l Wasser	hinzugießen
4 gestrichene EL Klare Instant-Fleischbrühe	unterrühren, zum Kochen bringen, 15-20 Minuten kochen lassen
1 Sellerieknolle (etwa 250 g)	schälen, waschen, in Würfel schneiden
300 g Grüne Bohnen	abfädeln, waschen, in Stücke brechen
250 g Kartoffeln	schälen, waschen, in Würfel schneiden
1 Stange Lauch	gründlich waschen, in Ringe schneiden (evtl. nochmals waschen) das Gemüse in die Fleischsuppe geben, weitere 40-50 Minuten kochen lassen, mit
Salz frisch gemahlenem Pfeffer	abschmecken den Suppentopf mit
feingehackter Petersilie	bestreuen.
Garzeit:	etwa 1 ¼ Stunden.

SOUPE AU PISTOU

75 g Weiße Bohnen	waschen, in
750 ml (³/₄ l) Wasser	12 - 24 Stunden einweichen, mit dem Einweichwasser,
2 gestrichenen EL Fleischbrühe-Konzentrat	zum Kochen bringen, etwa 1 Stunde kochen
2 Kartoffeln	schälen
2 Möhren	putzen, schälen
	beide Zutaten waschen, in Würfel schneiden
1 Stange Lauch	waschen, in Scheiben schneiden
250 g Grüne Bohnen	abfädeln, waschen, in Stücke brechen
1 Zucchini	waschen, in kleine Würfel schneiden
2 Zwiebeln	abziehen, fein würfeln
2 - 3 EL Speiseöl	erhitzen, die Zwiebeln darin andünsten
3 enthäutete Tomaten	in Würfel schneiden, zu den Zwiebeln geben, mitdünsten lassen
1 ½ l Fleischbrühe	hinzugießen, zum Kochen bringen, das Gemüse hinzufügen, mit
Salz	
frisch gemahlenem Pfeffer	
gerebeltem Thymian	würzen, zum Kochen bringen, 15 - 20 Minuten kochen lassen
	die Weißen Bohnen mit der Flüssigkeit dazugeben, noch weitere 10 Minuten kochen lassen,
	evtl. nochmals mit Salz, Pfeffer abschmecken.

Für den Pistou

4 Knoblauchzehen	abziehen, zerdrücken, mit
1 EL Tomatenmark	
feingehackten Basilikumblättchen	
2 EL geriebenem Parmesan-Käse	verrühren, nach und nach
3 EL Olivenöl	hinzufügen, so lange rühren, bis eine cremige Sauce entstanden ist
	die Sauce kurz vor Beendigung der Garzeit in die Suppe rühren oder getrennt dazu reichen
geröstete Weißbrotwürfel	auf die Suppe geben.

Steckrüben mit Schweinebauch (Foto)

1 kg Steckrüben	schälen, halbieren, waschen, in schmale Stifte schneiden
4 Scheiben Schweinebauch	unter fließendem kaltem Wasser abspülen, trockentupfen, die Schwarte abschneiden das Fleisch in Streifen schneiden
1 EL Margarine	erhitzen, das Fleisch darin gut anbraten, die Steckrüben hinzufügen, gut durchschmoren lassen
2 Zwiebeln	abziehen, würfeln
1 Knoblauchzehe	abziehen, zerdrücken beide Zutaten zu dem Gemüse geben, durchschmoren lassen, mit
Salz, Pfeffer gerebeltem Majoran	würzen
125 ml (⅛ l) Fleischbrühe	hinzugießen das Gemüse im geschlossenen Topf schmoren lassen, mit Salz, Pfeffer abschmecken.
Schmorzeit:	etwa 20 Minuten.

Wirsingsuppe (Foto)

(Für 6 - 8 Personen)

Etwa 100 g Weiße Bohnen	waschen, in
500 ml (½ l) Wasser	12 - 24 Stunden einweichen
500 g mageren durchwachsenen Speck	in
1 l Wasser	geben, zum Kochen bringen, etwa 1 Stunde kochen lassen, aus der Brühe nehmen von
1 Kopf Wirsing (etwa 1 ½ kg)	die äußeren Blätter entfernen, den Wirsing vierteln, den Strunk herausschneiden, den Kohl waschen, in grobe Streifen schneiden

3 Zwiebeln	abziehen, in Scheiben schneiden
4 Knoblauchzehen	abziehen, durchpressen
2 Möhren (etwa 100 g)	
2 Petersilienwurzeln	
	beide Zutaten putzen, schälen, waschen, in Scheiben schneiden
2 Stangen Lauch (etwa 250 g)	putzen, das dunkle Grün bis auf etwa 10 cm entfernen, den Lauch in Scheiben schneiden, gründlich waschen
1 Schinkenknochen (etwa 500 g)	waschen, mit den eingeweichten Weißen Bohnen, dem Einweichwasser in die Speckbrühe geben
1 l Wasser	hinzugießen, das vorbereitete Gemüse hinzufügen, zum Kochen bringen, etwa 45 Minuten kochen lassen

die Kräuter vorsichtig abspülen, mit in die Wirsingsuppe geben

2 Thymianzweige
2 Majoranzweige
2 - 3 Petersilienzweige
2 - 3 Sellerieblättchen

2 - 3 Lorbeerblättern
500 g festkochende Kartoffeln — schälen, waschen, in Würfel schneiden
500 g Cabanossi (Knoblauchwurst) — einige Male einstechen, mit den Kartoffelwürfeln in die Suppe geben, zum Kochen bringen, weitere 15 - 20 Minuten kochen lassen
den Schinkenknochen, die Cabanossi aus der Suppe nehmen
das Fleisch von dem Schinkenknochen lösen, in Würfel schneiden
die Speckschwarte abschneiden, den Speck in Würfel, die Cabanossi in Scheiben schneiden
Fleisch, Speck und Wurst wieder in die Wirsingsuppe geben, erhitzen, die Suppe mit

Salz
frisch gemahlenem Pfeffer — abschmecken.

WIRSINGTOPF MIT LAMM

	Von
1 Kopf Wirsing (etwa 400 g)	die äußeren Blätter entfernen, den Wirsing vierteln, waschen, in feine Streifen schneiden
1 Stange Lauch (etwa 150 g)	putzen, das dunkle Grün bis auf etwa 10 cm entfernen, den Lauch in dünne Scheiben schneiden, gründlich waschen
2 große Möhren (etwa 150 g)	putzen, schälen, waschen, in dünne Scheiben schneiden
500 - 750 g festkochende Kartoffeln	schälen, waschen, in Scheiben schneiden, von
750 g Lammfleisch (Nacken)	den Knochen herauslösen, das Lammfleisch unter fließendem kaltem Wasser abspülen, in Würfel schneiden
50 g durchwachsenen Speck	in Würfel schneiden, im Schnellkochtopf auslassen, die Lammfleischwürfel dazugeben, mit
Salz frisch gemahlenem Pfeffer	würzen, von allen Seiten anbraten
2 Zwiebeln	abziehen, würfeln, zu dem Fleisch geben, mitbraten lassen Wirsingstreifen, Lauch- und Möhrenscheiben hinzufügen, mit dem Fleisch vermengen, mit Salz, Pfeffer
Paprika edelsüß	würzen
1 - 2 EL gehackte Thymianblättchen	unterrühren die Kartoffelscheiben darauf schichten
etwa 500 ml (½ l) Fleischbrühe	hinzugießen (Kartoffelscheiben dürfen nicht ganz mit Brühe bedeckt sein) die Kartoffelscheiben mit Salz, Pfeffer bestreuen
6 Scheiben durchwachsenen Speck (etwa 75 g)	darauf legen, den Schnellkochtopf schließen, erst dann den Kochregler auf Stufe II schieben, wenn

reichlich Dampf entwichen ist (nach etwa 1 Minute)
nach Erscheinen des 2. Ringes den Lammtopf
etwa 8 Minuten garen
den Topf von der Kochstelle nehmen
den Kochregler langsam stufenweise zurückziehen
und den Topf öffnen
den Lammtopf mit

3 EL gehackter Petersilie	bestreuen
Garzeit:	etwa 15 Minuten.

BELGISCHER RINDFLEISCHTOPF

70 g fetten Speck	in Würfel schneiden, etwas ausbraten lassen
750-1000 g Rindfleisch	unter fließendem kaltem Wasser abspülen, trockentupfen, in Würfel schneiden, in dem Speckfett gut anbraten, mit
Salz frisch gemahlenem Pfeffer gerebeltem Thymian 250 ml (¼ l) von 500 ml (½ l) Rotwein	würzen
2 Lorbeerblätter	hinzufügen das Fleisch im geschlossenen Topf etwa 1 Stunde schmoren lassen, ab und zu durchrühren den restlichen Rotwein hinzugießen
400-500 g Möhren	putzen, schälen, waschen, in Scheiben schneiden
4 Zwiebeln	abziehen, vierteln beide Zutaten zu dem Fleisch geben
750 g kleine Kartoffeln	schälen, waschen, in Scheiben schneiden, nochmals waschen, tropfnaß nach etwa 5 Minuten Schmorzeit des Gemüses hinzufügen, mit Salz, Pfeffer würzen
1 Stange Lauch	putzen, längs halbieren, in 1-2 cm dicke Scheiben schneiden, etwa 10 Minuten vor Beendigung der Schmorzeit in den Eintopf geben, evtl.
125 ml (½ l) Instant-Fleischbrühe	hinzugießen, den Rindfleischtopf kräftig mit Salz, Pfeffer abschmecken
Schmorzeit:	etwa 1 ½ Stunden.

WESTFÄLISCHES BLINDHUHN (Foto)

200 g Weiße Bohnen	waschen, 12 - 24 Stunden in
1 ½ - 2 l Wasser	einweichen, in dem Einweichwasser zum Kochen bringen
400 g durchwachsenen Speck	hinzufügen, zum Kochen bringen
300 g Grüne Bohnen	abfädeln, waschen, in kleine Stücke brechen
250 g Möhren	putzen, schälen, waschen
750 g Kartoffeln	schälen, waschen beide Zutaten kleinschneiden
2 Äpfel 2 Birnen	beide Zutaten schälen, vierteln, entkernen, in Würfel schneiden die fünf Zutaten nach etwa 1 Stunde Kochzeit zu den Bohnen und dem Speck geben, zum Kochen bringen, mit
Salz frisch gemahlenem Pfeffer	würzen, noch etwa 30 Minuten kochen lassen den Speck herausnehmen, in Streifen schneiden, wieder in den Eintopf geben
150 g durchwachsenen Speck	in feine Würfel schneiden, auslassen
2 Zwiebeln	abziehen, fein würfeln, in dem Speckfett goldgelb anbraten den Eintopf in einer vorgewärmten Schüssel anrichten, Speck- und Zwiebelwürfel dazureichen.
Garzeit:	etwa 1 ½ Stunden.
Hinweis:	Schnell zubereitet ist der Eintopf ohne weiße Bohnen, dann 500 g Grüne Bohnen verwenden.

BERNER PLATTE

(Für 6 - 8 Personen)

750 g Hohe Rippe
1 küchenfertige
Schweinezunge

	beide Zutaten waschen, in
1 l Salzwasser	'geben, zum Kochen bringen, gar kochen lassen inzwischen
1 Schweinehaxe (etwa 500 g, in Scheiben geschnitten)	waschen, abtrocknen, mit
Salz	
frisch gemahlenem Pfeffer	einreiben
2 Zwiebeln	abziehen, würfeln
2 säuerliche Äpfel	schälen, vierteln, entkernen, in Scheiben schneiden
1 ½ kg Sauerkraut	lockerzupfen
375 g geräucherte Rippchen	
300 g durchwachsenen Speck	waschen
2 - 3 EL Schweineschmalz	in einem großen Kochtopf zerlassen, Sauerkraut, Schweinehaxenscheiben, Zwiebelwürfel, Apfelscheiben, Speck, Rippchen mit
Wacholderbeeren Pfefferkörnern	abwechselnd einschichten (die oberste Schicht soll aus Sauerkraut bestehen) jede Schicht mit Salz bestreuen
500 ml (½ l) Wasser 250 ml (¼ l) Weißwein	hinzugießen, zum Kochen bringen, gar schmoren lassen
2 Paar Wiener Würstchen 250 g Zungen- oder Rotwurst	beide Zutaten auf das Sauerkraut legen, etwa 15 Minuten miterhitzen Haxenscheiben, Speck, Rippchen und Wurst herausnehmen, in Scheiben schneiden, die gekochte Rippe in Stücke schneiden, die Schweinezunge kalt abspülen, die Haut abziehen, die Zunge in Scheiben schneiden das Sauerkraut mit Salz abschmecken, Fleisch und Wurst damit anrichten.
Kochzeit für Hohe Rippe und Schweinezunge:	etwa 2 Stunden
Schmorzeit für das Sauerkraut:	etwa 1 ½ Stunden.

AAL

In fast allen Fließgewässern, die ins Mittelmeer, in die Nord- oder Ostsee und den Atlantik münden, ist der Aal zuhause. Mit seiner schlangenartigen Form und seiner schleimigen, schuppenlos wirkenden Haut ist er sicherlich keine Schönheit. Nichtsdestotrotz zählt er zu den beliebtesten Süßwasserfischen auf unseren Speisekarten. Er wird meist geräuchert angeboten. Aber auch frisch zubereitet in der „Hamburger Aalsuppe", mariniert, gebraten und fritiert in verschiedenen Versionen ist er eine Delikatesse. Und sowohl „Aal in Aspik" als auch „Aal grün" sind kulinarische , Alternativen, die sich noch kein Fischfan hat entgehen lassen.

AAL IN PETERSILIENSAUCE

500 g enthäuteten
Flußaal · waschen, in 5 - 6 cm lange Stücke schneiden
1 Bund Suppengrün · putzen, waschen, kleinschneiden, mit
1 Lorbeerblatt
5 weißen Pfefferkörnern
2 - 3 Zitronenscheiben
(unbehandelt) · in
500 ml (½ l) Salzwasser · zum Kochen bringen, 5 Minuten kochen lassen,
die Aalstücke hinzufügen, zum Kochen bringen,
etwa 10 Minuten darin ziehen lassen
die Aalstücke mit einem Schaumlöffel
herausnehmen, in eine vorgewärmte Schüssel
geben, warm stellen.

Für die Petersilien-Sauce
die Fischbrühe durch ein Sieb gießen, 500 ml
(½ l) davon abmessen (evtl. mit Wasser
auffüllen)
40 g Butter · zerlassen
35 g Weizenmehl · unter Rühren so lange darin erhitzen, bis es
hellgelb ist, die Fischbrühe hinzugießen, mit
einem Schneebesen durchschlagen, darauf achten,
daß keine Klumpen entstehen, zum Kochen
bringen, etwa 10 Minuten kochen lassen
1 Becher (150 g)
Crème fraîche
3 - 4 EL gehackte
Petersilie · unterrühren, die Sauce mit
Salz
frisch gemahlenem Pfeffer · abschmecken, über die Aalstücke gießen.
Kochzeit für den Aal: · etwa 10 Minuten
Kochzeit für die Sauce: · etwa 10 Minuten.
Hinweis: · Petersilienkartoffeln und Eisbergsalat
dazureichen.

GEGRILLTER HUMMER MIT ROTWEIN-BUTTER

1 Zwiebel	abziehen, grob würfeln
½ Stange Lauch	putzen, gründlich waschen, in Ringe schneiden
1 Möhre	putzen, schälen, waschen
50 g Sellerie	schälen, waschen
	beide Zutaten in grobe Stücke schneiden
	das Gemüse mit
5 Pfefferkörnern	
1 Lorbeerblatt	
Salz	
Paprika edelsüß	in einem großen Topf mit
Wasser	zum Kochen bringen
2 Hummer	
(je etwa 600 g)	in die kochende Flüssigkeit geben, etwa 15 Minuten darin garen, herausnehmen, abtropfen lassen.

Für die Rotwein-Butter

2 Schalotten	abziehen, fein hacken
30 g Kerbel	
30 g Kresse	
30 g Petersilie	unter fließendem kaltem Wasser abspülen, trockentupfen, fein hacken
	Schalotten und Kräuter mit
100 ml Rotwein	zum Kochen bringen, die Flüssigkeit auf die Hälfte einkochen lassen
250 g Butter	hinzufügen, den Topf vom Herd nehmen, die Butter mit dem Schneebesen schaumig schlagen, mit Salz,
Pfeffer	abschmecken
	die Hummer längs halbieren, die Scheren abdrehen und ausbrechen, das Hummerfleisch vorsichtig aus den Schwänzen lösen, in grobe Stücke schneiden
	das Fleisch mit der Rotwein-Butter vermengen, in die Hummerhälften füllen, bei Oberhitze etwa 5 Minuten übergrillen.

Fisch

GRAVED LACHS (Foto)

(Für 8-10 Personen)

1 kg Lachs (aus der Mitte geschnitten)	unter fließendem kaltem Wasser abspülen, trockentupfen, der Länge nach halbieren, die Gräten herauslösen (Foto 1)
5 Korianderkörner	zerstoßen, mit
1 EL Zucker	
1 ½ TL frisch gemahlenem Pfeffer	
1 TL grobem Salz	mischen, die Innenseiten der Fischstücke damit einreiben
2 Bund Dill	unter fließendem kaltem Wasser abspülen, trockentupfen, grob zerschneiden, die Fischhälften damit bestreuen (Foto 2), die Hälften zusammenklappen und in Frischhaltefolie fest einwickeln oder in eine Auflaufform legen, mit einem Brett und Gewichten (Konservendosen) gleichmäßig beschweren (Foto 3), 1-2 Tage kühl stellen, dabei den Lachs mehrmals wenden die Gewürze abschaben, den Lachs schräg in dünne Scheiben schneiden (Foto 4), die Haut dabei zurücklassen.

Für die Senfsauce

1 ½ EL scharfen Senf	mit
1 EL Zucker	
2 EL Weinessig	
5 EL Distelöl	
1 EL feingehacktem Dill	verrühren Portionsteller mit
Herzblättern vom Kopfsalat	belegen, den Lachs mit etwas Sauce darauf anrichten, mit
½ TL roten Pfefferkörnern	bestreuen, die restliche Sauce dazureichen.

459

GRÜNER AAL EINMAL ANDERS (Foto)

Etwa 750 g küchenfertigen Grünen Aal	unter fließendem kaltem Wasser abspülen, trockentupfen, mit
Salz frisch gemahlenem Pfeffer	würzen, in eine gefettete, feuerfeste Form geben
10-15 Salbeiblätter	vorsichtig abspülen, trockentupfen, auf den Fisch legen
Butter	in Flöckchen darauf setzen die Form auf dem Rost in den vorgeheizten Backofen schieben den Fisch während des Garens ab und zu mit dem Bratensatz begießen
Ober-/Unterhitze:	200-225 °C (vorgeheizt)
Heißluft:	180-200 °C (nicht vorgeheizt)
Gas:	Stufe 3-4 (vorgeheizt)
Garzeit:	20-25 Minuten.
Beilage:	Butterkartoffeln, Grüner Salat.

HAISTEAKS IN KAPERNBUTTER

4 Haisteaks (je etwa 200 g)	unter fließendem kaltem Wasser abspülen, trockentupfen, mit
16 Sardellenfilets	spicken, mit
Salz frisch gemahlenem Pfeffer Worcestersauce	würzen, mit dem
Saft von 1 Zitrone	beträufeln, mit
2 EL Weizenmehl	bestäuben
125 ml (⅛ l) Speiseöl	erhitzen, die Haisteaks darin etwa 15 Minuten braten, herausnehmen, warm stellen, das Öl abgießen
150 g Butter	zerlassen
2 EL Kapern	unterrühren, über die Steaks geben.
Beilage:	Radieschen-Champignon-Salat.

HECHTSTÜCKCHEN MIT ABGESCHLAGENER SENFSAUCE

1 küchenfertigen Hecht (etwa 850 g)	unter fließendem kaltem Wasser abspülen, trockentupfen, in etwa 2 cm große Stücke schneiden, nach Belieben mit
Zitronensaft	beträufeln, etwa 15 Minuten stehenlassen, trockentupfen, mit
Salz frisch gemahlenem Pfeffer Butter oder Margarine	würzen, die Fischstückchen in eine mit gefettete Auflaufform geben
1 gut gehäuften EL Semmelbrösel	darüber streuen
Butter	in Flöckchen darauf setzen, die Auflaufform auf dem Rost in den Backofen schieben.

Für die abgeschlagene Senfsauce

2 Eier 2 gestrichene TL Speisestärke 250 ml (¼ l) kaltes Wasser 2 - 3 TL Senf 2 TL Zitronensaft	verschlagen, im Wasserbad oder auf der Automatikplatte schaumig schlagen, bis die Masse dicklich ist und eine Kochblase aufsteigt (nicht kochen lassen), mit Salz, Pfeffer
Zucker	abschmecken
20 g Butter	zerlassen, etwas abkühlen lassen, unter die Sauce schlagen die Hechtstückchen mit der Senfsauce servieren
Ober-/Unterhitze:	225 - 250 °C (vorgeheizt)
Heißluft:	200 - 220 °C (nicht vorgeheizt)
Gas:	Stufe 6 - 7 (vorgeheizt)
Dünstzeit für den Fisch:	etwa 15 Minuten
Zubereitungszeit für die Sauce:	etwa 6 Minuten.
Beilage:	Salzkartoffeln.

Im Winter

461

LANGOSTINOS AUF BLÄTTERTEIG

600 g tiefgekühlten Blätterteig	auftauen, ausrollen, in 18 Quadrate von etwa 8 x 8 cm teilen, dann diagonal in Dreiecke schneiden
12-15 Champignons	putzen, abspülen, in Scheiben schneiden
20 gefüllte Oliven	in Scheiben schneiden
etwa 500 g tiefgekühlte Langostinos	auftauen lassen
etwa 180 g Schweizer Käse	raspeln, mit
Paprika edelsüß	vermengen
1 Ei	mit
3 EL Milch	verschlagen, die Dreiecke damit bestreichen, mit je 3 Langostinos, 1 Champignon- und 3 Olivenscheiben belegen, mit etwas Käse bestreuen, auf ein kalt abgespültes Backblech legen, auf dem Rost in den vorgeheizten Backofen schieben
Ober-/Unterhitze:	etwa 200 °C (vorgeheizt)
Heißluft:	etwa 180 °C (nicht vorgeheizt)
Gas:	etwa Stufe 4 (vorgeheizt)
Backzeit:	etwa 10 Minuten.
Kerbelblättchen	über das gare Gebäck streuen, sofort servieren.

KLIESCHEN AUF SAUERKRAUT

2 küchenfertige Klieschen (vom Fischhändler filetieren lassen, je etwa 500 g)	unter fließendem kaltem Wasser abspülen, trockentupfen, mit
Zitronensaft	beträufeln, etwa 15 Minuten stehenlassen
2 Zwiebeln	abziehen, würfeln
etwa 50 g durchwachsenen Speck	in Würfel schneiden
2 EL Speiseöl	erhitzen, Zwiebel- und Speckwürfel darin glasig dünsten lassen

400 - 500 g Sauerkraut	locker zupfen, hinzufügen, durchdünsten lassen
250 ml (¼ l) heißen Fischfond	
1 Lorbeerblatt	
½ TL Kümmel	
Salz	
Zucker	hinzufügen, das Sauerkraut gar dünsten lassen
	die Fischfilets trockentupfen, mit Salz würzen
2 EL Weizenmehl	mit
1 EL Paprika edelsüß	
frisch gemahlenem Pfeffer	verrühren, die Fischfilets darin wenden
1 - 2 EL Butter	zerlassen, die Fischfilets von beiden Seiten
	darin goldbraun braten
	das gare Sauerkraut auf einer vorgewärmten
	Platte mit den Klieschenfilets anrichten.
Dünstzeit für das Sauerkraut:	etwa 40 Minuten
Bratzeit für den Fisch:	8-10 Minuten.
Beilage:	Brühkartoffeln.

Lachs mit Wein-Zitronen-Sauce

1 Zwiebel	abziehen
375 ml (³/₈ l) Weißwein	in eine Kasserolle gießen, die Zwiebel mit
1 Lorbeerblatt	
3 Nelken	
2 Stück Zitronenschale (unbehandelt)	
½ TL gerebeltem Estragon	
1 TL gerebeltem Basilikum	
1 gestrichenen TL Salz	
Zucker	zu dem Wein geben, zum Kochen bringen, im geschlossenen Topf etwa 10 Minuten kochen lassen
4 Scheiben Lachs (je etwa 200 g)	unter fließendem kaltem Wasser abspülen, in die Flüssigkeit geben, zum Kochen bringen, gar ziehen lassen
	den Lachs mit Alufolie abgedeckt warm stellen
	die Fisch-Wein-Brühe durch ein Sieb gießen.

Für die Wein-Zitronen-Sauce

250 ml (¼ l) Fisch-Wein-Brühe	in einen Topf geben
1 schwach gehäuften TL Speisestärke	mit
1 - 2 EL Weißwein	anrühren, mit
2 Eigelb	verschlagen, zu der Fisch-Wein-Brühe geben, unter ständigem Schlagen erhitzen, so lange schlagen, bis die Sauce dicklich ist, nach und nach
75 g weiche Butter	in Flöckchen unterschlagen die Sauce mit Zucker,
Salz frisch gemahlenem Pfeffer Zitronensaft	abschmecken die Lachsscheiben auf einer vorgewärmten Platte anrichten, etwas von der Sauce darüber geben die restliche Sauce dazureichen die Lachsscheiben mit
Zitronenscheiben	garnieren.
Garzeit für den Lachs:	etwa 10 Minuten
Für die Sauce:	etwa 8 Minuten.

LIMANDEN IN BRATFOLIE

2 küchenfertige Limanden (vom Fischhändler filetieren lassen, je etwa 500 g)	unter fließendem kaltem Wasser abspülen, trockentupfen, mit
Zitronensaft	beträufeln, etwa 15 Minuten stehenlassen
etwa 200 g Champignons	putzen, waschen, in Scheiben schneiden, mit Zitronensaft beträufeln
2 - 3 Fleischtomaten	kurze Zeit in kochendes Wasser legen, in kaltem Wasser abschrecken, enthäuten, halbieren, entkernen, in Streifen schneiden
2 Zwiebeln 1 Knoblauchzehe	
	beide Zutaten abziehen, fein würfeln Champignons, Tomatenstreifen, Zwiebel- und

Knoblauchwürfel auf ein genügend großes Stück
Bratfolie geben, mit

Salz	
frisch gemahlenem Pfeffer	
Paprika edelsüß	
Kräutern aus der Provence	würzen, die Fischfilets trockentupfen, mit
	Salz, Pfeffer würzen, auf das Gemüse legen, die
	Folie verschließen, auf dem Rost in die Mitte
	des vorgeheizten Backofens schieben
Ober-/Unterhitze:	etwa 200 °C (vorgeheizt)
Heißluft:	etwa 180 °C (nicht vorgeheizt)
Gas:	etwa Stufe 4 (vorgeheizt)
Garzeit:	etwa 25 Minuten.
	Die Limandenfilets mit dem Gemüse auf einer
	vorgewärmten Platte anrichten.
Beilage:	Stangenweißbrot, Kräuterbutter, Endiviensalat.

MARINIERTE HERINGSHAPPEN

750 g Heringsfilets	unter fließendem kaltem Wasser abspülen,
	trockentupfen, in etwa 3 cm breite Stücke
	schneiden
2 rote Zwiebeln	abziehen, in Scheiben schneiden
1 Möhre	putzen, schälen, waschen, in Scheiben
	schneiden
	Heringsfilets, Zwiebeln und Möhre in ein Glas
	schichten
250 ml (¼ l) Rotweinessig	mit
200 ml Wasser	
4 EL Zucker	aufkochen, bis der Zucker ganz gelöst ist
1 Lorbeerblatt	
2 TL Pimentkörner	
2 TL Senfkörner	hinzufügen, ganz abkühlen lassen
	die abgekühlte Marinade in das Glas gießen, bis
	die Zutaten völlig bedeckt sind
	die Heringshappen 2-3 Tage im Kühlschrank
	durchziehen lassen, mit
frischem Dill	garniert servieren.
Hinweis:	Vollkornbrot und Butter dazureichen.

MUSCHELSPIESSE

Etwa 250 g Miesmuscheln
(aus der Dose, im
eigenen Sud gegart) abtropfen lassen
2 - 3 Zwiebeln abziehen, in Stücke schneiden
1 grüne und 1 rote
Paprikaschote halbieren, entstielen, entkernen, die weißen
Scheidewände entfernen, die Schoten waschen, in
Stücke schneiden, in
kochendes Salzwasser geben, zum Kochen bringen, 1 - 2 Minuten kochen
lassen, zum Abtropfen auf ein Sieb geben
Muscheln, Zwiebel- und Paprikaschotenstücke
abwechselnd auf Holz- oder Metallspieße
stecken, mit
Salz
frisch gemahlenem Pfeffer
Cayennepfeffer
Paprika edelsüß bestreuen
die Spieße zuerst in
30 g geriebenem
Parmesan-Käse
dann in
1 verschlagenen Ei wenden
4 EL Speiseöl in einer Pfanne erhitzen
2 Knoblauchzehen abziehen, sehr fein schneiden, zu dem Öl geben,
verrühren, die Spieße darin von beiden Seiten
jeweils 1 - 2 Minuten braten, auf einer
vorgewärmten Platte anrichten
Bratzeit: 2 - 4 Minuten.
Beilage: Ketchup-Sauce, Remoulauden-Sauce,
Stangenweißbrot mit Kräuterbutter, Fenchelsalat.

POCHIERTE FISCHROULADE (Foto)

8 Scheiben
Steinbeißerfilet
(je etwa 100 g) unter fließendem kaltem Wasser abspülen,
trockentupfen, mit
Zitronensaft beträufeln, mit

Fisch

466

Salz	
frisch gemahlenem Pfeffer	würzen
1 rote Paprikaschote	
1 grüne Paprikaschote	halbieren, entstielen, entkernen, die weißen Scheidewände entfernen, die Schoten waschen
100 g Lauch	putzen, gründlich waschen
4 Schalotten	abziehen, das Gemüse in feine Würfel schneiden
1 Bund Dill	unter fließendem kaltem Wasser abspülen, trockentupfen, fein schneiden, mit den Gemüsewürfeln mischen, auf die Filets verteilen, die Filets zusammenrollen, mit Holzspießchen feststecken, in einen Topf geben
50 g Butter	
100 ml Weißwein (Riesling)	
100 ml trockenen Wermut	
1 Lorbeerblatt	hinzufügen, die Rouladen bei schwacher Hitze 15 - 20 Minuten garen.
Hinweis:	Pellkartoffeln und Radieschen-Salat mit Kresse dazu reichen.

PIKANTES MUSCHELGERICHT (Foto)

1 Zwiebel	abziehen, fein würfeln, in
50 g Butter	glasig dünsten
100 g tiefgekühlte Shrimps	dazugeben, etwa 4 Minuten dünsten lassen
1 hartgekochtes Ei	pellen, in Würfel schneiden
200 g Muscheln (aus der Dose)	abtropfen lassen, mit dem Ei,
1 Bund gehackter Petersilie	zu den Shrimps geben, mit
Salz	
frisch gemahlenem Pfeffer	
Tabascosauce	würzen, in 3 - 4 Minuten erhitzen.
Garzeit insgesamt:	7 - 8 Minuten.
Hinweis:	Nach Belieben mit Eischeiben und gehackter Petersilie garnieren. Dazu Stangenweißbrot reichen.

Pikante Fischspiesse

(Für 6 Personen)

Für die Marinade

3 EL Speiseöl	mit dem
Saft von 1 Zitrone	
1 TL Senf	
Tabasco oder	
Worcestersauce	
Salz	
frisch gemahlenem	
weißen Pfeffer	
Paprika edelsüß	verrühren
1 - 2 TL feingehackten Dill	unterrühren.

300 g küchenfertigen	
Grünen Aal	enthäuten, in etwa 3 cm große Stücke schneiden
200 g Kabeljaufilet	unter fließendem kaltem Wasser abspülen, trockentupfen, in gleichmäßig große Stücke schneiden
200 g große Scampi	aus der Schale lösen
	Aalstücke, Kabeljauwürfel und Scampi in die Marinade geben, etwa 30 Minuten durchziehen lassen, dabei ab und zu wenden, herausnehmen, abtropfen lassen
12 sehr kleine Tomaten	waschen, abtrocknen, die Stengelansätze herausschneiden
¼ Salatgurke (etwa 200 g)	waschen, abtrocknen, in etwa ½ cm dicke Scheiben schneiden
	die fünf Zutaten abwechselnd auf sechs Spieße stecken
100 g Butter	
oder Margarine	erhitzen, die Spieße von allen Seiten darin braten lassen, mit
Salz	
frisch gemahlenem Pfeffer	würzen, mit
Zitronenachteln	servieren.
Bratzeit:	etwa 10 Minuten.

Schellfisch Angela

750-1000 g küchenfertigen Schellfisch	unter fließendem kaltem Wasser abspülen, trockentupfen, in etwa 3 cm breite und etwa 5 cm lange Streifen schneiden
3-4 EL Weizenmehl	mit
Salz frisch gemahlenem Pfeffer Paprika edelsüß	vermengen, den Fisch darin wenden
2-3 EL Butter	in einer großen Pfanne zerlassen die Hälfte von
250 ml (¼ l) Schlagsahne	hinzufügen, erhitzen, den Fisch hineingeben, gar dünsten lassen den Fisch in eine vorgewärmte Schüssel geben die restliche Sahne,
1-2 EL mittelscharfen Senf	unter die Sauce rühren, aufkochen lassen, mit Salz, Pfeffer abschmecken, über den Schellfisch gießen, mit
gehacktem Dill	bestreuen.
Dünstzeit:	etwa 20 Minuten.
Beilage:	Dillkartoffeln und Eisbergsalat.

Schellfischsalat nach Hausfrauenart

500 g Schellfisch (Schwanzstück)	unter fließendem kaltem Wasser abspülen, mit
500 ml (½ l) Wasser 6 Pfefferkörnern ½ TL Senfkörnern 1 schwach gehäuften EL Salz 1-2 EL Essig-Essenz (25%) 1 kleinen Lorbeerblatt	zum Kochen bringen, den Fisch hineingeben, zum Kochen bringen, gar ziehen lassen, den Fisch enthäuten, entgräten, kalt stellen

469

	oder 300 g gekochter Schellfisch	

oder 300 g gekochter
Schellfisch
(enthäutet, entgrätet) den Fisch in Stücke schneiden
2 hartgekochte Eier pellen
250 g Tomaten waschen
2 Gewürzgurken

die 3 Zutaten in Scheiben schneiden, zu dem
Fisch geben.

Für die Salatsauce

6 EL Speiseöl mit
1 EL Kräuter-Essig-Essenz
1 gehäuften EL Senf verrühren, mit
1 TL Salz
Zucker
frisch gemahlenem Pfeffer abschmecken
die Salatzutaten mit der Sauce vermengen, den
Salat durchziehen lassen, mit Salz, Senf, Essig
abschmecken.
Kochzeit: etwa 15 Minuten.
Beilage: Toast.

SEEZUNGEN-RÖLLCHEN IN KRÄUTER-SAHNE

12 Seezungen-Filets
(etwa 600 g) unter fließendem kaltem Wasser abspülen,
trockentupfen, mit
2 EL Zitronensaft beträufeln, etwa 20 Minuten stehenlassen,
trockentupfen, mit

Salz
frisch gemahlenem Pfeffer bestreuen
2 EL gemischte,
gehackte Kräuter darauf verteilen, die Seezungen-Filets
aufrollen, mit Holzspießchen feststecken
40 g Butter in der Flambierpfanne erhitzen
die Seezungen-Röllchen darin unter vorsichtigem
Wenden braten, mit
5 EL Weinbrand flambieren
die Seezungen-Röllchen auf einer vorgewärmten
Platte anrichten, mit Alufolie abgedeckt warm stellen

1 Becher (150 g)	
Crème fraîche	mit
2 EL gehackten Kräutern	
1 EL Tomaten-Ketchup	zu dem Bratensatz in die Flambierpfanne geben, gut verrühren, zum Kochen bringen, mit Salz, Pfeffer abschmecken, zu den Seezungen-Röllchen reichen
Bratzeit:	etwa 10 Minuten.

STEINBUTT CLARISSA

4 Steinbuttfilets (je etwa 200 g)	unter fließendem kaltem Wasser abspülen, trockentupfen, mit
Zitronensaft oder verdünnter Essig-Essenz (25%)	beträufeln, etwa 15 Minuten stehenlassen
2 Zwiebeln	
1 Knoblauchzehe	beide Zutaten abziehen, fein würfeln
2 grüne Paprikaschoten	halbieren, entstielen, entkernen, die weißen Scheidewände entfernen, die Schoten waschen, in Streifen schneiden
300 g Tomaten	kurze Zeit in kochendes Wasser legen, in kaltem Wasser abschrecken, enthäuten, halbieren, entkernen, in Würfel schneiden die Fischfilets trockentupfen, mit
Salz	
frisch gemahlenem Pfeffer	würzen, in
Weizenmehl	wenden
2-3 EL Speiseöl	erhitzen
1 EL Butter	hinzufügen, die Fischfilets hineinlegen, von jeder Seite 3-4 Minuten darin braten lassen, warm stellen

Zwiebel- und Knoblauchwürfel in dem Bratensatz andünsten, die Paprikaschoten hinzufügen, durchdünsten lassen, die Tomatenwürfel unterrühren, mit Salz, Pfeffer,

Safran
Nelkenpfeffer würzen
250 ml (¼ l)
trockenen Weißwein hinzugießen, die Fischfilets auf das Gemüse legen, zugedeckt etwa 10 Minuten dünsten lassen die Steinbuttfilets mit dem Gemüse auf einer vorgewärmten Platte anrichten

2 EL Crème fraîche unter die Gemüseflüssigkeit rühren, mit
gehackter Petersilie bestreuen, dazureichen.
Garzeit: 25-30 Minuten.
Beilage: Safranreis, Chicoréesalat.

ZANDERSCHNITTEN

1 küchenfertigen Zander
(etwa 1 kg) unter fließendem kaltem Wasser abspülen, filetieren, trockentupfen, entgräten, jedes Filet in 4 Stücke schneiden, nach Belieben mit
Zitronensaft beträufeln, etwa 15 Minuten stehenlassen, trockentupfen, mit

Salz
frisch gemahlenem Pfeffer würzen
100 g durchwachsenen
Speck in etwa 2 cm große Würfel schneiden, die Hälfte davon in eine mit
Butter oder Margarine gefettete, flache Auflaufform geben, den Fisch darauf legen, mit dem restlichen Speck belegen, auf dem Rost in den Backofen schieben
4 Tomaten waschen, in Scheiben schneiden, den Fisch nach etwa 15 Minuten Dünstzeit damit belegen, mit Salz,
Basilikum bestreuen

2 große Scheiben Gouda	halbieren, jeweils ½ Scheibe auf eine Zanderschnitte legen
	die Auflaufform nochmals 5 Minuten in den Backofen schieben, bis der Käse zerlaufen ist
Ober-/Unterhitze:	225-250 °C (vorgeheizt)
Heißluft:	200-220 °C (nicht vorgeheizt)
Gas:	Stufe 6-7 (5 Minuten vorgeheizt)
Dünstzeit:	etwa 20 Minuten.
Beilage:	Butterkartoffeln, Grüner Salat.

FISCH IM FISCH

300 g tiefgekühlten Blätterteig	bei Zimmertemperatur auftauen lassen
500 g geräucherten Heilbutt	unter fließendem kaltem Wasser abspülen, trockentupfen, entgräten, die Haut ablösen das Fischfleisch fein hacken, mit
3 EL gehacktem Dill	vermengen
	die Blätterteigscheiben einzeln ausrollen und zur Hälfte mit der Fischfüllung belegen die Teigränder rundherum mit
1 verschlagenen Eiweiß	bestreichen
	die freie Teighälfte umschlagen, die Ränder gut festdrücken
	die Teigpäckchen in Fischform ausschneiden aus den Teigresten "Flossen" und Verzierungen schneiden und aufkleben den Fisch im Fisch auf ein mit Back-Trennpapier ausgelegtes Backblech legen
1 Eigelb	mit
etwas Milch	verschlagen, die Oberfläche damit einpinseln, im vorgeheizten Backofen etwa 20 Minuten backen, noch warm servieren
Ober-/Unterhitze:	etwa 225 °C (vorgeheizt)
Heißluft:	etwa 200 °C (nicht vorgeheizt)
Gas:	etwa Stufe 4.
Hinweis:	Saure Sahne dazu reichen.

MAN NEHME
KNOBLAUCH

Am Knoblauch scheiden sich die Geister. Die einen sind ganz vernarrt in seinen herrlichen Duft und dieses einzigartige Aroma, das er an alle Speisen zaubert, die anderen können gar nicht genug üble Schimpfworte finden, um ihren Abscheu auszudrücken. Knoblauch ist eben mehr als nur ein Gewürz. Knoblauch ist eine Lebenseinstellung. Dabei ist allgemein bekannt, daß der würzige Vetter der Zwiebel ein wahrer Jungbrunnen ist. Er beugt der Arterienverkalkung vor, senkt den Blutdruck und wirkt verdauungsanregend. Knoblauch schmeckt erntefrisch im Frühsommer am besten und intensivsten. Getrocknet ist er aber das ganze Jahr über zu kaufen.

BOEUF STROGANOFF

600 g Rinderfiletspitzen	in Streifen schneiden
100 g Zwiebeln	abziehen
100 g Champignons	putzen, mit einem Küchentuch abreiben
100 g Gewürzgurken	abtropfen lassen
	alle Zutaten in Streifen schneiden
40 g Pflanzenfett	sehr heiß werden lassen (das Fett muß rauchen)
	die Filetspitzen schnell von allen Seiten darin
	anbraten (maximale Bratzeit 1 - 2 Minuten)
	Fleisch herausnehmen, warm stellen
	die Zwiebel-, Champignon- und Gewürzgurken-
	streifen in dem Bratfett anbraten, mit
200 ml Rinderfond	auffüllen, etwas einkochen lassen, mit

Salz
frisch gemahlenem Pfeffer
1 TL mittelscharfem Senf
2 EL Crème fraîche   würzen
das Fleisch mit Salz und Pfeffer würzen, in die Sauce
geben, leicht erhitzen (nicht mehr kochen lassen!).

GEKRÄUTERTES ROASTBEEF

(Für 6 - 8 Personen)

1,5 kg Roastbeef (ohne Knochen)	unter fließendem kaltem Wasser abspülen, trockentupfen, das Fleisch etwas einritzen und mit
Salz frisch gemahlenem Pfeffer	würzen
1 Knoblauchzehe	abziehen, fein würfeln
30 g Rindermark	pürieren, mit dem Knoblauch,
4 EL gemischten, gehackten Kräutern (Thymian, Rosmarin, Salbei, Majoran)	vermengen, das Roastbeef damit bestreichen und über Nacht abgedeckt kühl stellen das Fleisch in eine Fettfangschale legen und mit
2 EL Semmelbröseln	bestreuen die Pfanne auf dem Rost in den vorgeheizten Backofen schieben und das Roastbeef etwa 40 Minuten braten
Ober-/Unterhitze:	etwa 250 °C (vorgeheizt)
Heißluft:	etwa 220 °C (nicht vorgeheizt)
Gas:	Stufe 5 - 6 (vorgeheizt).
Hinweis:	Bratkartoffeln, Bohnen und Salat als Beilage reichen.

Hammelkoteletts mit Paprikagemüse

4 rote Paprikaschoten	halbieren, entstielen, entkernen, die weißen Scheidewände entfernen, die Schoten waschen, in dünne Streifen schneiden
1 EL Butter oder Margarine	zerlassen, die Paprikastreifen darin in etwa 25 Minuten gar dünsten lassen
1 TL Speisestärke	mit
125 mg (⅛ l) Schlagsahne	anrühren, das Gemüse damit binden, mit
Salz, Pfeffer	abschmecken, das Gemüse auf eine vorgewärmte Platte geben, warm stellen
4 Hammelkoteletts	unter fließendem kaltem Wasser abspülen, trockentupfen, vom Fett befreien, auf den heißen Grillrost legen, unter den vorgeheizten Grill schieben, zunächst von der einen, dann von der anderen Seite grillen die Koteletts nach jeweils 1 Minute mit
Speiseöl	bestreichen die garen Koteletts mit Salz, Pfeffer,
Paprika edelsüß	bestreuen, mit dem Gemüse anrichten
Grillzeit:	
Ober-/Unterhitze:	Jede Seite etwa 6 Minuten
Gas:	1. Seite etwa 4 Minuten, 2. Seite etwa 3 Minuten.
Beilage:	Butterreis.

Geschmorte Kalbshaxe

4 Scheiben Kalbshaxe (je etwa 200 g)	unter fließendem kaltem Wasser abspülen, trockentupfen
4 Zwiebeln	abziehen, fein würfeln
250 g Möhren	putzen, schälen, waschen, in Scheiben schneiden
4 EL Speiseöl	erhitzen, die Fleischscheiben darin von beiden Seiten goldbraun braten Zwiebelwürfel, Möhrenscheiben,
gelbe Schale von ½ Zitrone (unbehandelt)	hinzufügen, etwa 1 Minute mitbraten lassen,

476

	mit dem
Saft von 1 Zitrone	ablöschen, die Flüssigkeit verdampfen lassen
etwa 75 ml trockenen Wermut	
125 ml (⅛ l) Fleischbrühe	hinzufügen, das Fleisch schmoren lassen
3 frische Knoblauchknollen	in die einzelnen Zehen zerteilen, abziehen zu dem Fleisch geben, mit
Salz frisch gemahlenem Pfeffer	würzen, das Fleisch zugedeckt bei schwacher Hitze in etwa 1 ½ Stunden gar schmoren lassen, auf einer vorgewärmten Platte anrichten, die Schmorflüssigkeit mit dem Gemüse und dem Knoblauch evtl. durch ein Sieb streichen, über das Fleisch geben, mit
gehackter glatter Petersilie	bestreuen.
Beilage:	Risotto.

KALBSMEDAILLONS IN GORGONZOLASAUCE

Für die Gorgonzolasauce

Etwa 320 g Gorgonzola	zerbröckeln, mit
500 ml (½ l) Schlagsahne	zum Kochen bringen, zu einer cremigen Sauce einkochen lassen, mit etwas
Salz frisch gemahlenem weißen Pfeffer	abschmecken, warm stellen
800 g Kalbsfilet	evtl. von Haut und Sehnen befreien, abspülen, trockentupfen, in 2 - 3 cm dicke Scheiben schneiden, mit Salz, Pfeffer,
gehackten Oregano- oder Majoranblättchen	bestreuen
Butterschmalz	erhitzen, die Kalbsmedaillons darin von beiden Seiten etwa 10 Minuten braten, auf vorgewärmten Tellern anrichten, mit der Gorgonzolasauce überziehen, sofort servieren.
Hinweis:	Butterreis und Stangenspargel dazureichen.

Ungarisches Kartoffelgulasch

1 kg Kartoffeln	schälen, waschen, in etwa 2 cm große Würfel schneiden, auf Haushaltspapier trocknen lassen
50 g fetten Speck	in sehr kleine Würfel schneiden, in
1 EL erhitztem Speiseöl	auslassen
2 Zwiebeln	abziehen, halbieren, fein würfeln, hinzufügen, andünsten lassen
1 grüne Paprikaschote	halbieren, entstielen, entkernen, die weißen Scheidewände entfernen, die Schote waschen, in Streifen schneiden, zu den Zwiebeln geben, mitdünsten lassen
	die abgetropften Kartoffelwürfel dazugeben
1 Knoblauchzehe	abziehen, zerdrücken, hinzugeben, mit
2 EL Paprika edelsüß	
1 Messerspitze gemahlenem Kümmel	
Salz	würzen
500 ml (½ l) heiße Fleischbrühe	hinzugießen, zum Kochen bringen, bei schwacher Hitze 25-30 Minuten garen lassen
4 EL saure Sahne	unterrühren.

Kasseler Rippenspeer (Foto)

(Für 6 Personen)

1 ½ kg Kasseler Rippenspeer (mit Knochen, herausgelöst und zerkleinert)	unter fließendem kaltem Wasser abspülen, trockentupfen, die Fettschicht gitterförmig einschneiden (Foto 1)
1 mittelgroße Zwiebel	abziehen
1 mittelgroße Tomate	waschen, den Stengelansatz herausschneiden
1 Bund Suppengrün	putzen, waschen
	die drei Zutaten kleinschneiden
	das Fleisch mit der Fettschicht nach oben in

heißes Wasser	eine mit Wasser ausgespülte Rostbratpfanne legen, Gemüse und Knochen mit in die Pfanne geben, in den vorgeheizten Backofen schieben sobald der Bratensatz bräunt, etwas hinzugießen (Foto 2), das Fleisch ab und zu mit dem Bratensatz begießen, verdampfte Flüssigkeit nach und nach durch heißes Wasser ersetzen
1 kleines Lorbeerblatt 4 Gewürznelken	30 Minuten vor Beendigung der Bratzeit in die Rostbratpfanne geben das gare Fleisch vor dem Schneiden 10 Minuten ruhen lassen, damit sich der Fleischsaft setzt das Fleisch in Scheiben schneiden, auf einer vorgewärmten Platte anrichten den Bratensatz mit etwas Wasser loskochen, durch ein Sieb gießen, mit Wasser auf 500 ml (½ l) auffüllen, auf der Kochstelle zum Kochen bringen
25 g Weizenmehl ½ Becher (75 g) Crème fraîche (30% Fett)	mit
	verrühren, die Flüssigkeit damit binden (Foto 3), die Sauce mit
Salz frisch gemahlenem Pfeffer	abschmecken
Ober-/Unterhitze:	200-225 °C (vorgeheizt)
Heißluft:	180-200 °C (nicht vorgeheizt)
Gas:	Stufe 3-4 (vorgeheizt)
Bratzeit:	50-60 Minuten.
Beilage:	Salzkartoffeln, Ananas-Sauerkraut.
Hinweis:	Kasseler Rippenspeer kann auch in einem Bratentopf auf der Kochplatte zubereitet werden.

KASSELER IM BROTTEIG (Foto)

1 Packung (370 g)
Brotmischung mit
250 ml (¼ l)
lauwarmem Wasser nach der Vorschrift auf der Packung zubereiten,
gehen lassen
den Teig mit
Weizenmehl bestäuben, aus der Schüssel nehmen, kurz
durchkneten
den Teig (nach Belieben etwas zum Garnieren
abnehmen) auf der mit Mehl bestäubten Tischplatte
zu einer länglichen Platte in der doppelten Größe
des Kasselers ausrollen

1 kg Kasseler
(im Stück, ohne Knochen) darauf legen, die Teigränder mit Wasser bestreichen,
um das Kasseler schlagen, den Teig (glatte Seite
nach oben) auf ein gefettetes Backblech legen,
mit dem zurückgelassenen Teig garnieren
über die obere Seite des Teiges verteilt, einige etwa
pfenniggroße Löcher ausstechen oder -schneiden
(nicht drücken), nochmals an einem warmen Ort
gehen lassen
den Teig mit Wasser bestreichen, in den
vorgeheizten Backofen schieben

Ober-/Unterhitze: etwa 200 °C (vorgeheizt)
Heißluft: etwa 180 °C (nicht vorgeheizt)
Gas: Stufe 3 - 4 (vorgeheizt)
Backzeit: 40 - 50 Minuten.

ANANAS-KASSELER IM SAUERKRAUTTEIG

(Für 12 Personen)

Für den Teig

1 kg Sauerkraut
(aus dem Reformhaus) in ein Mulltuch geben, auspressen, den Saft
dabei auffangen, wenn nötig mit warmem Wasser
auf ½ l auffüllen, mit

600 g Roggenmehl	verrühren, mit einem Küchentuch bedecken, über Nacht bei Zimmertemperatur quellen lassen
	Sauerkraut hacken, in einer Pfanne unter Rühren erhitzen, bis alle Flüssigkeit verdampft ist
1 EL Honig	unterrühren, abkühlen lassen
50 g frische Hefe	mit
500 ml (½ l) lauwarmem Wasser	verrühren, mit dem Roggenmehlansatz, dem Sauerkraut,
1100 g Weizenvollkornmehl (Type 1050)	
1 EL Salz	zu einem festen Teig verkneten, eine Kugel formen, zugedeckt an einem warmen Ort gehen lassen, bis sie ihr Volumen etwas vergrößert hat (etwa 3 Stunden)
	den Teig auf bemehlter Arbeitsfläche zu einer Platte ausrollen, in die das gefüllte Kasseler eingeschlagen werden kann.

Für die Füllung

Etwa 1 ½ kg Kasseler (ohne Knochen)	in regelmäßigen Abständen so einschneiden, daß der Braten an seiner Unterseite noch zusammenhängt
1 kleine Ananas (etwa 800 g)	schälen, quer in 12 Scheiben schneiden, den holzigen Strunk entfernen, die Scheiben in die Einschnitte stecken
	den Teig um das Fleisch wickeln, Nahtstellen fest zusammendrücken, den Braten auf ein mit Back-Trennpapier ausgelegtes Blech legen, auf die mittlere Schiene des Backofens schieben
Ober-/Unterhitze:	etwa 225 °C (vorgeheizt)
Heißluft:	etwa 200 °C (nicht vorgeheizt)
Gas:	etwa Stufe 4 (vorgeheizt)
Backzeit:	etwa 100 Minuten.
Hinweis:	Heiß oder kalt servieren.

KOTELETTKRONE

(Für 12 Personen)

1 Kotelettstrang mit 12 Koteletts	unter fließendem kaltem Wasser abspülen, mit Haushaltspapier trockentupfen, hinter jedem Kotelettstück so tief einschneiden bzw. -sägen, daß der Strang noch an einer Seite zusammenhängt, den Kotelettstrang zum Ring biegen und am unteren Knochen mit Küchengarn zusammenbinden mit der zusammengebundenen Seite nach oben in einen Bräter geben, mit
Salz frisch gemahlenem schwarzem Pfeffer	einreiben, mit
125 ml (⅛ l) Fleischbrühe	begießen den Bräter auf dem Rost in den vorgeheizten Backofen schieben
Ober-/Unterhitze:	175 - 200 °C (vorgeheizt)
Heißluft:	150 - 170 °C (nicht vorgeheizt)
Gas:	Stufe 2 - 3 (vorgeheizt)
Bratzeit:	etwa 130 Minuten.

Für die Kruste

1 Tüte Zwiebelringe 1 Tüte Zigeunerchips	so zusammendrücken, daß der Inhalt fein zerkrümelt wird, die Brösel mit
300 g fein geriebenem altem Gouda-Käse 4 EL mildem Senf 250 ml (¼ l) Malzbier	zu einer cremigen Paste verrühren, mit
2 abgezogenen, zerdrückten Knoblauchzehen 1 EL Rosenpaprika 2 EL Paprika edelsüß 1 EL gerebeltem Thymian 1 TL Salz frisch gemahlenem schwarzem Pfeffer	kräftig abschmecken die Kotelettkrone nach 130 Minuten Bratzeit

482

umdrehen, mit der Paste bedecken, die Paste
andrücken
die Kotelettkrone wieder in den Ofen schieben

Ober-/Unterhitze:	etwa 225 °C (vorgeheizt)
Heißluft:	etwa 200 °C (nicht vorgeheizt)
Gas:	etwa Stufe 4 (vorgeheizt)
Bratzeit:	etwa 20 Minuten

die Kotelettkrone heiß oder kalt zusammen mit
dem Bratensaft servieren.

Fruchtig gefüllte Koteletts

(Foto)

4 Koteletts mit eingeschnittener Tasche (je etwa 250 g)	unter fließendem kaltem Wasser abspülen, trockentupfen
4 kleine Scheiben Ananas (aus der Dose)	abtropfen lassen, mit
4 Scheiben rohem Schinken	umlegen in jede Kotelett-Tasche eine Schinken-Ananas-Scheibe geben, mit Holzstäbchen feststecken
1-2 EL Butterschmalz	erhitzen, die Koteletts von beiden Seiten 15-18 Minuten darin anbraten die garen Koteletts auf einer Platte anrichten, mit
Petersilie	garnieren, warm oder kalt servieren.

LAMMRÜCKEN

1 ½ kg Lammrücken   unter fließendem kaltem Wasser abspülen, trockentupfen, entfetten, enthäuten

1 Bund Kräuter (Oregano, Thymian, Majoran, Rosmarin)

die Kräuter waschen, abtrocknen, fein hacken, mit

½ TL gemahlenem Ingwer
½ TL gemahlenem Salbei
½ TL frisch gemahlenem schwarzem Pfeffer
1 ½ TL Salz   mischen, den Lammrücken damit einreiben
das Fleisch fest zusammenbinden, in eine mit Wasser ausgespülte Rostbratpfanne legen, in den vorgeheizten Backofen schieben
sobald der Bratensatz zu bräunen beginnt, etwas von

250 ml (¼ l) Fleischbrühe   hinzugießen, das Fleisch ab und zu mit dem Bratensatz begießen, verdampfte Flüssigkeit nach und nach ersetzen

340 g Ananasstücke (aus der Dose)   in einem Mixer pürieren, mit
1 EL Sojasauce
2 ½ TL Senf   verrühren
30 Minuten vor Beendigung der Bratzeit den Lammrücken mit 3 Eßlöffel Ananaspüree bestreichen
das gare Fleisch auf einer vorgewärmten Platte anrichten, warm stellen
den Bratensatz mit Wasser loskochen, auf der Kochstelle zum Kochen bringen
nach Belieben

etwas Weizenmehl   mit
kaltem Wasser   anrühren, den Bratensatz damit binden
die Sauce evtl. mit Salz, Pfeffer abschmecken
restliches Ananaspüree und Sauce zum Braten reichen

Ober-/Unterhitze: 200 - 225 °C (vorgeheizt)
Heißluft: 180 - 200 °C (nicht vorgeheizt)
Gas: Stufe 3 - 4 (vorgeheizt)
Bratzeit: etwa 1 ½ Stunden.

LAMMRÜCKENFILET IM WIRSINGKLEID (Foto)

1 Lammrückenfilet (500 g)	unter fließendem kaltem Wasser abspülen, mit Haushaltspapier trockentupfen
50 g Pflanzenfett	in einem Bräter sehr heiß werden lassen, Lammfilet darin scharf anbraten, kühl stellen von
2 Köpfen Wirsingkohl (1 kg) kochendem Salzwasser	die grünen Blätter entfernen, in blanchieren, abtropfen lassen Wirsingblätter in doppelter Lage ausbreiten
100 g Bratwurstbrät	mit
100 g gehackten Erdnußkernen	vermengen, das Lammrückenfilet gleichmäßig mit der Masse bestreichen, auf die Wirsingblätter legen, fest damit umwickeln
1 Schweinenetz (200 g)	um die Wirsingblätter wickeln, mit Küchengarn wie einen Rollbraten umwickeln, wiederum von allen Seiten scharf anbraten, den Bräter in den Backofen schieben
Ober-/Unterhitze:	etwa 175 °C (vorgeheizt)
Heißluft:	etwa 150 °C (nicht vorgeheizt)
Gas:	etwa Stufe 2 (vorgeheizt)
Bratzeit:	etwa 10 Minuten den Braten etwa 5 Minuten ruhen lassen, in Scheiben schneiden.

Für die Sauce

1 Becher (150 g) Crème fraîche	in den Bratfond rühren, etwas einkochen lassen, mit
Salz frisch gemahlenem schwarzen Pfeffer Zucker	abschmecken.

ITALIENISCHER BRATEN (Foto)

Von

1 ½ kg magerem Schweinebauch mit eingeschnittener Tasche	die Schwarte rhombenartig einschneiden, das Fleisch unter fließendem kaltem Wasser abspülen, trockentupfen
1 Packung (300 g) tiefgekühlten Broccoli 125 ml (⅛ l) kochendes Salzwasser	in geben, zum Kochen bringen, in 10-15 Minuten gar dünsten, abtropfen lassen den Broccoli pürieren oder durch ein Sieb streichen
75 g Schinkenspeck 2 EL Semmelbröseln	in kleine Würfel schneiden, mit unter das Broccolipüree rühren, die Füllung mit
Salz frisch gemahlenem Pfeffer geriebener Muskatnuß	würzen das Fleisch innen und außen mit Salz, Pfeffer,
gerebeltem Thymian	einreiben die Füllung in die Tasche geben, zunähen das Fleisch auf ein genügend großes Stück Bratfolie legen, die Folie verschließen, auf dem Rost in den vorgeheizten Backofen schieben
Ober-/Unterhitze:	200 °C (vorgeheizt)
Heißluft:	180 °C (nicht vorgeheizt)
Gas:	etwa 3 ½ (vorgeheizt)
Bratzeit:	2 ¼ - 2 ½ Stunden. das gare Fleisch aus dem Backofen nehmen, kurze Zeit ruhen lassen, erst dann die Bratfolie öffnen, das Fleisch erkalten lassen, in Scheiben schneiden, auf einer Platte anrichten, mit
Rosmarinzweigen	garnieren.
Beilage:	Bauernbrot, gemischter Salat.

LEBERROULADEN

4 entsteinte, getrocknete Pflaumen	etwa 12 Stunden in kaltem Wasser einweichen, gut abtropfen lassen, klein hacken
1 Apfel	schälen, vierteln, entkernen, raspeln
50 g durchwachsenen Speck	in Würfel schneiden die Zutaten miteinander vermengen
4 dünne, große Scheiben Rinderleber (je 150 - 200 g)	abspülen, trockentupfen, auf der Innenseite mit
Salz frisch gemahlenem Pfeffer gerebeltem Majoran	bestreuen die Füllung auf die Leberscheiben geben, von der schmalen Seite her aufrollen, mit Holzspießchen oder Küchengarn zusammenhalten
2 EL Speiseöl 1 EL Margarine	mit erhitzen, die Leberrouladen von allen Seiten gut darin anbraten
250 ml (¼ l) Apfelwein	hinzugießen, die Rouladen in etwa 10 Minuten gar schmoren lassen, von den Holzspießchen oder Küchengarn befreien evtl. noch etwas
Apfelwein	hinzugießen die Flüssigkeit mit
3 - 4 EL Apfelmus	binden, die Sauce mit Salz, Pfeffer, Majoran abschmecken die Rouladen in der Sauce servieren.
Beilage:	Salzkartoffeln oder Kartoffelpüree, Grüner Salat oder Apfel-Chicorée-Salat.

SCHASCHLIK (Foto)

300 g Schweineschulter
4 Scheiben Leber
(nicht zu dick, etwa 250 g)

	beide Zutaten unter fließendem kaltem Wasser abspülen, trockentupfen,
250 g Tomaten	waschen, abtrocknen
1 große Banane	schälen
1 - 2 Zwiebeln	abziehen
125 g durchwachsener Speck	
einige Essiggurken	
	alle Zutaten in Stücke oder Scheiben von gewünschter Größe (am besten gut 3 cm groß) schneiden, in beliebiger Reihenfolge auf Grillspieße stecken, dünn mit
Speiseöl	bestreichen
	einen Grillrost mit
Alufolie	belegen, die Spieße darauf legen, unter den vorgeheizten Grill schieben, zunächst von der einen, dann von der anderen Seite grillen, nach dem Wenden die Spieße nochmals mit Speiseöl bestreichen, nach dem Grillen mit
Schaschlik-Gewürz	bestreuen.
Grillzeit:	
Ober-/Unterhitze:	Jede Seite etwa 8 Minuten.
Gas:	Jede Seite 4 - 5 Minuten.

GESCHMORTE KALBSNUSS

(Für 6 Personen)

Für die Marinade

1 l herben Rotwein	mit
1 Lorbeerblatt	
1 Nelke	
1 Stück Stangenzimt	
1 abgezogenen, geviertelten Zwiebel	zum Kochen bringen, kurz aufkochen, erkalten lassen
1 Kalbsnuß (etwa 1 ½ kg)	unter fließendem kaltem Wasser abspülen, trockentupfen, mit
1 gestrichenen TL Paprika edelsüß	einreiben
	die Marinade durch ein Sieb gießen
50 g Speck	in Würfel schneiden, auslassen
	die Kalbsnuß im Speckfett von allen Seiten gut anbraten, Zwiebel und Gewürze aus der Marinade hinzufügen, mitbräunen lassen
	250 ml (¼ l) von der Rotweinmarinade hinzufügen, in den Backofen stellen, das Fleisch von Zeit zu Zeit wenden, verdampfte Flüssigkeit nach und nach durch Marinade ersetzen
	das gare Fleisch in Scheiben schneiden, auf einer vorgewärmten Platte anrichten, warm stellen
	den Bratensatz mit Wasser oder Marinade loskochen, durch ein Sieb gießen, zum Kochen bringen
Weizenmehl	mit
kaltem Wasser	anrühren, die Bratenflüssigkeit damit binden, mit Salz, Pfeffer, abschmecken
3 - 4 EL Schlagsahne	unterrühren
Ober-/Unterhitze:	220 - 230 °C (vorgeheizt)
Heißluft:	200 - 220 °C (nicht vorgeheizt)
Gas:	Stufe 3 - 4 (vorgeheizt)
Schmorzeit:	etwa 1 ¾ Stunden.
Beilage:	Chicoréegemüse, Kräuterkartoffeln.

SCHWEINERÜCKEN IM WIRSINGKLEID (Foto)

	Von
1 ¼ kg Stielkotelett im Stück	die Knochen vom Schlachter auslösen lassen, das Fleisch unter fließendem kaltem Wasser abspülen, trockentupfen
3 EL Speiseöl	in einer Kasserolle erhitzen, das Fleisch von allen Seiten darin anbraten, herausnehmen, mit
Salz, Pfeffer 2 Knoblauchzehen	abziehen, durchpressen, das Fleisch damit bestreichen
10 mittelgroße Wirsingblätter	waschen, in
kochendes Salzwasser	geben, zum Kochen bringen, etwa 2 Minuten kochen, abtropfen lassen, das dickere Stielende etwas flach schneiden die Blätter schuppenförmig zu einem Rechteck in der Größe des Fleischstücks übereinanderlegen, mit
Salz, Pfeffer geriebener Muskatnuß	bestreuen, das Fleisch darauf legen, einwickeln, mit Küchengarn umwickeln, in die Kasserolle legen, von allen Seiten anbraten, evtl. noch
1 EL Speiseöl	hinzufügen
3 Tomaten	kurze Zeit in kochendes Wasser legen (nicht kochen lassen), in kaltem Wasser abschrecken, enthäuten, die Stengelansätze herausschneiden, die Tomaten halbieren, in Würfel schneiden
1 große Zwiebel	abziehen, würfeln beide Zutaten zu dem Wirsingfleisch geben, kurz durchdünsten lassen
125 ml (⅛ l) Weißwein	hinzugießen das Fleisch mit
6 Scheiben durchwachsenem Speck	belegen, die Kasserolle mit dem Deckel bedecken auf dem Rost in den vorgeheizten Backofen schieben

490

Ober-/Unterhitze:	225 - 250 °C (vorgeheizt)
Heißluft:	200 - 220 °C (nicht vorgeheizt)
Gas:	Stufe 4 - 5 (vorgeheizt)
Schmorzeit:	etwa 55 Minuten
	das gare Fleisch im Wirsingkleid in Scheiben
	schneiden, auf einer vorgewärmten Platte
	anrichten.

KASTANIEN

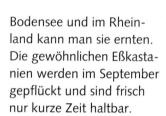

Der Ruf „Heiße Maroni!"
hallt viel zu selten durch
unsere winterlichen Straßen
und Gassen. Dabei sind
Maronen oder Eßkastanien
eine außergewöhnliche
Leckerei und nicht nur als
Füllung für üppige Gänse-
und Entenbraten geeignet.
Eßkastanien wachsen wild
in allen wärmeren Regio-
nen Europas. Selbst am

Bodensee und im Rhein-
land kann man sie ernten.
Die gewöhnlichen Eßkasta-
nien werden im September
gepflückt und sind frisch
nur kurze Zeit haltbar.

Maronen haben ein kräfti-
ges, angenehm sahnig
schmeckendes Frucht-
fleisch, das ein süßliches
Aroma annimmt, wenn sie
gekocht oder geröstet
werden. In Sirup eingelegt
sind sie ein vorzügliches
Dessert.

KASTANIEN

1 kg Eßkastanien	kreuzweise einschneiden, auf einem Backblech so lange im warmen Backofen lassen, bis die Schalen springen und sich lösen lassen
	die Kastanien mit kochendem Wasser abbrühen, damit sich die rötlichbraune Haut entfernen läßt, das muß geschehen, solange die Früchte noch heiß sind
2 EL Butter oder Margarine	zerlassen
Zucker	darin bräunen, die Kastanien kurz darin erhitzen
125 ml (⅛ l) - 250 ml (¼ l) Wasser	
Salz	hinzufügen, gar dünsten lassen, nach Belieben
1 TL Speisestärke	mit
1 EL kaltem Wasser	anrühren, die Kastanien damit binden, mit Salz
Zitronensaft	abschmecken
Dünstzeit:	40 - 60 Minuten.
Hinweis:	Das Gericht durch 2 - 3 Eßlöffel Madeira oder Rotwein - die Speisestärke damit anrühren - verfeinern.

KRÄUTERKARTOFFELN

750-1000 g kleine festkochende Kartoffeln	waschen, in so viel Wasser zum Kochen bringen, daß die Kartoffeln bedeckt sind, in 20-25 Minuten gar kochen, abgießen, abdämpfen lassen, heiß pellen die Kartoffeln erkalten lassen
2-3 EL Butter	zerlassen, die Kartoffeln darin von allen Seiten in etwa 10 Minuten braun braten lassen, mit
Meersalz frisch gemahlenem Pfeffer	würzen
1 EL gehackte Thymianblättchen 1 EL gehackte Lavendelblättchen 1 EL gehackte Basilikumblättchen	unterrühren, 2-3 Minuten mitbraten lassen die Kräuterkartoffeln sofort servieren.

WAFFEL-KARTOFFELN

500 g mehlig kochende Kartoffeln	schälen, waschen, mit einem Spezialhobel in runde Scheiben schneiden beim Schneiden mit dem Spezialhobel die Kartoffeln nach jedem Schnitt um 90 Grad drehen, es ergibt sich nach genauer Einstellung der Schneidstärke ein gitterförmiges, waffelähnliches Muster die Kartoffelscheiben eine Zeitlang in kaltes Wasser legen, gut abtropfen lassen
Fritierfett	in einer Friteuse auf 180 °C erhitzen, die Waffel-Kartoffeln darin portionsweise hellbraun fritieren, mit einem Schaumlöffel herausnehmen, auf einem Sieb gut abtropfen, erkalten lassen, sie dann nochmals in das heiße Fett geben, goldbraun und knusprig fritieren, auf Haushaltspapier abtropfen lassen, mit
feinem Salz Fritierzeit:	bestreut servieren 3-5 Minuten.

Chicorée, geschmort (Foto)

750 g Chicorée	putzen, längs halbieren, den etwas bitteren Kern herausschneiden
	die Chicoréehälften waschen, gut abtropfen
50 g Butter	zerlassen, die Chicoréehälften darin in etwa 6 Minuten von allen Seiten leicht anbräunen, mit
Salz	
frisch gemahlenem Pfeffer	
Zucker	würzen
1 säuerlichen Apfel	schälen, vierteln, entkernen, in kleine Stücke schneiden, zu dem Chicorée geben, kurz durchschmoren lassen
2 - 3 EL Wasser	hinzufügen
	das Gemüse im geschlossenen Topf 4 - 5 Minuten schmoren lassen, mit Salz, Pfeffer, Zucker abschmecken.
Schmorzeit:	10 - 12 Minuten.

CHAYOTE-SALAT

2 Chayote	waschen, in Spalten schneiden
500 ml (½ l) Salzwasser	mit
4 EL Essig	zum Kochen bringen, den Kürbis darin in etwa 10 Minuten weichkochen, abtropfen lassen, das Kochwasser auffangen
2 Tomaten	mit dem Kochwasser vom Kürbis überbrühen, enthäuten, halbieren, entkernen, das Fruchtfleisch in Spalten schneiden.

Für die Sauce

1 Knoblauchzehe	abziehen, zerdrücken, mit
3 EL Weinessig	
1 TL Senf	
Salz	
frisch gemahlenem Pfeffer	
1 Prise Zucker	gut verrühren
6 EL Olivenöl	darunterschlagen, mit den Zutaten vermengen
150 g Thunfisch (aus der Dose)	abtropfen lassen, mit
2 EL Kapern	zum Salat geben, auf
Salatblättern	anrichten.

OFENKARTOFFELN

12 mittelgroße festkochende Kartoffeln	unter fließendem kaltem Wasser abbürsten, in jede Kartoffel der Länge nach ein Loch bohren
80 g durchwachsenen Speck	in Streifen schneiden, in die Löcher schieben, die Kartoffeln mit
1 EL Speiseöl	einreiben, in eine Auflaufform setzen, in den Ofen schieben
Ober-/Unterhitze:	etwa 250 °C (vorgeheizt)
Heißluft:	etwa 220 °C (nicht vorgeheizt)
Gas:	Stufe 5-6 (vorgeheizt)
Bratzeit:	etwa 70 Minuten.
Hinweis:	heiß zum Fondue reichen.

Bratkartoffeln auf dem Blech

1 kg Kartoffeln	schälen, waschen, in Scheiben schneiden, auf ein gefettetes Backblech schichten, mit
Salz	
frisch gemahlenem Pfeffer	würzen
2 - 3 Zwiebeln	abziehen, würfeln
200 g durchwachsenen Speck	in Würfel schneiden beide Zutaten über die Kartoffelscheiben geben das Backblech in den Backofen schieben die Kartoffeln braun braten lassen
Ober-/Unterhitze:	etwa 225 °C (vorgeheizt)
Heißluft:	etwa 200 °C (nicht vorgeheizt)
Gas:	etwa Stufe 4 (vorgeheizt)
Backzeit:	etwa 45 Minuten.

Karamel-Kartoffeln

750 g möglichst kleine, runde Kartoffeln	waschen, mit Wasser zum Kochen bringen, in 15 - 20 Minuten knapp gar kochen lassen, abgießen, abdämpfen, heiß pellen, die Kartoffeln warm stellen
50 g Zucker	in einer Pfanne unter ständigem Rühren so lange erhitzen, bis er goldbraun ist
50 g Butter	hinzufügen, zerlassen, mit
1 TL Weißwein	ablöschen, die Kartoffeln 5 - 10 Minuten darin schmoren lassen
100 g durchwachsenen Speck	in Würfel schneiden, auslassen
2 Äpfel	schälen, vierteln, entkernen, die Apfelviertel in Scheiben schneiden, zum Speck geben, kurze Zeit miterhitzen, zu den Kartoffeln geben.
Hinweis:	Karamel-Kartoffeln zu kurzgebratenem Fleisch oder Grünkohl reichen.

Beilagen

496

BOUILLONKARTOFFELN (Foto)

500 g Rinderbrust	unter fließendem kaltem Wasser abspülen, in
2 l Salzwasser	geben, zum Kochen bringen, in etwa 2 Stunden
	gar kochen lassen
	das gare Fleisch aus der Brühe nehmen, in
	Alufolie einschlagen, im Backofen warm stellen
800 g Kartoffeln	
100 g Sellerie	
	die beiden Zutaten schälen
5 Möhren	putzen, schälen
	das Gemüse waschen, in kleine gleichmäßige
	Würfel schneiden (Kartoffeln können auch in
	größere Würfel geschnitten werden)
1 Stange Lauch	putzen, das dunkle Grün bis auf etwa 10 cm
	entfernen, den Lauch in Ringe schneiden, gründlich
	waschen, mit dem übrigen Gemüse in einen Topf
	geben, mit der Rindfleischbrühe auffüllen, zum
	Kochen bringen, etwa 30 Minuten
	kochen lassen, mit
Salz	
frisch gemahlenem Pfeffer	
Streuwürze	abschmecken, mit
gehackter Petersilie	bestreuen
	das Fleisch aus dem Backofen nehmen, in Scheiben
	schneiden, auf einer Platte anrichten.
Kochzeit:	etwa 2 ½ Stunden.

CHINAKOHL

600 g Chinakohl	putzen, halbieren, in etwa 1 cm breite Streifen schneiden, waschen, gut abtropfen lassen
150 g durchwachsenen Speck	in Würfel schneiden
1 EL Margarine	erhitzen, die Speckwürfel darin etwas ausbraten lassen
1 Zwiebel 1 Knoblauchzehe	beide Zutaten abziehen, würfeln
1 Stange Lauch	putzen, längs halbieren, waschen, in Scheiben schneiden Chinakohlstreifen, Zwiebel-, Knoblauchwürfel und Lauchscheiben zu den Speckwürfeln geben, unter Rühren leicht bräunen lassen, mit
Salz frisch gemahlenem Pfeffer gerebeltem Estragon	würzen
100 ml Fleischbrühe	hinzugießen, zum Kochen bringen, im geschlossenen Topf etwa 10 Minuten schmoren lassen, mit Salz, Pfeffer abschmecken.
Schmorzeit:	etwa 15 Minuten.

CHINAKOHL MIT LAUCH

50 g durchwachsenen Speck	in Würfel schneiden, knusprig braun ausbraten lassen, die Speckgrieben und die Hälfte des Fettes beiseite stellen
3 Stangen Lauch (etwa 300 g)	putzen, in sehr dünne Scheiben schneiden, gründlich waschen, abtropfen, in dem Speckfett glasig dünsten lassen
etwa 750 g Chinakohl	putzen, den Kohl halbieren, den Strunk herausschneiden, die Blätter waschen, gut abtropfen lassen, grob zerschneiden, zu dem Lauch geben, einige Minuten mitdünsten lassen
3 EL Zitronensaft oder Weißwein Salz	hinzufügen, das Gemüse mit

frisch gemahlenem Pfeffer	
Zucker	würzen, noch einige Minuten dünsten lassen, auf einer vorgewärmten Platte anrichten
	das zurückgelassene Speckfett ohne die Grieben in einer Pfanne erhitzen
4 EL Semmelbrösel	hineingeben, unter Rühren bräunen lassen, mit
½ TL Senf	
½ TL abgeriebener Zitronenschale (unbehandelt)	verrühren, über das Lauch-Chinakohl-Gemüse verteilen
3 hartgekochte Eier	pellen, achteln, um das Gemüse geben, die Speckgrieben darüber streuen.

CHINAKOHL-GRATIN (Foto)

750 g Chinakohl	putzen, den Kohl vierteln, waschen, in
kochendes Salzwasser	geben, etwa 6 Minuten kochen, abtropfen lassen, in eine gefettete flache Auflaufform legen
250 g Creme-Champignons	putzen, waschen, in Scheiben schneiden, auf den Kohl geben, mit
Meersalz	
frisch gemahlenem Pfeffer	bestreuen
1 Becher (150 g) Crème fraîche	mit
1 Becher (150 g) Vollmilch-Joghurt	verrühren
2 Eier	unterschlagen, mit Salz, Pfeffer,
geriebener Muskatnuß	
Currypulver	abschmecken, über die Champignonscheiben geben, mit
100 g geriebenem mittelaltem Gouda	bestreuen, die Form auf dem Rost in den vorgeheizten Backofen schieben
Ober-/Unterhitze:	200-225 °C (vorgeheizt)
Heißluft:	180-200 °C (nicht vorgeheizt)
Gas:	Stufe 4-5 (vorgeheizt)
Backzeit:	etwa 30 Minuten.

ROHER FISCHSALAT (Foto)

500 g Steinbutt	enthäuten, entgräten, unter fließendem kaltem Wasser abspülen, trockentupfen, in fingerdicke Würfel schneiden, mit dem
Saft von 4 Limetten	beträufeln und mindestens 4 Stunden zugedeckt im Kühlschrank durchziehen lassen, ab und zu vorsichtig durchrühren
2 Fleischtomaten	überbrühen, abziehen, in Würfel schneiden, über den Fisch geben
4 EL Olivenöl	darüber verteilen, mit
Salz, Pfeffer	würzen, noch etwa 1 Stunde kühl stellen
1 weiche Avocado	halbieren, entkernen, schälen, in Würfel oder schmale Spalten schneiden
1 Zwiebel	abziehen, in hauchdünne Scheiben schneiden
30 g Kapern	abtropfen lassen
	Avocado, Zwiebelscheiben und Kapern auf Fisch und Tomaten anrichten, mit
Limettenscheiben	
Zitronenmelisse	garniert servieren.

HUHN-AVOCADO-SALAT

½ Endiviensalat	putzen, waschen, trockenschleudern, in mundgerechte Stücke zupfen
1 geräucherte Hähnchenbrust	von Haut und Knochen lösen, in Streifen schneiden
1 reife Avocado	halbieren, schälen, entkernen, würfeln
Saft von ½ Zitrone	darüberträufeln.

Für die Sauce

1 EL Weinessig	mit
¼ TL Dijon-Senf	
Zucker	
Salz	
4 EL Olivenöl	verrühren die Sauce über die Salatzutaten verteilen, vorsichtig vermengen
½ Kästchen Kresse	waschen, die Blättchen mit einer Schere abschneiden und über den Salat geben.
Hinweis:	Knoblauch-Croûtons dazu reichen.

BAUERNSALAT MIT RAUCHKÄSE

2 Paprikaschoten	halbieren, entstielen, entkernen, die weißen Scheidewände entfernen, die Schoten waschen, in feine Streifen schneiden
2 Zwiebeln	abziehen, in dünne Scheiben schneiden
150 g Fleischwurst	enthäuten, in Streifen schneiden
400 g Rauchkäse	in Würfel schneiden
150 g Senfgurken	in Streifen schneiden.

Für die Salatsauce

2 Knoblauchzehen	abziehen, zerdrücken, mit
10 EL Olivenöl	
6 EL Essig	
1 EL mildem Senf	verrühren, mit
Salz	
frisch gemahlenem Pfeffer	
gerebeltem Oregano	abschmecken, mit den Salatzutaten vermengen den Salat etwa 1 Stunde durchziehen lassen.

501

EXOTISCHER KARTOFFELAUFLAUF

	(Foto)
1 kg gekochte Kartoffeln	heiß pellen, in feine Streifen schneiden, erkalten lassen
	von
1 Zitrone (unbehandelt)	
4 Orangen (unbehandelt)	die Schale abreiben, über die Kartoffeln streuen
	Zitrone und Orangen schälen, in Scheiben schneiden
220 g Ananas-Stücke (aus der Dose)	
175 g Mandarinen (aus der Dose)	
	beide Zutaten abtropfen lassen, den Ananassaft zurücklassen
	abwechselnd lagenweise Kartoffeln, Mandarinen, Zitronen-, Orangenscheiben, Ananasstücke in eine gut gefettete Auflaufform schichten, die oberste Schicht soll aus Kartoffeln bestehen
	den Ananassaft mit
etwas Salz	
5 EL Butter	unter ständigem Rühren zum Kochen bringen, kurze Zeit kochen lassen, über den Auflauf gießen
	die Form auf dem Rost in den vorgeheizten Backofen schieben
Ober-/Unterhitze:	200 - 225 °C (vorgeheizt)
Heißluft:	180 - 200 °C (nicht vorgeheizt)
Gas:	Stufe 3 - 4 (vorgeheizt)
Backzeit:	etwa 45 Minuten.

KARTOFFELN MIT CRÈME FRAÎCHE UND KAVIAR

12 neue, möglichst gleichmäßig große Kartoffeln (etwa 1200 g)	in kaltem Wasser gründlich bürsten, waschen, zugedeckt in
Salzwasser	zum Kochen bringen, in etwa 20 Minuten gar kochen lassen.

Für die Füllung

1 Zwiebel	abziehen, halbieren, fein würfeln, mit
300 g (2 Becher) Crème fraîche	
Salz	
frisch gemahlenem Pfeffer	
Zucker	verrühren
1 Gewürzgurke	in sehr feine Würfel schneiden, mit
1 Bund gehacktem Dill oder 1 EL Dillspitzen	zu der Crème-fraîche-Masse geben die garen Kartoffeln abgießen, kurz mit kaltem Wasser abspülen, pellen, an der längeren Seite mit einem Teelöffel etwa bis zur Hälfte aushöhlen die Kartoffeln auf eine vorgewärmte Platte setzen, jeweils etwas von der Füllung hineingeben, auf jede Kartoffel etwas von
50 g Deutschem Kaviar (aus dem Glas)	setzen, mit
gewaschenen Dillzweigen	garniert servieren.
Hinweis:	Dieses Gericht eignet sich als kleiner, feiner Imbiß, als Vorspeise oder als Beilage zu gegrilltem Fleisch.
Abwandlung:	Anstatt der Crème-fraîche-Masse können die Kartoffeln auch mit einem pikanten Kräuterquark gefüllt werden. Dazu wird 250 g Speisequark mit etwas Schlagsahne verrührt, mit Salz, Pfeffer abgeschmeckt. Zuletzt werden 2 Eßlöffel gemischte Kräuter untergerührt.

Im Winter

ROTKOHL, GEDÜNSTET (Foto)

Von

1 Kopf Rotkohl (etwa 800 g)	die äußeren Blätter entfernen, den Rotkohl vierteln, den Strunk herausschneiden, den Rotkohl waschen, sehr fein schneiden oder hobeln
100 g fetten Speck	in Würfel schneiden, auslassen
2 Zwiebeln	abziehen, würfeln, in dem Speckfett andünsten den Rotkohl zu den Zwiebelwürfeln geben, unter Rühren andünsten
3 EL Kräuteressig
5 Pimentkörner
5 Wachholderbeeren
3 Nelken
1 Lorbeerblatt	hinzufügen, mit
Salz
frisch gemahlenem Pfeffer
Zucker	würzen, gut verrühren
250 ml (¼ l) Rotwein	hinzugießen
500 g säuerliche Äpfel	schälen, vierteln, entkernen, in Scheiben schneiden, zu dem Rotkohl geben den Rotkohl etwa 30 Minuten dünsten lassen, ab und zu umrühren, mit Salz, Pfeffer abschmecken.
Hinweis:	Rotkohl, gedünstet zu Wild, Geflügel oder Bratwurst reichen.

TIROLER KRAUTNUDELN

1 kg vorbereiteten Weißkohl (Weißkraut)	in feine Streifen schneiden, waschen, gut abtropfen lassen
2 große Zwiebeln	abziehen, würfeln
75 g Schweineschmalz	in einem Topf (möglichst aus Gußeisen) erhitzen, die Zwiebelwürfel darin andünsten das Kraut hinzufügen, mit
Salz frisch gemahlenem Pfeffer	würzen, unter ständigem Rühren in etwa 25 Minuten leicht bräunen lassen
250 g Bandnudeln	in
2 ½ l kochendes Salzwasser	geben
1 EL Speiseöl	hinzufügen, die Nudeln nach Packungsanweisung garen, zwischendurch probieren wenn die Nudeln gar sind, den Garvorgang mit einem Schuß kaltem Wasser beenden, die Nudeln auf ein Sieb geben, abtropfen lassen
250-300 g Fleischwurst mit Knoblauch	abziehen, halbieren, in Scheiben schneiden, mit den Nudeln zu dem Kraut geben, unter Rühren erhitzen, mit Salz, Pfeffer kräftig abschmecken.

KRESSESALAT

200 g Kresse	sorgfältig verlesen, in reichlich Wasser gründlich waschen, aber nicht drücken, abtropfen lassen.

Für die Salatsauce

2-3 EL Salatöl	mit
1-2 EL Essig	
Salz	
Zucker	verschlagen
1 EL gehackte Kräuter	unterrühren, mit der Kresse vermengen.

LAUCHTORTE (Foto)

1 Packung tiefgekühlten Blätterteig	nach der Vorschrift auf der Packung auftauen lassen
1 kg Lauch	putzen, das dunkle Grün bis auf 10 cm entfernen, den Lauch längs halbieren, in 1 - 2 cm dicke Scheiben schneiden, gründlich waschen, abtropfen lassen
1 Zwiebel	abziehen, fein würfeln
2 EL Speiseöl	in einer großen Pfanne erhitzen, Zwiebelwürfel darin glasig dünsten lassen, den Lauch hinzufügen, etwa 15 - 20 Minuten dünsten, erkalten lassen

Blätterteig auf bemehlter Unterlage ausrollen, eine Pie- oder Springform (etwa 28 cm Durchmesser) damit auskleiden, den Rand gut andrücken
den Boden mehrmals mit einer Gabel einstechen, den Lauch darauf geben

200 ml Kaffeesahne	mit
6 Eiern	verschlagen, mit
Salz	
frisch gemahlenem Pfeffer	
geriebener Muskatnuß	kräftig würzen, über den Lauch gießen die Lauchtorte in den vorgeheizten Backofen schieben
Ober-/Unterhitze:	etwa 250 °C (vorgeheizt)
Heißluft:	etwa 220 °C (nicht vorgeheizt)
Gas:	Stufe 5 - 6 (vorgeheizt)
Backzeit:	30 - 40 Minuten.
Hinweis:	Die Torte kann auch mit Knetteig zubereitet werden.

Kenia-Böhnchen

750 g Kenia-Bohnen	abfädeln, waschen, in Stücke schneiden
175 g durch-wachsenen Speck	in Würfel schneiden
1 EL Butter	zerlassen, die Speckwürfel darin auslassen
1 Zwiebel	
1 Knoblauchzehe	beide Zutaten abziehen, würfeln, in dem Speckfett glasig dünsten lassen, die Bohnen,
2-3 Bohnenkrautzweige oder gerebeltes Bohnenkraut	hinzufügen, durchdünsten lassen
4-6 EL Wasser	hinzufügen, mit
Salz	
frisch gemahlenem Pfeffer	würzen die Bohnen zugedeckt in etwa 10 Minuten gar dünsten lassen, evtl. nochmals mit Salz, Pfeffer abschmecken
2 EL gehackte Petersilie	unterrühren.

Ausgebackene Okraschoten

300 g Okraschoten	waschen, abtrocknen, die Stielansätze und die Spitzen abschneiden
250 ml (¼ l) leicht gesalzenes Wasser	mit
1 Schuß Essig	zum Kochen bringen, Okraschoten etwa 3 Minuten darin kochen, gut abtropfen lassen
4 EL Weizenmehl	mit
½ TL Salz	
¼ TL Cayennepfeffer	mischen, die Okraschoten darin wenden
Pflanzenfett	in einem Topf auf etwa 180 °C erhitzen und die Okraschoten in kleinen Portionen im siedenden Öl ausbacken.
Hinweis:	Als Gemüsevorspeise mit frisch geriebenem Parmesan-Käse reichen.

VANILLE

Die Spanier haben`s von den Azteken gelernt: Kakao genießt man nur mit Vanille. Seit dem 16. Jahrhundert, als die Schotenfrucht der in Mittelamerika beheimateten Kletterorchidee ihren Siegeszug durch Europa antrat, gehört die Gewürzvanille zu den meistgebrauchten Aromastoffen in der Küche – und in der Parfümindustrie. Denn die Vanilleschoten, das sind die glänzend schwarz-braunen, durch Trocknungs- und Fermentierungsprozesse eingeschrumpften Fruchtkapseln der Gewürzvanille, enthalten genügend Vanillin, um als charakteristischer Duftstoff auch in aufwendigsten Mixturen Bestand zu haben. Für die Küche wird das Mark der Schote oder die fein gemahlene Schote selbst verwendet.

MARMORIERTE CREME

1 l Milch	mit
4 EL Zucker	
4 EL Speisestärke	
4 Eigelb	in einen Topf geben
2 Vanilleschoten	einritzen, auskratzen, das Vanillemark und die -schote hinzufügen
	die Flüssigkeit unter ständigem Schlagen erhitzen, bis die Masse dicklich wird, erkalten lassen, ab und zu durchschlagen
100 g Nuß-Nougat-Masse	im Topf auflösen
	6 Eßlöffel von
500 ml (½ l) Schlagsahne	nach und nach unterrühren, die restliche Schlagsahne steif schlagen, unter die Vanillecreme heben
	Vanille- und Nuß-Nougat-Creme abwechselnd in eine Glasschüssel füllen, eine Gabel spiralförmig durch die Creme ziehen, bis die Creme marmoriert ist.

Nachspeisen

GRAPEFRUIT
MIT MARSALA-GELEE

2 Grapefruits	halbieren, das Fruchtfleisch herauslösen, die Zwischenhäute entfernen, den Saft auffangen, mit
Marsala	auf 300 ml auffüllen, mit
40 g Zucker	verrühren, bis der Zucker gelöst ist
2 Blatt weiße Gelatine	
1 Blatt rote Gelatine	10 Minuten in kaltem Wasser einweichen, ausdrücken, mit 3 Eßlöffel Marsala bei schwacher Hitze auflösen, mit dem restlichem Marsala verrühren, in eine Form geben, kalt stellen Grapefruithälften innen säubern, trockentupfen, mit
2 EL Zucker	ausreiben nach 6 Stunden das fertige Gelee stürzen, hacken, mit den Grapefruitstückchen in die Hälften füllen auf jede Füllung einen von
4 TL Ahornsirup	geben.

ORANGENSAUCE

2 Orangen	auspressen, den Saft mit
3 EL Zuckersirup	verrühren, in einem Topf erhitzen
1 Orange (unbehandelt)	dünn abschälen, Schale in Streifen schneiden, Fruchtfleisch würfeln, mit dem Sirupsaft kurz aufkochen, etwas abkühlen lassen
1 Eigelb	mit
1 EL Orangenlikör	verrühren, unter Rühren in den Sirup geben, bei geringer Hitze weiterschlagen, bis die Sauce dicklich wird, im kalten Wasserbad unter Rühren abkühlen lassen, kalt stellen.

FLAMBIERTE ORANGENSCHEIBEN

1 Orange (unbehandelt)	waschen, abtrocknen, die Schale dünn abschälen, in sehr feine Streifen schneiden die Orange halbieren, auspressen
2 große Orangen	schälen, die weiße Haut entfernen, die Orangen in Scheiben schneiden
2 EL Butter	in einer Pfanne erhitzen
1 gut gehäuften EL Zucker 40 g abgezogene, gestiftelte Mandeln	hinzufügen, unter Rühren leicht bräunen lassen Orangenscheiben und -schalenstreifen hinzufügen die Orangenscheiben von beiden Seiten darin braten lassen, mit
4-6 EL Grand Marnier	flambieren den Orangensaft,
1 EL Zitronensaft	unterrühren, miterhitzen, sofort servieren.
Bratzeit für die Orangenscheiben:	etwa 3 Minuten.
Beigabe:	Schlagsahne oder Vanille-Eis.

MARINIERTE ORANGEN

4 kleine Orangen (600 g)	bis auf das Fruchtfleisch abschälen, quer in dünne Scheiben schneiden, auf vier Teller geben, mit
4 EL Orangenblütenwasser	beträufeln, mit Frischhaltefolie abdecken, kaltstellen, mit
1 EL Zimt	bestreuen.

ZITRUSFRÜCHTE AUF SAHNEGELEE (Foto)

250 ml (¼ l) Schlagsahne	anschlagen, mit
3 EL Zucker	
1 TL Ingwersirup	verrühren
4 Blatt weiße Gelatine	10 Minuten in kaltem Wasser einweichen, ausdrücken, in
100 ml Orangensaft	bei schwacher Hitze auflösen, abkühlen lassen, unter die Sahne ziehen
30 g Paranüsse	schälen, hobeln
2 Ingwerstückchen (in Sirup eingelegt)	fein hacken, mit den Nüssen unter die Sahne mengen, in vier Puddingförmchen füllen, etwa 6 Stunden kalt stellen

2 Blutorangen	
2 Orangen	bis auf das Fruchtfleisch abschälen, in Scheiben schneiden
2 Mandarinen	schälen, in Spalten teilen, die Haut abziehen, mit den Orangen auf vier Tellern anrichten, die Gelees darauf stürzen, mit
Orangeat	verzieren.

KARAMELEIS MIT MANGO

200 g Rohrzucker	mit
125 ml (⅛ l) Schlagsahne	verrühren, unter Rühren erhitzen, bis sich der Zucker gelöst hat, mit
50 g Butter	verrühren, zum Kochen bringen, unter Rühren zu einem dicken Sirup einkochen lassen, in eine große Auflaufform gießen, etwas abkühlen lassen, in Stückchen schaben
50 g Rohrzucker	mit
1 EL Zitronensaft	verrühren, langsam erhitzen, unter Rühren zu Karamel kochen, etwas abkühlen lassen, nach und nach mit
100 ml Schlagsahne	
300 ml Milch	verrühren, mit
4 Eigelb	verschlagen, im heißen Wasserbad umrühren, bis die Flüssigkeit dicklich wird, im kalten Wasserbad unter Rühren abkühlen lassen, mit den Karamelstückchen vermengen, in eine kleine, rechteckige Form füllen, einfrieren, nach etwa 30 Minuten umrühren
etwa 250 g Mangos (aus der Dose)	abtropfen lassen, in Spalten schneiden das Karameleis in Scheiben schneiden, auf Tellern anrichten, mit den Mangospalten belegen.
Hinweis:	Sollte der Karamel versehentlich zu hart werden, im Backofen bei 90 °C solange erwärmen, bis er wieder etwas weicher ist.

FRITIERTE FRÜCHTE (Foto)

(Für 6 Personen)

Für den Teig

150 g Weizenmehl	sieben, mit
125 ml (⅛ l) Cidre (Apfelwein)	
1 Prise Salz	
1 EL Zucker	
1 EL Butter	verrühren
2 Eiweiß	steif schlagen, erst kurz vor dem Fritieren unter den Teig ziehen
200 g Weintrauben	waschen, in kleinere Träubchen teilen, abtropfen lassen
200 g Kirschen	mit Stiel waschen, abtropfen lassen
200 g Pflaumen	waschen, abtropfen lassen, einschneiden, entsteinen, mit
40 g Marzipan-Rohmasse	füllen, zusammendrücken
3 Pfirsiche	waschen, in Spalten schneiden
200 g Johannisbeerrispen	waschen, abtropfen lassen
etwa 1 kg Fritierfett	in einem Topf erhitzen, bis ein Tropfen Ausbackteig bei der Probe im Fett aufschäumt, die Früchte nacheinander in den Teig tauchen, im Fett goldbraun backen, mit einem Schaumlöffel herausnehmen, kurz auf Haushaltspapier abtropfen lassen, mit
Puderzucker	bestäuben.

Für die Vanillesauce

400 ml Milch	mit
½ Vanilleschote	aufkochen
3 Eigelb	mit
50 ml Milch	
3 EL Zucker	verrühren, unter Rühren in die heiße, nicht kochende Milch geben, bei kleiner Hitze schlagen, bis die Sauce cremig wird, im kalten Wasserbad weiterschlagen, kalt stellen. Die Vanillesauce kalt zu den heißen Früchten reichen.

513

KOKOSKUGELN MIT ANANAS

850 g Ananasstückchen (aus der Dose)	abtropfen lassen, Ananas mit
2 EL weißem Rum	beträufeln, auf vier Teller geben aus
1 Packung Pistazien-Eis	mit einem Eis-Portionierer kleine Kugeln abstechen, in
100 g Kokosflocken	wälzen, Flocken fest andrücken die Eiskugeln zwischen die Ananasstückchen geben, mit
gehackten Pistazienkernen	verzieren.

GRIESS-SPEISE MIT APRIKOSEN

1 Päckchen Mandella 2 schwach gehäufte EL Zucker	mit 6 Eßlöffel von
500 ml (½ l) kalter Milch	anrühren, die übrige Milch erhitzen das angerührte Pudding-Pulver unter Rühren hineingeben, erhitzen, in etwa 5 Minuten ausquellen lassen
etwa 400 g gedünstete Aprikosen	abtropfen lassen, den Saft auffangen, 250 ml (¼ l) davon abmessen die Hälfte der Aprikosen in kleine Stücke schneiden, unter den Grießpudding heben, ihn in eine mit kaltem Wasser ausgespülte Puddingform oder Glasschüssel füllen, kalt stellen den festgewordenen Pudding auf einen Teller stürzen aus dem abgemessenen Aprikosensaft,
1 Päckchen Tortenguß, klar	nach der Vorschrift auf dem Päckchen einen Guß zubereiten, gleichmäßig über die Grieß-Speise geben die restlichen Aprikosen dazureichen.
Erhitzungszeit:	etwa 10 Minuten.

BRATÄPFEL (Foto)

4 mürbe Äpfel	waschen, abtrocknen, das Kerngehäuse mit einem Apfelausstecher ausstechen (Foto1), die Äpfel in eine gefettete Gratinform setzen.

Für die Füllung

2 EL weiche Butter	mit
1 EL Zucker	
gemahlenem Zimt	
2 EL gemahlenen Mandeln	
1 EL Rosinen	
1-2 EL Rum	verrühren, die Füllung in die Apfelöffnungen geben (Foto 2), die Äpfel mit
etwa 1 EL weicher Butter	bestreichen, mit
gemischtem Zimt-Zucker	bestreuen, etwas Rum in die Form geben (Foto 3) die Gratinform auf dem Rost in den vorgeheizten Backofen schieben kurz vor dem Servieren
4 TL Crème fraîche	über die Äpfel geben
Ober-/Unterhitze:	200-225 °C (vorgeheizt)
Heißluft:	180-200 °C (nicht vorgeheizt)
Gas:	Stufe 4-5 (vorgeheizt)
Backzeit:	25-30 Minuten.
Hinweis:	Mit Puderzucker bestäubt servieren (Foto 4).

ZIMTPUDDING

375 ml Milch	mit
Salz	zum Kochen bringen, von der Kochstelle nehmen
125 g Grieß	unter Rühren einstreuen, ab und zu umrühren, ausquellen lassen
100 g Butter	geschmeidig rühren, nach und nach
100 g Zucker	
1 Päckchen Vanillin-Zucker	
3 Eier	und den noch warmen Grießbrei unterrühren
1 Päckchen Pudding-Pulver Vanillegeschmack	mit
4-5 EL kalter Milch	anrühren, mit
1 gestrichenen TL gemahlenem Zimt	unter die Grießmasse rühren
50 g verlesene Rosinen	
25 g abgezogene, gemahlene Mandeln	unterrühren
	die Masse in eine gut gefettete, mit
Semmelbröseln	ausgestreute Wasserbadform (Puddingform 1,5 l) füllen (die Form darf nur $^2/_3$ gefüllt sein), mit dem Deckel verschließen
	die Form in den Schnellkochtopf stellen, so viel Wasser hinzugießen, daß die Form bis zu $^1/_3$ im Wasser steht, den Schnellkochtopf schließen, den Kochregler erst dann auf Stufe I schieben, wenn reichlich Dampf entwichen ist (nach etwa 1 Minute) nach Erscheinen des 1. Ringes den Zimt-Pudding garen lassen
	den Topf von der Kochstelle nehmen, erst dann öffnen, wenn das Druckventil nicht mehr sichtbar ist.
Kochzeit für den Grießbrei:	10-15 Minuten
Garzeit für den Zimtpudding:	etwa 45 Minuten.

MANDELPUDDING (Foto)

100 g Butter	geschmeidig rühren, nach und nach
100 g Zucker	
1 Päckchen Vanillin-Zucker	
3 Eier	
Salz	
2 Tropfen Backöl Bittermandel	
50 g abgezogene, gemahlene Mandeln	hinzufügen
150 g Weizenmehl	mit
50 g Speisestärke	
6 g (2 gestrichene TL) Backpulver	mischen, sieben, abwechselnd mit
3 EL Milch	unterrühren, die Masse in eine gefettete, mit
Semmelbröseln	ausgestreute Wasserbadform (1,5 l) füllen, mit dem Deckel verschließen

die Form in den Schnellkochtopf stellen, so viel Wasser hinzugießen, daß die Form zu ⅓ im Wasser steht

den Schnellkochtopf schließen

den Kochregler erst dann auf Stufe I schieben, wenn reichlich Dampf entwichen ist (nach etwa 1 Minute)

nach Erscheinen des 1. Ringes den Mandelpudding garen lassen

den Topf von der Kochstelle nehmen, erst dann öffnen, wenn das Druckventil nicht mehr sichtbar ist.

Garzeit: etwa 30 Minuten.

Beigabe: Frisches, gezuckertes Obst oder angeschlagene Sahne, abgeschmeckt mit Zucker, Vanillemark und Amaretto (italienischer Mandellikör).

MARONI-SCHOKOLADENPUDDING

(Für 4 - 6 Personen)

300 g Maronen	kreuzweise einschneiden, in Wasser geben, zum Kochen bringen, 15 Minuten kochen lassen, abgießen, schälen, die Haut abziehen, die Maronen mit
500 ml (½ l) Milch	zum Kochen bringen, kochen lassen, bis die Flüssigkeit verkocht ist die Maronen pürieren, mit
100 g Schokoladenaufstrich (aus dem Glas)	
5 Eigelb	cremig rühren, abkühlen lassen
5 Eiweiß	steif schlagen, unter die kalte Creme ziehen eine Wasserbadform (Inhalt 1,5 l) mit
weicher Butter	ausfetten, mit der Masse füllen, mit dem Deckel verschließen die Form in einen Topf stellen, so viel Wasser hinzugießen, daß die Form bis zu ⅓ im Wasserbad steht, zum Kochen bringen, etwa 1 Stunde leicht kochen lassen den Pudding stürzen.
Hinweis:	Angeschlagene Sahne, abgeschmeckt mit Vanillezucker dazu reichen.

ŒUFS À LA NEIGE (Foto)

60 g Zucker	in einem Topf bei mittlerer Hitze unter Rühren hellbraun karamelisieren lassen den Topf vom Herd ziehen, mit
700 ml Milch	verrühren
1 Vanilleschote	aufschlitzen, mit der Karamelmilch aufkochen, 15 Minuten ziehen lassen
4 Eiweiß	mit
80 g Zucker	
1 TL Zitronensaft	steif schlagen einen Teelöffel in die Karamelmilch tauchen, von der Eiweißmasse kleine Klößchen abstechen, auf die Karamelmilch setzen den geschlossenen Topf auf dem Rost in den vorgeheizten Backofen schieben
Ober-/Unterhitze:	etwa 150 °C (vorgeheizt)
Heißluft:	etwa 130 °C (nicht vorgeheizt)
Gas:	etwa Stufe 1 (vorgeheizt)
Zeit:	etwa 8 Minuten Klößchen aus der Milch heben, kalt stellen
4 Eigelb	mit
6 EL Milch	verrühren, nach und nach die heiße Karamelmilch unterrühren bei kleiner Hitze weiterrühren, bis die Creme dicklich wird (sie darf nicht kochen) die Creme kalt stellen die kalte Karamelcreme auf Dessertteller oder in Schälchen gießen, die Schneeflöckchen darauf geben
100 g Zucker	mit
1 - 2 EL Wasser	bis zum kleinen Bruch (140 °C, siehe Zuckerthermometer) kochen, so daß der Sirup beim Erkalten Fäden zieht den Sirup leicht abkühlen lassen, mit einem Löffel Zuckerfäden über die Schneeklößchen ziehen.

Schokoladen-Rotwein-Trifle

(Für 4 - 6 Personen)

850 g Schattenmorellen (aus dem Glas)	abtropfen lassen, 250 ml (¼ l) Saft abmessen, mit
125 ml (⅛ l) Rotwein	verrühren
1 Schokoladen-Biskuittorten-Boden	in große Stücke teilen
1 Päckchen Rotwein-Cremepulver	mit
50 ml Wasser	und
Rotwein (aus dem Päckchen)	verrühren, etwa 2 Minuten schaumig schlagen
125 ml (⅛ l) Schlagsahne	steifschlagen, unterziehen eine Glasschüssel oder Portionsgläser mit Biskuitstückchen auslegen, mit der Saft-Wein-Mischung begießen, Kirschen und Weincreme daraufgeben, Biskuitstückchen darübergeben, mit Saftmischung tränken, mit Kirschen und Weincreme bedecken, mit
Kirschen	verzieren.

Schokoladenauflauf

70 g Halbbitterschokolade	grob raspeln
125 ml (⅛ l) Milch	erwärmen, bis sich die Schokolade gelöst hat, abkühlen lassen
40 g Butter	zerlassen
40 g Weizenmehl	hinzufügen, unter Rühren hellgelb dünsten lassen, die Schokoladenmilch hinzufügen, mit einem Schneebesen durchschlagen, darauf achten, daß keine Klumpen entstehen, kurz aufkochen, abkühlen lassen, mit
4 Eigelb	verrühren
4 Eiweiß	mit
80 g Zucker	steif schlagen, unter die erkaltete Schokoladenmasse ziehen

	eine Auflaufform mit
1 EL Butter oder	
Margarine	ausfetten, Schokoladenmasse einfüllen, in eine große, 2 cm hoch mit Wasser gefüllte Auflaufform stellen, auf dem Rost in den vorgeheizten Backofen schieben
Ober-/Unterhitze:	etwa 200 °C (vorgeheizt)
Heißluft:	etwa 180 °C (nicht vorgeheizt)
Gas:	etwa Stufe 3 (vorgeheizt)
Backzeit:	etwa 50 Minuten.

WALNUSSCREME (Foto)

350 g Butter	mit
250 g Zucker	gut verrühren
6 Eigelb	hinzufügen, so lange schlagen, bis eine schaumige Masse entstanden ist
400 g Walnußkerne	fein mahlen, unter die Creme rühren
6 Eiweiß	steif schlagen, unter die Nußcreme ziehen, in Glasschälchen füllen, über Nacht in den Kühlschrank stellen
100 g Vollmilch-Schokolade	im Wasserbad schmelzen lassen,
etwa 20 g Butter	
1 - 2 EL Wasser	unterrühren, auf die Creme träufeln die Creme nochmals in den Kühlschrank stellen, bis die Schokolade fest ist die Creme mit
Walnußkernhälften	verzieren.
Hinweis:	Dazu schmeckt ein Cream-Sherry. Die Nußcreme kann statt mit Walnüssen auch mit Haselnüssen zubereitet werden.

Süsser Couscous

(Für 6 Personen)

	In einen hohen Topf
etwa 1 l Wasser	geben
1 Zimtstange	
5 Nelken	
5 Pimentkörner	
1 EL Anissamen	hinzufügen, ein Sieb hineinhängen, so daß es das Wasser nicht berührt mit einem Mulltuch auslegen Wasser zum Kochen bringen
200 g Couscousgrieß	mit 1 Eßlöffel von
3 EL Orangen- blütenwasser	befeuchten, mit
50 g Rosinen	
50 g kleingeschnittenem Zitronat	
50 g gestiftelten Mandeln	
50 g gewürfelten Datteln	vermengen, in das Sieb geben, über dem Dampf des kochenden Wassers etwa 30 Minuten dämpfen lassen, mit dem restlichen Orangenblütenwasser
½ TL Zimt	
2 EL Honig	
2 EL Butter	vermengen, heiß oder kalt servieren.

WALNUSSEIS

(Für 6 Personen)

500 g grüne Weintrauben	von den Stielen zupfen, waschen, abtropfen lassen, 250 g Früchte durch ein Sieb streichen, den Saft mit
2 EL Mandellikör	
2 EL Zitronensaft	
50 g Zucker	verrühren, zum Kochen bringen
½ Vanilleschote	hinzufügen, Saft zum Sirup einkochen die übrigen Trauben halbieren, im Sirup 2 - 3 Minuten kochen lassen, Vanilleschote auskratzen, das Mark in die Sauce geben
300 ml Walnußeis	mit einem Eis-Portionierer in Kugeln teilen, auf Teller verteilen, die heiße Sauce darüber geben.

NUSSEIS MIT KROKANT

(Für 6 Personen)

200 g Haselnüsse	grob zerhacken, in einer Pfanne anrösten, die Hälfte davon mit
400 ml Milch	
40 g Zucker	
3 Eigelb	
3 EL Weinbrand	verrühren, im heißen Wasserbad schlagen, bis die Masse dicklich wird, im kalten Wasserbad kalt schlagen, in einen Behälter geben, einfrieren, alle 30 Minuten umrühren, die restlichen Nüsse mit
50 g Zucker	
1 EL Butter	zu Krokant rösten, während des Abkühlens mit einem Holzlöffel zerkleinern mit einem Eis-Portionierer vom Nußeis Kugeln abstechen, auf sechs Teller verteilen, mit Krokant bestreuen.

Lebkuchen-Soufflé

(Für 6 Personen)

3 Elisenlebkuchen mit Schokoladenguß (etwa 150 g)	grob zerkleinern, mit
1 TL Speisestärke	
125 ml (⅛ l) Schlagsahne	vermengen, zum Kochen bringen, abkühlen lassen
3 Eigelb	mit
25 g Zucker	schaumig schlagen, mit
1 EL Rum	und der Lebkuchenmasse verrühren
3 Eiweiß	mit
25 g Zucker	steif schlagen, unter die Masse ziehen 6 ausgefettete Portionsförmchen mit
1 EL Zucker	ausstreuen, die Lebkuchenmasse einfüllen, Förmchen in die 2 cm hoch mit Wasser gefüllte Fettpfanne des Backofens setzen, in den vorgeheizten Backofen schieben
Ober-/Unterhitze:	etwa 200 °C (vorgeheizt)
Heißluft:	etwa 180 °C (nicht vorgeheizt)
Gas:	etwa Stufe 3 (vorgeheizt)
Backzeit:	etwa 20 Minuten das Soufflé sofort servieren.

Honig-Bananen

(Für 4 - 6 Personen)

3 Bananen	schälen, längs durchschneiden, in
30 g Butter	von beiden Seiten braun anbraten, mit
Saft und Schale von ½ Zitrone (unbehandelt)	
4 EL Honig	
2 EL gerösteten Sesamsamen	vermengen, Bananen herausnehmen, Sauce kurz einkochen lassen, über die Bananen träufeln.

CHARLOTTE RUSSE (Foto)

(Für 6 - 8 Personen)

500 ml (½ l) Milch	mit
1 Vanilleschote	zum Kochen bringen
4 Eigelb	mit
100 g Zucker	schaumig schlagen, nach und nach die heiße Milch unterschlagen
10 Blatt weiße Gelatine	10 Minuten in kaltem Wasser einweichen, in
2 EL heißem Orangensaft	unter Rühren bei kleiner Hitze auflösen, etwas abkühlen lassen, unter die Creme rühren, sobald sie geliert
etwa 300 g Aprikosen (aus der Dose)	abtropfen lassen, pürieren eine Charlotte-Form mit geraden Wänden (Inhalt etwa 1,5 l) mit
12 - 15 Löffelbiskuits	auslegen, mit
3 EL Marillengeist	beträufeln
500 ml (½ l) Schlagsahne	steif schlagen, unter die Creme ziehen ein Drittel der Creme in die Charlotte-Form geben, mit der Hälfte des Aprikosenmus bestreichen, zweites Drittel Creme, restliches Mus und übrige Creme nacheinander in die Form geben, kalt stellen nach 24 Stunden stürzen, mit
Schlagsahne	verzieren.
Hinweis:	Wer die Charlotte ganz klassisch mag, verzichtet auf Marillengeist und Aprikosenmus.

GESTÜRZTER GRIESSPUDDING (Foto)

Knapp 500 ml (½ l) Milch	in einen Topf geben
1 Eigelb ¼ Stück Vanilleschote	hinzufügen, mit einem Schneebesen gut verschlagen, zum Kochen bringen, den Topf von der Kochstelle nehmen, Vanilleschote herausnehmen, das Mark herauskratzen, zur Milch geben
1 Päckchen Grieß-Puddingpulver	auf einmal unter Rühren mit einem Schneebesen in die Milch geben, etwa 1 Minute kräftig weiterrühren (den Topf nicht wieder auf die Kochstelle stellen), den Pudding in vier mit kaltem Wasser ausgespülte Förmchen geben, im Kühlschrank erkalten lassen, den Grießpudding auf Glasteller stürzen
1 Päckchen Instant-Himbeer-Sauce 250 ml (¼ l) Weißwein	mit nach Vorschrift auf der Packung zubereiten, die Sauce über den Pudding geben, mit
Waffeltüten Johannisbeerrispen	garnieren.

526

Vanillepudding

(Für 6 - 8 Personen)

500 ml (½ l) Milch	mit
50 g Butter	
½ Vanilleschote	
1 Prise Salz	aufkochen lassen, mit
125 g Grieß	verrühren, bei schwacher Hitze etwa 25 Minuten aufquellen lassen, dabei umrühren, etwas abkühlen lassen, mit
5 Eigelb	verrühren
5 Eiweiß	mit
50 g Zucker	steifschlagen, unter die Masse ziehen, Mark aus der Vanilleschote kratzen, in die Creme geben, Schote entfernen
	eine Wasserbadform mit
1 EL Butter	ausfetten, mit
1 EL Zucker	ausstreuen, den Teig einfüllen, die Form schließen, ins Wasserbad stellen - die Form sollte zur Hälfte im Wasserbad stehen - etwa 1 ¼ Stunden kochen lassen vorsichtig stürzen, mit
Himbeersirup	begießen.

ZIMT

Der Duft der großen weiten Welt zieht spät im Jahr durchs Haus – immer dann wenn die ersten Zimtsterne gebacken werden. Zimt ist ein echter Exot, auch heute noch. Gewonnen wird er aus dem bis zu zwölf Meter hohen Ceylonzimtbaum, der in ganz Südostasien sowie in Australien beheimatet ist. Seine rötliche Rinde, vor allem die der jungen Triebe, ist reich an ätherischen Ölen, die für den würzigen Geschmack des milden Ceylonzimtes sorgen. Weitaus stärker ist dagegen der aus China kommende Kassiazimt. Für die Herstellung von Gebäck wird daher besser Ceylonzimt genommen.

Apple-Pie

250 g gesiebtes
Weizenmehl mit
200 g Butter
1 Ei
etwa 100 ml
Weißwein zu einem festen Teig verkneten, kurz ruhen
lassen, in einen etwas größeren und einen etwas
kleineren Teil trennen, den größeren Teil rund
ausrollen
eine Pie-Form mit
1 EL Butter ausfetten, mit der Teigplatte auslegen
750 g säuerliche
mürbe Äpfel schälen, achteln, Kerngehäuse entfernen,
Apfelstücke auf dem Boden verteilen, mit

70 g Zucker
1 TL gemahlenem Zimt
1 TL abgeriebener
Zitronenschale
(unbehandelt) bestreuen
den übrigen Teig als Deckel dünn ausrollen, auf die
Pie legen, Ränder zusammendrücken, mit
1 verschlagenen
Eigelb bestreichen, auf der mittleren Schiene in den
vorgeheizten Backofen schieben
Ober-/Unterhitze: etwa 200 °C (vorgeheizt)
Heißluft: etwa 180 °C (nicht vorgeheizt)
Gas: etwa Stufe 3 (vorgeheizt)
Backzeit: etwa 60 Minuten
heiß servieren.

Im Winter

Petit Fours „Cassis"

(6 Stück)

Für die Füllung

10 g Butter	zerlassen
60 g Semmelbrösel	darin goldbraun rösten
200 g schwarze Johannisbeerkonfitüre	durch ein Sieb streichen, mit den Semmelbröseln vermengen, mit
gemahlenem Zimt gemahlenen Nelken	würzen
1 Packung Waffeln mit Dessert-Creme-Füllung	mit der Konfitüre-Masse zusammensetzen.

Für den Guß

300 g Puderzucker	sieben, mit
80 ml Crème de Cassis	glattrühren, die Petit fours damit bestreichen, mit
kandierten Kirschen	verzieren.

Petit Fours „Nero" (Foto)

(6 Stück)

Für die Füllung

6 Eigelb	mit
120 g Zucker	schaumig rühren, mit
240 g geriebenen Haselnußkernen	verkneten
1 Packung Waffelblätter	mit
Milchschokolade	mit der Nuß-Masse zusammensetzen.

Für den Guß

300 g Puderzucker	sieben, mit
2-3 EL Instant-Kakaopulver	verrühren, die Petit fours damit bestreichen, mit
Haselnußkernen	verzieren.

SCHNECKENKUCHEN MIT DATTELN

Für den Teig

20 g frische Hefe	in
4 EL lauwarmen Wasser	auflösen, 15 Minuten stehen lassen, mit
500 g gesiebtem Weizenmehl	
125 ml (⅛ l) lauwarmer Milch	
2 Eiern	
100 g weicher Butter	
50 g Zucker	
1 Prise Salz	zu einem Teig verkneten, mit den Knethaken des elektrischen Handrührgeräts solange bearbeiten, bis der Teig elastisch und glänzend ist, wenn nötig, noch etwas
Weizenmehl	hinzugeben, etwa 2 Stunden gehen lassen, bis sich das Volumen des Teiges verdoppelt hat, zu einer rechteckigen Teigplatte 30 x 50 cm ausrollen, mit
80 g zerlassener Butter	bestreichen
100 g entsteinte, frische Datteln	grob hacken, mit
100 g Marzipan-Rohmasse	
50 g Mirabellenkonfitüre	
¼ TL geriebener Muskatnuß	vermengen, auf die Teigplatte streichen, zu einer 50 cm langen Rolle zusammenrollen, in etwa 5 cm lange Stücke schneiden, diese in eine mit
weicher Butter	ausgestrichene Springform stellen, etwas Abstand dazwischen lassen, zudecken, an einem warmen Ort nochmals 30 Minuten gehen lassen, auf dem Rost in den vorgeheizten Backofen schieben
Ober-/Unterhitze:	etwa 200 °C (vorgeheizt)
Heißluft:	etwa 180 °C (nicht vorgeheizt)
Gas:	etwa Stufe 3 (vorgeheizt)
Backzeit:	etwa 45 Minuten.

BIRNEN IM BLÄTTERTEIG (Foto)

300 g tiefgekühlten Blätterteig	bei Zimmertemperatur etwa 20 Minuten auftauen lassen
4 kleine Butterbirnen	schälen, halbieren, Stiele und Kerngehäuse entfernen, die Birnenhälften mit
2 EL verrührter Preiselbeerkonfitüre	füllen, wieder zusammensetzen den Blätterteig zu einem Quadrat von 40 cm Kantenlänge ausrollen, in vier Quadrate schneiden je eine Birne auf eine Teigplatte setzen, den Teig darüber zusammenschlagen, die Ränder zusammendrücken, den Teig mit
1 verschlagenen Eigelb	bestreichen die Blätterteigbirnen auf ein mit kaltem Wasser abgespültes Backblech setzen, auf der mittleren Schiene in den vorgeheizten Backofen schieben
Ober-/Unterhitze:	etwa 220 °C (vorgeheizt)
Heißluft:	etwa 200 °C (nicht vorgeheizt)
Gas:	etwa Stufe 3 (vogeheizt)
Backzeit:	etwa 30 Minuten.
Hinweis:	Vanillesauce oder Preiselbeersahne dazureichen. Ganz klassisch sind Birnen im Blätterteig, wenn man Birnenhälften auf entsprechend große Blätterteigplatten legt, mit Blätterteig bedeckt, in Birnenform ausschneidet, die Oberfläche mehrmals einschneidet und backt.

KARIBISCHER SAVARIN

Für den Teig

6 Eigelb	mit
120 g Zucker	schaumig schlagen
120 g Kokosraspel	unterrühren
6 Eiweiß	steif schlagen, unter die Kokosmasse ziehen
	eine Savarinform gut mit
weicher Butter	ausstreichen, den Teig hineingeben
	die Form auf dem Rost auf der unteren Schiene
	in den vorgeheizten Backofen schieben
Ober-/Unterhitze:	175 - 200 °C (vorgeheizt)
Heißluft:	160 - 180 °C (nicht vorgeheizt)
Gas:	Stufe 2 - 3 (vorgeheizt)
Backzeit:	etwa 50 Minuten
	den Kuchen etwas abkühlen lassen, auf einen
	Teller stürzen
100 ml Cream of Coconut	mit
100 ml weißem Rum	verrühren, den erkalteten Savarin damit
	tränken, bis er vollgesogen ist.

Für die Füllung

Von

1 frischen reifen Ananas	
(etwa 900 g)	die Blattkrone abschneiden, die Ananas schälen,
	in Scheiben schneiden, den holzigen Mittelstrunk
	entfernen, die Ringe in Stücke schneiden, mit
2 EL weißem Rum	beträufeln, in den Savarinring geben
250 ml (¼ l) Schlagsahne	steif schlagen
½ reife Banane	schälen, pürieren, das Püree unter die steif-
	geschlagene Schlagsahne ziehen die Bananensahne
	in einen Spritzbeutel mit gezackter Tülle füllen,
	den Savarin damit verzieren.

BRAUNEN ZUCKER

Was einst allein den Reichen dieser Welt das Leben versüßte, ist heute ein ganz alltägliches Genußmittel für jedermann: Zucker. Er wird überwiegend aus dem Mark des bis zu sieben Meter hohen brasilianischen oder indischen Zuckerrohrs gewonnen oder aber aus zerkleinerten Zuckerrüben. Legte man früher Wert darauf, möglichst feinen, weißen Kristallzucker zum Kochen und Backen zu verwenden, so nutzt man heute auch gern den ungebleichten braunen Zucker.

Als Kandis kommt er in großen Stücken in die Teetassen, als Kandisfarin, der zerkleinerten, feingesiebten Variante, nimmt man ihn zur Herstellung von Weihnachtsgebäck, vor allem von Lebkuchen.

HOT EGG NOG

(Für 1 Person)

1 - 2 Eigelb	mit
2 Barlöffeln Honig oder braunem Zucker	
4 cl Drambuie oder	
2 cl Scotch Whisky	verschlagen, in ein vorgewärmtes Punschglas geben, mit
heißer Milch	auffüllen, mit etwas
geriebener Muskatnuß	bestreuen.

Frohe Runde

(Für 10 Personen)

500 g braunen Zucker mit der
abgeriebenen Schale von
1 Zitrone (unbehandelt)
150 ml Wasser aufkochen
1 Vanilleschote aufschneiden, hinzugeben, 1 Stunde bei geringer Hitze ziehen lassen
500 ml (½ l) Wasser aufkochen
1 EL schwarzen Tee damit aufbrühen, 4 Minuten ziehen lassen, Tee abgießen, die erste Mischung durch ein Sieb geben, zum Tee geben

100 ml Maraschino
Saft von 2 Orangen
1,5 l Weißwein
500 ml Madeira hinzugeben, Punsch erhitzen, aber nicht kochen lassen, heiß servieren.

Trikolore

(Für 8 Personen)

750 ml (¾ l) Wasser zum Kochen bringen
2 EL schwarzen Tee damit aufbrühen, Tee 4 Minuten ziehen lassen, abgießen, weiter köcheln lassen

750 g braunen Zucker
1 l Rum (54 %) in einen Topf geben, anzünden, Zucker braun werden lassen, den heißen Tee,

Saft von 6 Zitronen
Saft von 6 Orangen zugeben, gut umrühren, sofort servieren.

Alphabetisches Register

A

Aal in Petersiliensauce	457	Bauernsalat mit Rauchkäse	501
Aioli	169	Beau Rivage	11
Altdeutsche Kartoffelpfanne	105	Bechamelkartoffeln	363
Altdeutsche Kartoffelsuppe	429	Beef-Sandwich	147
Ambrosia	391	Beeren-Schaum	253
Ananas-Kasseler im Sauerkrautteig	480	Belgischer Rindfleischtopf	453
Ananas-Mango-Bowle	277	Berner Platte	454
Ananassauce	310	Beschwipste Zwiebeln	293
Angemachter Liptauer Käse	147	Birne Helene	384
Anita	407	Birnen im Blätterteig	532
Apfel-Mousse	383	Black Velvet	12
Apfel-Quark-Auflauf	380	Blaubeerhippen	390
Apfel-Soufflé	382	Bloody Mary	275
Apfelsauce	310	Blue Angel	408
Apfelschnee	383	Blue Lagoon	11
Apple-Pie	529	Blue Moon	277
Aprikosen-Mousse	377	Boeuf Stroganoff	474
Aprikosen-Sekt-Püree	117	Bohnen-Sahne-Suppe	163
Arme Ritter	395	Bologneser Reistopf	323
Arme Ritter im Festkleid	415	Borschtsch	428
Artischockenböden mit Eiercreme	15	Bouillonkartoffeln	497
Artischocken mit Sauce vinaigrette	16	Brandy Alexander	275
Äschen, gegrillt	192	Brasil	277
Ausgebackene Holunderlüten	115	Bratäpfel	515
Ausgebackene Okraschoten	507	Braten mit Kartoffelkruste	341
Avocado-Krabben-Toast	413	Bratkartoffeln auf dem Blech	496
Avocadomus mit Käsecreme	414	Bratwurst	346
Avocadopaste	413	Brauner Geflügelfond	40
Avocadotörtchen	414	Brauner Kalbsfond	41
		Brauner Rinderfond	39
		Brauner Schweinefond	40
B		Braune Senfsauce	309
		Brauner Wildfond	308
Baba au Rum	401	Brombeer-Mascarpone auf Butterbirne	390
Bacino	139	Brombeeren mit Sahne und Krokant	252
Badischer Bohnentopf	441	Brombeersauce	172
Badische Salatröllchen	15	Brunnenkressesalat	98
Banana-Split	116	Brüsseler Waffeln	136
Bananas	275	Buchteln mit Aprikosen	266
Barbecue-Sauce, gekocht	169	Bunter Eintopf	322
Barsch Clothilde	326	Bunter Eintopf	444
Barsche in Kräutersauce	58	Bunte Maiscreme	281
Basilikumkäse	146	Bunte Party-Kugeln	18
Basilikumsauce	170	Bunter Quark-Dip	170
Bäuerliche Käsesuppe	163	Buntes Reisfleisch	191
Bauernfrühstück	362		

C

Café Drambuie	271
Camembert in Cognac	415
Camembert mit Bananen	18
Campari Orange	411
Cannelloni auf Blattspinat	150
Carpaccio vom Fisch	194
Cassiseis	254
Champignonsauce	171
Charlotte Russe	525
Charly`s Special	12
Chayote-Creme-Suppe	433
Chayote-Salat	495
Chicorée, geschmort	494
Chili con carne	442
Chinakohleintopf	444
Chinakohl	498
Chinakohl-Gratin	499
Chinakohl mit Lauch	498
Chinesische Hühnersuppe	298
Cointreau auf Ingwer-Bananen	378
Cremesuppe mit Staudensellerie	164
Crème au Caramel	128
Cremige Kirschsauce	128
Crêpes mit Geflügelfüllung	19
Crêpes Suzette	121
Cumberlandsauce, pikant	438

D

Deutsches Beefsteak	222
Dicke Bohnen-Ragout	320
Dillbutter	171
Diplomatencreme	127
Doppeldecker-Imbiss	280
Doppelte Kraftbrühe	435
Dorsch, gebraten	61
Drei-Pilze-Pizza	279
Dunkle Grundsauce	308

E

Eclairs mit Maronen-Creme und Ananas	137
Eier-Curry	20
Eier-Mozzarella-Toast	158
Eierröllchen	158
Eier im Förmchen	283
Eier mit Estragonsauce	281
Eier mit Senfsauce	416
Eiklößchen-Suppe	164

Eingelegte Döbel-Bratlinge	326
Eingelegte Käsekugeln	420
Eiskaffee	271
Englische Limettencreme	131
Entenbrust mit Johannisbeersauce	223
Erbsen-Auflauf mit pikanter Quarkhaube	230
Erbsensuppe mit Pökelfleisch	431
Erdbeer-Maronen-Torte	264
Erdbeereis	255
Erdbeeren in Zitronenquark	255
Erdbeergrütze	118
Erdbeerkonfekt	117
Erdbeersauce	173
Essig-Champignons	159
Estragonessig	310
Exotischer Kartoffelauflauf	502

F

Farmersteak	221
Feigensorbet	379
Feine Leberpastetchen	422
Feine Preiselbeersauce	311
Feine Zimt-Zwiebelchen	292
Feine Zitronensauce	439
Feinschmecker-Röllchen	194
Fenchelsalat	364
Filetbohnen mit Scampi	35
Filetspieße	83
Filetsteak mit Austernpilzen	342
Filet schöne Gärtnerin	327
Filet vom Lachs justine	62
Fischrollen auf Lauchgemüse	63
Fischschnitten Barbara	195
Fischtopf	186
Fisch im Fenchelbett	324
Fisch im Fisch	473
Fischschaschlik mit Ketchupsauce	328
Flambierter Bananen-Kokos-Flammeri	250
Flambierte Himbeersauce	172
Flambierte Orangenscheiben	510
Flamingo	408
Fleisch-Gemüse-Topf	443
Forelle blau mit Gemüse	70
Forellen blau	193
Forelle mit Mandelsauce	71
Forellenröllchen mit Schmorgemüse	196
Frische Kräutersauce	48
Friséesalat mit Pute	100

Fritierte Früchte	513	Grapefruit mit Marsala-Gelee	509
Fritierter Tintenfisch	197	Gratiniertes Kalbskotelett	212
Frohe Runde	535	Graupensuppe mit Pflaumen	299
Fruchtig gefüllte Koteletts	483	Graved Lachs	459
Frühlings-Frikassee	101	Griechische Käsecreme	176
Frühlingsplatte mit Avocadocreme	84	Griechische Schafskäse-Pastete	154
Frühlingssalat	102	Grieß-Speise mit Aprikosen	514
Fürst-Pückler-Bombe	124	Grüne-Bohnen-Eintopf	187
		Grüner Aal auf Thymian	325
		Grüner Aal einmal anders	460
G		Grüne Heringe	330
		Grüner Kartoffelsalat	102
Gänseschenkel in Schmorkraut	356	Grüne Sauce	48
Garnierte Lachsmayonnaise	60	Grünkohl, Bremer Art	440
Gazpacho	165	Gulasch, pikant	344
Gebackene Pfannkuchen-Rollen	294	Gulaschsuppe	430
Gebackene Salbeiblätter	148	Gurken-Quark-Sandwich	149
Gebackene Seezunge	329	Gurken in Dillsahne	149
Gebackene Tomaten mit Käseschaum	153		
Gebeitzter Fisch	197		
Gebratenes Rotbarschfilet	81	**H**	
Gedünstete Zwiebelsauce	311		
Geeiste Weintrauben	385	Hackfleischspieße	212
Geflügel-Bananen-Eintopf	445	Hagebutten-Buchweizen-Grütze	119
Geflügelschaschlik	224	Hagebuttensauce	49
Gefrorener Sabayon	245	Hähnchenschenkel, gebraten	92
Gefüllte Aprikosen	115	Hähnchen mit Schnittlauchsauce	227
Gefüllte Champignons	17	Haisteaks in Kapernbutter	460
Gefüllte Datteln	412	Hammel-Pilaw	97
Gefüllte Eier	24	Hammelkoteletts mit Paprikagemüse	476
Gefüllter Kürbis	286	Hammlrücken mit Grünen Bohnen	213
Gefüllte Schinken-Röllchen	23	Harzer Käse in Öl	284
Gefüllte Schmorgurken	211	Hechtschnitte in Käsehülle	80
Gefüllter Staudensellerie	23	Hechtstückchen mit	
Gegrillte Dorade mit Fenchel	336	abgeschlagener Senfsauce	461
Gegrillte Rotbarben	198	Hefeklöße	259
Gegrillter St. Peterfisch	199	Hefeklöße mit Kirschen	262
Gegrillter Hummer mit Rotwein-Butter	458	Heilbutt, amerikanisch	331
Geisha	408	Heilbuttspieße	332
Gekräutertes Roastbeef	475	Heilbutt auf Gemüse	64
Gemischter Fisch, fritiert	336	Heilbutt mit Kräuter-Sahne-Sauce	200
Gemüse-Hühnchen-Eintopf	53	Heilbutt mit Sauce hollandaise	330
Gemüsetopf	187	Heilbutt, pikant	59
Geschmorter Dorsch	65	Heilbutt vom Grill	201
Geschmorte Kalbshaxe	476	Heller Fischfond	39
Geschmorte Kalbsnuß	489	Heller Geflügelfond	41
Geschmortes Kaninchen	343	Helle Grundsauce	49
Geschmorte Lammkeule	85	Heller Kalbsfond	42
Geschnetzeltes Hähnchen	92	Herings-Quark-Topf	76
Gestürzter Grießpudding	526	Himbeereis	256
Gestürzter Pflaumenkuchen	397	Himbeerpunsch mit Arrak	271
Glasnudelsalat Shanghai	22	Himmelspeck	123

Hirschsteaks mit Portweinsauce	345	Karibischer Savarin	533
Hirse-Gratin	388	Karpfen mit	
Hischsteaks mit Sauce Béarnaise	347	Orangen-Meerrettich-Sahne	333
Holländische Muschelsuppe	432	Kartoffel-Kümmel-Waffeln	28
Honig-Bananen	524	Kartoffelblinis mit Lachs	27
Honigquark	123	Kartoffelgratin	103
Hot Egg Nog	534	Kartoffelnester	418
Huhn-Avocado-Salat	501	Kartoffeln mit Crème fraîche	
Huhn auf texanische Art	225	und Kaviar	503
Hühnerbrust mit Pfeffersauce	356	Kartoffeln mit Knoblauch und Petersilie	104
Hühnercremesuppe mit Ei	299	Kartoffelpfanne „Espagna"	233
Hummerkrabben mit Kräutern	202	Kartoffelpüree, flämisch	232
Hüttenkäse-Soufflé	24	Kartoffelrouladen	359
		Kartoffelsoufflé	419
		Kartoffel-Spatzen	363
I		Kartoffelspiralen	418
		Kartoffelsuppe	45
Indischer Teepunsch	403	Kartoffelsuppe mit Würstchen	300
Irish Coffee	139	Kartoffeltorte	400
Italian Coffee	138	Käse-Schaum-Sauce	312
Italienischer Braten	486	Käse-Soufflé	25
Italienisches Roastbeef	219	Käse-Wähe	113
		Käseflipkugeln auf Pflaumen	285
		Käsekuchen auf dem Blech	269
J		Käsepfannkuchen	420
Jade	11	Käsering	25
Jamaika Kaffee	271	Käsesauce mit Basilikum	170
Joghurt-Preiselbeer-Grütze	119	Käsewaffeln	421
Johannisbeer-Crumble	253	Kasseler im Brotteig	480
Johannisbeersauce	172	Kasseler Rippenspeer	478
		Kastanien	492
		Kefir-Schmand mit Preiselbeeren	377
K		Kenia-Böhnchen	507
Kabeljau in Buttersauce	332	Kirsch Cobbler	143
Kaiserin-Reis	132	Kirschensauce, pikant	181
Kaiserschmarren	389	Kir Royal	13
Kajüten-Schmaus	202	Kleine Käse-Soufflés	28
Kalbfleisch, mariniert	214	Klieschen auf Sauerkraut	462
Kalbshaxe im Tontopf	93	Knoblauch, gegrillt	151
Kalbsleber mit Bananen	215	Knoblauch-Koteletts	95
Kalbsmedaillons Karen	94	Knoblauch-Petersilien-Rührei	29
Kalbsmedaillons auf Toast	26	Knoblaucherdnüsse	420
Kalbsmedaillons in Gorgonzolasauce	477	Knoblauchhähnchen	226
Kalbsschnitzel mit Kruste	215	Knoblauchscampi	203
Kalbssteaks mit gegrillten Bananen	216	Knoblauch-Tomaten	287
Kalte Gurkensuppe	167	Knusperbutter	439
Kalte Tomatensuppe mit		Knuspriges Hähnchen	93
Avocadocreme	307	Kohlrabieintopf	54
Kaninchen in Senfsahne	348	Kohlrabi in Kresse-Creme	104
Karamel-Kartoffeln	496	Kohlrabigemüse mit Quark	105
Karamel-Pfirsiche	246	Kokoskugeln mit Ananas	514
Karameleis mit Mango	512		

Kotelettkrone 482
Koteletts mit Pfifferlingen 348
Koteletts mit Champignon-Zwiebeln 95
Krabben, friesisch 334
Krabben-Rührei-Brot 29
Kräuter-Frikadellen 349
Kräuter-Joghurt-Dressing 174
Kräuter-Knoblauch-Oliven 152
Kräuter-Matjes 209
Kräuter-Öl-Mischung 174
Kräuter-Plinsen 30
Kräuterkartoffeln 493
Kräuterquark 106
Kräutersuppe 165
Kressesalat 505
Kressesuppe mit Forellenklößchen 43
Kulleraprikose in Kefir 377
Kürbis-Chutney 367
Kürbisauflauf mit Schafskäse 366
Kürbispüree 287
Kürbisstew 319

L

Lachs-Croissants 106
Lachs in Senfsahne 193
Lachs mit Tatarensauce 65
Lachs mit Wein-Zitronen-Sauce 463
Lachsschnitte vom Grill 204
Lamm-Bananen-Curry 423
Lammfilet 217
Lammfilet auf Käse-Kartoffeln 87
Lammkeule in Pergamentpapier 218
Lammkoteletts mit Minze 87
Lammkoteletts mit Ziegenkäse 88
Lammrücken 484
Lammrückenfilet im Wirsingkleid 485
Lammspieße 96
Landfrauen-Auflauf 107
Langostinos auf Blätterteig 462
Lauch-Eier-Ragout 416
Lauch-Hack-Auflauf 89
Lauch-Roquefort-Toast 152
Lauch-Topf mit Tomaten 185
Lauchkuchen 368
Lauchtorte 506
Leberrouladen 487
Leber mit Salbei 219
Lebkuchen-Soufflé 524
Leichte Quark-Mayonnaise 49
Limanden in Bratfolie 464

Limburger Käsesuppe 44
Linsensuppe 426
Liptauer, hausgemacht 31
Lotte in Safransauce 335

M

Macaire-Kartoffeln 108
Mairüben-Möhren-Rohkost 108
Mairübeneintopf 54
Maistopf 321
Makkaroni mit pikantem Quark 109
Makrelen in Pfefferrahm 204
Malaga-Parfait 131
Mandelmedaillions 90
Mandelpudding 517
Mandeltörtchen mit Eis 396
Manetti 407
Mangold 234
Mangoldblätter mit Schinken und
    Käse gefüllt 235
Manhattan 144
Marinierte Auberginenscheiben 156
Marinierte Heringshappen 465
Marinierter Kochfisch venezianisch 66
Marinierter Lauch 369
Mariniertes Kräuterfleisch 91
Marinierte Orangen 510
Marmoreier 282
Marmorierte Creme 508
Marmorierte Eiswaffeln 261
Maroni-Schokoladenpudding 518
Marquise Alice 126
Martini 276
Mascarpone-Heidelbeer-Torte 268
Matjes-Cocktail 31
Matjes-Palette 67
Matrosenomeletts 68
Minestrone 301
Mint Julep 270
Minzgelee mit Melonenbällchen 130
Mirabellengrütze im Krokantkörbchen 398
Mittelmeersauce 175
Mitternachtssuppe 297
Möhren-Creme-Suppe 42
Möhren-Lamm-Eintopf 56
Möhreneintopf 55
Möhren mit Kerbel 236
Möhrensuppe mit Quarkhaube 166
Mokka-Nektarinen 245
Mont Blanc 387

Mousse au Chocolat	387	Petits fours „Nero"	530
Muscheleintopf	57	Pfälzer Eier	37
Muschelspieße	466	Pfirsiche, überbacken	246
		Pfirsiche auf orientalische Art	248
N		Pfirsiche mit Eierlikörsahne	247
		Pflaumen-Portweincreme-Torteletts	
Nekroni	276	mit Schweinebraten	289
Nektarinen in Himbeermark	244	Pflaumensauce	312
Nordische Wildsauce	309	Pikante Eiercreme	177
Nudelsalat	237	Pikante Fischspieße	468
Nußeis mit Krokant	523	Pikant gefüllter Barsch	74
		Pikante Johannisbeersauce	177
		Pikante Käsesuppe	43
O		Pikante Kräutercreme	312
		Pikante Kräutersauce	313
Obazter	421	Pikantes Muschelgericht	467
Ochsenbrust im Gemüsesud	305	Pikante Sauce	314
Ochsenschwanz mit Staudensellerie	446	Pikante Senfsauce	313
Œufs à la neige	519	Pikanter Weinchaudeau	314
Ofenheringe	69	Pilzsalat mit Balsilikum-Mayonnaise	371
Ofenkartoffeln	495	Pinkfarbene Suppe	437
Ohio	12	Pistaziensauce	173
Okra mit Schinkensahne	32	Pochierte Eier mit Sauerampfercreme	36
Oliven-Dip	175	Pochierte Fischroulade	466
Olympic	409	Pommersche Schichttorte	266
Omelett französische Art	32	Portugiesische Sauce	178
Omelett mit chinesischem Gemüse	34	Powidl-Tascherln	393
Omelett Surprise	120	Prairie Oyster	144
Orangenblüten-Bavaroise	116	Princess Margret	409
Orangensauce	509	Puten-Thunfisch-Sauce	179
Ostindische Hühnersuppe	45	Pute mit Kastanienfüllung	354
P		**Q**	
Paksoi-Quiche	288		
Paksoi-Suppe	433	Quarkflammeri	263
Palmherzen-Suppe	437	Quark-Waffeln	136
Palmito-Pilz-Cocktail	295	Quarkklöße	392
Panierte Schweinekoteletts	83	Quarkmayonaise	179
Papaya mit Schinken	35	Quarkplinsen	385
Paprika-Käse-Spießchen	150		
Paprika-Kraut-Topf	447		
Paprika-Kresse-Butter	176	**R**	
Paprikahähnchen	226		
Paprikamakrelen	205	Ratatouille	188
Paprika mit Käsecreme	424	Red Balloon	407
Passcha	125	Rehmedaillons mit Brombeersauce	350
Pastetchen mit dreierlei Füllung	110	Reisgelee Sarah Bernhard	260
Patate al forno	370	Remouladen-Sauce	315
Pesto	176	Rhabarber-Quark-Speise	133
Petersilien-Soufflé	37	Rhabarberauflauf	132
Petits fours „Cassis"	530	Rhabarbereis	133
		Rhabarberkuchen mit Baiser	135

Rheinischer Suppentopf	448	Schellfisch Angela	469
Rinderfilet	220	Schellfisch, gekocht	75
Rinderfilet „Wellington"	351	Schellfischsalat nach Hausfrauenart	469
Rindfleisch	220	Schinken-Quark-Sandwich	161
Ritz	409	Schleien in Weißwein	337
Roher Fischsalat	500	Schneckenkuchen mit Datteln	531
Rohe Tomatensauce	181	Schnecken mit Kräuterbutter	161
Rohrnudeln mit Mohnfüllung	394	Schneewittchenkompott	250
Roman	145	Schnittlauch-Radieschen-Sauce	178
Roquefort-Apfel-Toast	291	Schokofrüchte	256
Roquefort-Quark-Creme	291	Schokoladen-Rotwein-Trifle	520
Roquefort-Rahm-Suppe mit		Schokoladenauflauf	520
Krebsschwänzen	303	Schokoladenparfait mit	
Rosa Radieschen-Kaltschale	45	Aprikosensahne	258
Rosenbowle	145	Schokoladenpunsch Mexiko	139
Rosenkohlsuppe	434	Scholle auf Matrosenart	206
Rossumada	386	Scholle in Rotwein	80
Rote-Bete-Salat	374	Schollenfilet mit Shrimps	206
Rote Bohnen-Suppe	304	Schwäbische Wurstsuppe	436
Rote Grütze	252	Schweinerücken im Wirsingkleid	490
Roter Harzer mit Musik	284	Schweizer Käsekuchen	285
Rote Paprikasauce	180	Schweizer Rösti	360
Rotes Würzkompott	243	Scottish Grog	139
Rotfeder mit Senfrahm	74	Seezungenröllchen mit Limonensauce	72
Rotkohl, gedünstet	504	Seezungenröllchen	338
Rotweinpunsch	410	Seezungenröllchen auf Toast	73
Rühreier indische Art	160	Seezungen-Röllchen mit Kräutersahne	470
Rührei mit Schinken	280	Sektpfirsich mit Sorbet	248
Rumpsteak auf Rosmarinzweigen	210	Selleriebouillon mit Sherrysahne	302
		Sharks Tooth	145
		Shining	411
S		Soft Lady	143
Sahne-Mais-Suppe	305	Sommer-Suppe	166
Salat mit pochierten Eiern	365	Sommerkompott mit Haube	249
Salbei-Hähnchen	357	Sommerlicher Reis-Salat	231
Salbeiöl	316	Soupe au Pistou	449
Salsa Verde	182	Spaghettikürbis-Gratin	373
Salute	410	Spaghettisalat	373
Salzburger Nockerln	122	Spargel-Kerbel-Suppe	46
Sardinen-Baguette	424	Spargelsalat mit Kräutersauce	99
Sauce Bèarnaise	182	Spargel mit Spinatsauce	112
Sauce Cambridge	183	Spargel mit Wein-Chadeau	112
Sauce Hollandaise	51	Speckschollen	76
Sauce Mousseline	317	Spinat-Creme-Suppe	38
Sauerampfersauce	316	Spinat-Eintopf	189
Sauerkirschen in Mandelsahne	380	Spinatsuppe mit Ei	168
Sauerkirschkaltschale	251	Spinat mit Eier-Sahne-Sauce	229
Sauerkrautsalat	374	Stachelbeersauce mit Anis	173
Sauerkrautsuppe	435	Steckrüben mit Schweinebauch	450
Schaschlik	488	Steinbeißerkotelett in Alufolie	77
Schattenmorellen in Mandelmilch	129	Steinbutt Clarissa	471

Steinbutt mit abgeschlagener Sauce 77
Steinbutt mit Krabben 207
Streichholzkartoffeln 361
Streifrübeneintopf 56
Sunny 143
Sunrise 276
Süß-saure Soleier 417
Süßer Couscous 522
Syllabub 126

T

Tarte Tartin 399
Tee-Eier mit Ingwer 283
Tee-Töpfchen 129
Teepunsch mit Rotwein 403
Theodore 411
Thousand-Island-Sauce 438
Tintenfischsalat 372
Tiroler Krautnudeln 505
Tomaten-Creme-Suppe 168
Tom Collins 144
Tomatensauce Marseille 50
Tomatensuppe mit Lauch 47
Topinambur in Zitronenbutter 425
Topinambur überbacken 425
Trikolore 535
Tunesischer Gemüse-Topf 188

U

Überbackene Äpfel in Quarkschnee 381
Überbackene Steinpilze 278
Überraschungs-Brioches 239
Ungarisches Kartoffelgulasch 478
Ungarische Sauerkrautsuppe 306

V

Vanille-Sahne-Sauce 439
Vanillepudding 527
Vanillesauce 50
Vegetarischer Eintopf 185
Vinaigrette 51
Vinschgauer Brotzeit 157

W

Wachteleier in Champignons 282
Waffel-Kartoffeln 493
Walnußcreme 521

Walnußeis 523
Warmer Auberginensalat 238
Wein-Lauch 292
Weinäpfel auf Brombeermark
  mit Sahne 257
Weincreme 386
Weinsauce, kaiserliche Art 317
Weiße Bohnensuppe 427
Westfälisches Blindhuhn 454
Whist 403
Wildmedaillons mit Mangomus 352
Winzer Kartoffelplatte 361
Wirsing-Möhren-Gemüse 375
Wirsingsuppe 450
Wirsingtopf mit Lamm 452
Würstchen im Hemd 423
Würzeier in Rotwein 417
Würziger Drei-Schichten-Käse 21
Würzige Rote Bete 290

Z

Zanderschnitten 472
Zander in Gemüse 208
Zanderfilet in Mohnsauce 338
Zander nach Bäckermeister Art 79
Zimtpflaumen mit Blätterteighaube 243
Zimtpudding 516
Zitrusfrüchte auf Sahnegelee 511
Zucchini-Zwiebel-Tomaten-Gemüse 240
Zuckererbsentopf 190
Zuckererbsen mit Mandelbutter 241
Zuckererbsen mit Zitronensauce 240
Zungenragout feine Art 222
Zwiebel-Fisch 339
Zwiebelkoteletts mit Senfcreme 353

Die Rezepte sind – wenn nicht anders angegeben –
für 4 Personen berechnet

Copyright: © Ceres Verlag
               Rudolf August Oetker KG, Bielefeld

Herstellung: Gesamtherstellung
               Tandem Verlag, Steinmetzstr. 20
               41061 Mönchengladbach

ISBN 3-930882-74-4